Heartbeats of Hope   +   The Empowerment Way to Recover Your Life

희망의 심장박동

마음의 심폐소생술

대니얼 피셔 지음 | 제철웅 외 옮김

정신과 의사가 전하는 삶을 회복하는
"마음 심폐소생술"

한울
아카데미

이 도서의 국립중앙도서관 출판예정도서목록(CIP)은 서지정보유통지원시스템 홈페이지(http://seoji.nl.go.kr)와 국가자
료종합목록 구축시스템(http://kolis-net.nl.go.kr)에서 이용하실 수 있습니다.
CIP제어번호: CIP2020032142(양장), CIP2020032145(무선)

1997년 남아프리카공화국 정부의 사회복지에 관한 백서는 공식적으로 우분투ubuntu를 다음과 같이 인정했다.

"(우분투는) 상호 간의 복지를 돌보는 원칙, … 상호 지원의 정신이다. … 각 개인의 인간성은 이상적으로는 다른 사람과의 관계를 통해 표현된다. 다른 사람들의 인간성은 다시 그 개인의 인간성을 인정함으로써 비로소 표현된다. 우분투는 인간은 다른 인간을 통해 인간이 된다는 것을 의미한다. 우분투는 또한 개인적 및 사회적 복리 증진을 요구할 각 개인의 권리가 있고 동시에 책임이 있음을 인정한다."

헌정

아내 티시Tish, 딸 로런Lauren과 케이틀린Caitlin에게,

나의 형제자매, 친구에게,

그리고 인생이라고 부르는 나의 여정에 영감을 주고 지지를 해준

나의 동맹자들에게 이 책을 바친다.

희망의 심장박동

내가 두려움을 느꼈을 때
어둠, 차가움, 그리고 외로움을 느꼈을 때
나의 심장은 박동을 그리워하고
나뭇잎은 떨어지고,
죽음의 차가운 숨결이
내 목을 싸늘히 휘감는다
용도는 무엇인가?
절벽만이 앞에 있고,
삶은 방해를 받는다
그러나 어떤 미소,
어떤 손길,
어떤 포옹이
불을 피울 수 있고,
잊어진 불씨 위로
부는 바람이
따스함을 가져오고,
내 심장의 흐름을 되돌려 놓아
두려움의 심장경련을 쫓아낸다
희망의 심장박동으로

차례

한국의 독자에게

대학 시절, 나는 뇌의 화학작용을 더 잘 이해하게 되면 내 누이동생의 불행이 치료될 수 있을 거라는 생각에 사로잡혀 있었다. 나는 생화학연구에 뛰어들었고, 스물네 살 때 위스콘신 대학교에서 박사학위를 취득했다. 이어서 신경전달물질인 도파민과 세로토닌의 작용에 관한 연구를 국립정신건강연구소National Institute of Mental Health: NIMH에서 수행했다. 내 상사는 흥미로운 발견에 도움을 줄 만한 문제에 몰입할 수 있을 것이라고 말했다. 나는 불행하게도, 행복은 시험관에서 발견될 수 있다고 믿는 신경화학자로서의 나의 냉정하고 몰정서적인 삶과, 셰익스피어의 문구를 빌리자면 '나의 화학적 철학에서 생각했던 것보다 훨씬 많은 것들이 하늘과 땅에 있다'는 점증하는 자아인식 사이에서 엄청난 충돌과 갈등을 느꼈다. 또한 부분적으로는 인간에 대한 관념이 과도하게 기계적이었던 탓에 고통스러운 이혼의 아픔을 겪기도 했다. 이런 갈등과 상실감으로 인해 상당한 기간 동안 극심한 정서적 스트레스를 겪었다. 여러 차례 나만의 현실 속으로 너무 깊이 고립되었고, 도움이 없이는 거기에서 실제 현실로 되돌아올 수 없었다. 이런 현상을 신경성 정신병이라 한다. 나는 그것을 어떻게 사느냐 죽느냐를 깊이 재성찰하는 기간이라고 부르곤 한다. 실제로 나는 나 자신을 위해서가 아니라 타인을 위해 살고 있었다.

나는 세 번이나 정신병원에 입원하게 되었고, 정신분열이라는 진단을 받았다. 이 용어를 한국에서는 이제 사용하지 않는다는 것을 알고 있다. 처음에 예후가 부정적이었기 때문에 나는 절망감을 느꼈다. 두 번째 입원하여 격리실에 감금되었을 때 나는 심각한 정서 상태를 겪는 사람들에게 다가가고 지원할 수 있는 더 나은 방법을 만들어야 한다고 결심했다. 친구, 동료, 돌봄을 제공하는 치료자, 나를 믿는 가족들의 도움으로, 나는 공동체에서 완전한 삶을 회복할 수 있었다. 덧붙여 나의 회복은 정신건강개혁을 달성하고자 하는 나의 열정에 힘입었다. 나는 정신과 의사가 되겠다고 내 삶의 목표를 정했다. 나는 운이 좋았다. 정신과 의사가 되어 정신건강 돌봄 체계를 개혁하고 싶다고 나의 치료사에게 말했을 때, 그는 곧바로 나의 졸업식에 참석하겠다고 했다. 내가 이 야심찬 계획을 달성할 수 있을 것이라고 그가 믿는다는 것을 확인하게 되어 놀라웠다. 이어서, 6년 뒤 그 치료사는 나의 아내와 같이 조지워싱턴 대학교 의과대학 졸업식에 축하하기 위해 왔다. 나는 하버드 의과대학 병원인 케임브리지 병원에서 레지던트 과정을 수료했다.

나는 15년 동안 지역사회에서 정신과 치료를 했다. 그러나 정신건강 시스템을 정말로 개혁하기 위해서는 '옹호자'가 되어야겠다고 결심했다. 나의 멘토 주디 체임벌린, 패트리샤 디건과 함께 나는 1992년에 전국역량강화센터 the National Empowerment Center: NEC를 설립했다. 미국과 전 세계에서 활동하는 정신건강 옹호자를 조직하기 위한 목적이었다. 나의 주된 소명은 희망, 이해, 지도력을 제공함으로써 협소한 화학적 관점에 초점을 맞추는 정신건강 시스템을 고통에 관한 더 전체적이고 인간적인 관점으로 바꾸고자 하는 것이다. 우리는 이런 접근을 정신의 역량강화를 통한 삶의 회복이라고 부른다. 이런 삶의 회복에는 개인의 노력만이 아니라 가족과 공동체의 개입이 필요하다.

이 책에서 나는 나와 내 동료 옹호자들이 믿는 바처럼 정신건강 시스템을 개혁할 수 있는 변화를 제안한다. 우리는 탈시설화하여 돌봄의 장소를 바꾸는 것만으로는 충분하지 않다는 것을 배웠다. 우리는 정서적 스트레스를 경험하는 기간 이후 완전하고 의미 있는 삶을 회복할 수 있도록 당사자를 진심으로 지원하기 위한 의료계의 노력을 방해해 온 완고하고 권위주의적이고 개인주의적인 사고라는 기존 제도를 탈바꿈해야 한다. 이런 사고의 변화에서 중요한 한 요소는 말로는 의미를 전달할 수 없는 사람들에게 어떻게 다가갈 수 있는지에 관한 우리의 이해를 어떻게 증진시킬 것인지를 아는 것이다. NEC는 전 세계에 있는 실제 경험이 있는 사람들과 협력하여 모든 사람을 위한 정서적 의사소통을 증진시키는 방법을 발전시키고 있다. 우리는 이런 접근을 정서적 심폐소생술eCPR이라고 부른다. 상당히 많은 지역사회 구성원이 정서적 심폐소생술을 배우면, 사회의 어떤 구성원이라도 정서적 스트레스를 경험할 때, 친구, 가족 또는 동료가 정서적 심폐소생술을 적용할 수 있고 그 사람의 삶의 회복을 촉진시킬 수 있다. 나는 오픈 다이얼로그open dialogue를 활용하여 회복을 촉진시키는 데 가족을 참여시키고 있다. 오픈 다이얼로그는 핀란드에서 발전되었는데, 젊은이들이 정신병으로부터 치유되는 데 매우 효과적이다.

이 책이 한국어로 번역됨으로써 더 많은 당사자와 그 가족들이 삶을 회복하는 데 적극적인 역할을 할 수 있기를 희망한다. 당사자들이 심각한 정서적 스트레스로부터 회복될 수 있고, 실제로 치유될 수 있다는 것을 많은 사람이 인식하게 될 때, 그들은 함께 힘을 합쳐 새로운 사회정책과 정신건강정책을 옹호할 수 있게 될 것이다. 그렇게 되면 정신건강의 스트레스를 겪은 경험이 있는 사람들을 정신병원이나 장애인시설에 가두어놓는 대신, 여러분의 나라가 새로운 회복 기반의 지역사회 서비스와 지원을 만들어나가게 될 것이다. 그렇게 되면 새로운 정책을 형성하는 것, 서비스 제공자를 훈련시키는 것, 서비스 전달체계를 구성하는 것 모두에 정신질환 경험이 있는 동료들을 포함시킬 수 있게 될 것이다.

대니얼 B. 피셔
Daniel B. Fisher
(NCMHR 대표, 의사/박사)

각 장 요약

제1부

제1장은 스물네 살 때까지의 내 삶에 대해 기술한다. 나는 이 기간을 '앵무새' 단계라 부른다. 그 기간 동안 나는 일관된 한 가지 형태의 현실, 즉 권위 있는 사람들이 구성해 놓았고 나는 거기에 따르려고 노력했던 독백의 현실만 있다고 믿었다.

제2장은 스물네 살부터 서른 살까지 내 삶의 변화기를 탐색한다. 나는 그 시기를 까마귀 단계라 부른다. 그 단계 동안 나는 나만의 고유한 목소리를 발견했다. 그리고 세상과 대화하기 시작했다. 나는 정신병이라는 딱지가 붙은 극단적 감정적 상태를 여러 차례 경험했다. 그 정신병이 나를 깊은 내면의 자아와 통합시켜 주었다.

제3장에서 내 삶은 거대한 청색 왜가리처럼 비상한다. 내 목소리로 다양한 다른 사람의 관점과 협력하면서 나는 공동체에서의 충만한 삶을 회복하는

것을 배운다. 그렇게 함으로써 나는 여러 목소리의 교향곡을 만들었다.

제2부

제4장은 공동체에서 내 삶을 회복함으로써 배운 교훈을 모두 요약한 것이다. 제5장에는 나의 자아의 발달에 관한 이 당시의 생각을 요약했다. 전국역량강화센터의 '회복, 치유, 발달의 역량강화적 패러다임'이, 질환으로 접근하는 의료적 모델에 대한 대안이 된다는 점을 기술하고 있다.

제3부

제6장에서 나는 임상치료사들이 개발한 오픈 다이얼로그 접근법을 익힌 동료들이 발전시킨 회복의 비전을 종합적으로 제안한다. 나는 회복과 오픈 다이얼로그의 종합을 대화를 통한 삶의 회복이라고 부른다.

제7장에서 나는 동료들이 자기 목소리를 발견하는 것이 중요하다는 점을 설명하면서, 동료들이 자기 목소리를 되찾을 수 있게 안내해 주는 자료를 제공한다. 자기 목소리를 되찾음으로써 동료들이 지역사회 내의, 그리고 지역사회 밖의 다른 사람들과 열정적 대화에 참여할 수 있게 된다.

제8장은 동료들이 개발한 훈련 프로그램인 정서적 심폐소생술을 설명한다. 이 프로그램은 정신병 진단의 딱지를 붙이지 않고, 또 강제치료 없이, 정서적 위기를 겪는 사람을 어떻게 지원할지 가르치는 것을 목적으로 한다.

제9장에서 나는 일련의 미팅으로 구성된 회복적 대화를 소개한다. 각각의 미팅은 동료와 서비스 제공자가 대화의 원칙을 이용하여 회복적 실무를 전통적 정신건강 시스템의 문화 속에 엮어 넣을 수 있는 공간이다.

제10장에서는 오픈 다이얼로그의 기원과 실천에 초점을 맞춘다. 매사추세츠에서의 정신과 의사로서의 나의 치료실무에 그것을 어떻게 활용하는지 예를 보여준다.

제11장에서 나는 삶의 회복에 관한 나의 이해를 요약한다. 정신건강 문제를 겪는 모든 사람이 공동체에서 자신의 선택에 따라 의미 있는 삶을 살아갈 수 있는 미래를 전망한다.

용어 설명

지은이 용어 설명

내가 공동체Community(이 번역서에서는 **지역사회**라는 표현도 사용한다 — 옮긴이 주)라고 말할 때는 정신병원이나 요양시설 밖에서의 자유로운 삶을 의미한다.

소비자Consumers란 현재 정신과 치료를 받는 사람이다. 정신과 생존자 Psychiatric Survivor란 정신건강 시스템 바깥에 있으면서 정신건강 시스템의 억압을 이겨냈다고 느끼는 사람이다. 이전 환자Ex-Patients는 이제 더는 환자가 아님을 나타내기 위해 사용하던 초기용어이다. 우리 중 일부는 자신을 실제로 회복을 경험한 사람Persons with lived experience이라 부른다. 그러나 다른 사람들도 마찬가지지만, 우리도 대부분 자신을 사람Persons이라고 부르는 것을 선호한다.

동료Peer라는 용어는 정신건강 문제의 경험을 공유하는 사람, 그리고 정신건강 시스템에서 종종 지원 서비스를 제공하는 사람을 말한다. 다른 이름이 동료옹호자Peer Advocate 또는 동료지원자Peer Supporter이다.

로널드 D. 랭R. D. Laing의 책 『분열된 자아The Divided Self』에서처럼, 나는 대문자로 자아Self를 사용함으로써 개인의 낮은 단계의 거짓된 자아self와 진정한 자아Self를 구분하고자 했다.

우리 자신만의 고유한 표현을 지칭할 때에는 목소리Voice도 대문자로 표시했다. 대문자 V의 목소리는 진정한 자아의 표현이라고 생각한다. 나는 이 책이 나의 목소리Voice의 표현이기를 희망한다.

옮긴이 용어 설명

- 정신건강 시스템: 'mental health system'의 번역어이다. 이 용어는 정신병원, 지역정신건강센터, 전환시설, 재활시설 등 극심한 정신적 스트레스를 받는 사람을 위한 전통적인 치료, 돌봄, 재활 서비스 전체를 의미한다.
- 경험 있는 당사자Persons with lived experience: 일반적으로 경험 있는 당사자는 정신질환 경험, 다른 질병의 경험, 또는 삶의 어려운 순간을 경험한 사람일 수도 있다. 이 책에서는 극심한 정신적 스트레스를 경험한 사람을 의미하는 용어로 사용한다.
- 오픈 다이얼로그open dialogue: 이는 목적이나 지향점을 두지 않은 채 과정으로서의 대화에 초점을 맞춘 것을 의미하는데, 이런 대화방식에 대해 우리는 아직 낯설기 때문에 여기서는 외래어로서 오픈 다이얼로그라고 쓴다.
- 회복recovery: 이 책에서는 의료적 관점에서 '치료되었다'는 의미로 사용하는 것이 아니라 자신이 원하는 의미 있는 삶을 살아가는 것을 의미한다. 정신건강상의 문제가 있는 사람들을 위한 의료정책 및 사회정책의 지향점을 제시하는 것이기도 하다.
- 정신건강 문제: 이 책에서는 정신병 또는 정신질환이라는 용어 대신 men-

고립된 과학자로부터 인문주의자로의 나의 전환

tal health problem이라는 용어를 사용한다. 이 용어 대신 emotional stress (정서적 스트레스)라는 용어를 사용하기도 한다. 의료적 관점에서의 표현인 정신질환이라는 용어가 차별적이고 낙인적 효과가 있기 때문에 지은이는 이런 용어를 사용했다.

• 역량강화: empowerment의 번역으로 역량강화라는 표현을 사용한다. 이를 권한부여라고 번역하기도 하는데, 이 책에서는 자기결정권을 행사하도록 지지하고 지원한다는 의미에서 이 단어를 사용한다.

• 정신mind과 가슴heart: 지은이는 mind를 주로 두뇌 이용을 통한 정신적 활동을 표현할 때 사용하고, heart는 가슴으로의 정서적 느낌과 판단을 강조할 때 사용한다. 그 의도를 살리기 위해 여기서는 mind는 정신으로, heart는 가슴 또는 심장으로 번역한다.

머리말

나는 이 책을 왜 쓰는가? 처음에는 정신건강 시스템에서 딱지를 붙인 '조현병'에서 내가 회복되었음을 보여주기 위해서였다. 조현병 또는 기타 중증 정신질환 진단을 받은 다른 사람들에게 희망을 주기 위해 이 책을 쓰기 시작했다. 그러나 이 책을 써 내려가면서 그리고 살아오면서, '정신건강에 문제가 있는 상태mental health conditions'라고 표현되는 것에서부터 나나 동료가 회복하면서 배웠던 것이 다른 모든 사람들에게도 더 완전하고 더 의미 있는 삶에 도움이 될 수 있음을 발견했다. 정서적으로 심각한 상태에서 회복하는 것의 본질적 측면은, 그 상태가 정신질환이 아니라 성장과 발전을 위한 중요한 계기라는 점을 이해하는 것에 있다.

나는 말로 표현할 수 없는 삶의 불꽃인 존재의 어떤 차원이 있음을 발견했다. 우리의 존재의 불길이 거의 꺼져갈 때, 그것을 되살리는 데 타인은 무한히 가치가 있다. 내가 젊었을 때, 말과 생각이 삶의 가장 중요한 요소라고 생각했다. "나는 생각한다, 그러므로 존재한다"라는 말이 나의 철학이었다. 사람은 더 깊은 생각에 도달하기 위한 수단에 지나지 않았다. 하늘에 감사하게도, 나는 나 자신을 감싸고 있던 껍데기를 깨고 나올 수 있었다. 이제 나는 삶은 정반대라는 사상을 가지게 되었음을 알게 되었다. "나는 존재한다, 그러므로 생각할 수 있다", "나는 관계한다, 그러므로 나는 존재한다".

스물네 살부터 서른 살까지 세 번에 걸쳐 나는 살아가는 것을 중단했다. 나는 여전히 숨 쉬고 있었지만, 깊은 내면의 자아Self는 "아마도 나는 살고 싶은 거야"라는 것에서 "아니야, 나는 살고 싶지 않아"라는 쪽으로 존재의 스위치를 바꾸어버렸다. 내 내면의 삶의 마지막 잿더미를 추적해 나가면서 남은 불길을 꺼뜨렸던 것을 지금도 기억한다. 내 삶은 의미를 잃었다. 나는 어디에서도 실제로 살아가지 않았기 때문에 계속 살아갈 의지를 잃었다. 나는 나 자신의 삶을 적극적으로 받아들이지 않았다. 대신 살아 있음을 외부로 드러내는 일체의 표현을 중단해 버렸다. 말하는 것을 중단하고, 먹는 것을 중단하고, 움직이는 것을 중단했다. 전문가들은 그것을 긴장형 조현병catatonic schizophrenia이라고 부른다. 그런 상태를 나는 삶의 의지를 잃은 상태, 외부로부터 물러나 깊은 내 내면에 머무르기 때문에 가장 집요한 사람만이 나를 발견할 수 있는 상태라고 부른다.

이 책은 내가 삶에 대해 '부정적'으로 말하던 것에서 '긍정적'으로 말하는 것으로 어떻게 변화했는지에 관한 것이다. 나는 나의 심장박동의 언어, 즉 감정과 삶의 박동의 언어를 배우면서 회복했다. 지금 나는 그 심장박동을 통해 우리는 삶의 두려운 공간을 헤쳐나가게 된다고 믿는다. 나는 생각하고, 생각했기에 내 심장이 내게 말 거는 것을 중단해 버렸다. 최근 나의 한 친구가 이렇게 말했다. "우리의 언어와 생각은 방해물이 될 수 있으나, 우리 심장은 거침없이 흘러 내려간다."

나는 어린아이였을 때 홀로 남겨졌던 공포의 경험을 기억한다. 그 어두운 기억의 하나가 내가 열 살 때 두 달간 머물 숙박캠프로 가는 기차를 탔을 때였다. 부모님이 나를 기차에 태웠을 때 내 기차표를 끊지 않은 것을 갑자기 깨달았다. 서둘러 매표소로 뛰어가면서, 부모님은 "바로 돌아올게"라고 나에게 고함을 질렀다. 그러나 부모님이 기차로 돌아오기 직전 기차는 볼티모어 역을 출발해 버렸다. 나는 공포에 휩싸였다. 기차표 없이 내가 할 수 있는 것이 무엇이었을까? 검표원은 지금 막 지나쳤던 수풀더미 속으로 나를 던져버릴 게 분명해. 나는 '캠프행 기차'에 있었고, 나의 기차표가 이미 발권되어 있었다는 것을 알려줄 상담원도 있었다. 그러나 그것을 나는 알지 못했다. 나중에야 나는 부모님들께 작별인사를 할 수 없었던 그 일로 인해 내 삶이 방해를 받게 되었음을 알게 되었다. 나의 삶을 통해, 사랑의 상실은 심각한 스트레스를 유발하는 방아쇠가 된다.

아래 그림은 이 책의 주제theme를 보여주는 것이다. 스물네 살 때 아내가 나를 떠났고, 나는 황폐해졌다. 나의 세계 안으로, 독백의 세계에 나는 고립되었다. 내 심장은 부서졌고, 내가 사라지고 있다고 느꼈다. 그때 그림의 오

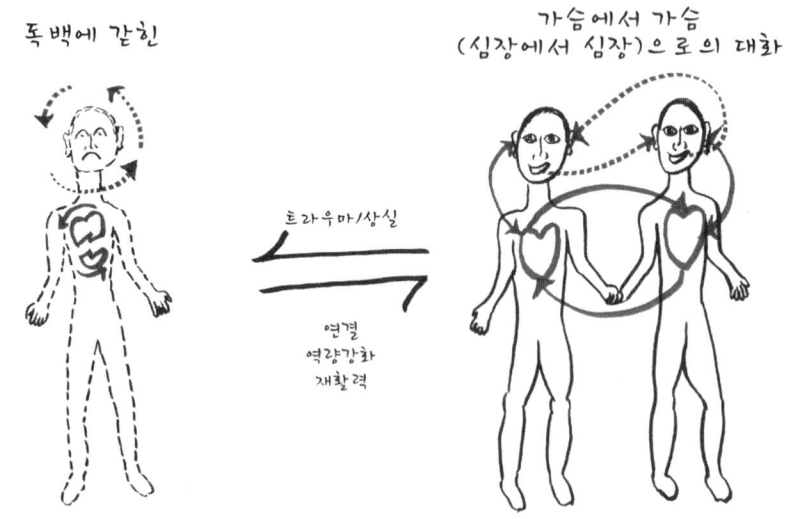

른편에 있는 것처럼, 매우 중요한 관계 맺기를 통해 가슴과 정신의 차원에서 나와 다른 사람, 그리고 나 자신과 정서적인 대화를 할 수 있었다. 정서적 대화는 나의 회복과 삶의 성장에 핵심이었다.

나에게 회복이란 관계 맺기로 나아가는 것, 타인과의 사랑과 경이에 열려 있는 것, 나의 자아Self에 열려 있는 것에 관한 것이었다. 내가 이런 사실을 깨우치기 시작했을 때, 나를 둘러싼 세계는 위험한 내리막길로 치닫고 있는 것처럼 보였기에 충격을 받았다. 나는 친밀한 관계 맺기, 사랑의 관계 맺기의 중요성을 깨닫고 있지만, 우리 사회는 정서적 스트레스가 인간관계와 무관한, 화학적 불균형 때문이라는 확신을 확산시켜 가고 있다. 우리 중 일부는 희망과 회복에 관한 우리의 경험을 공유하는 것이 매우 중요한 힘이라는 인식을 넓혀가지만, 우리 사회는 심리적 고통의 주요한 치료로 약물에 초점을 맞추어왔다. 우리는 정서적 스트레스가 타인과 우리 사이의 관계 상실에서 비롯된다는 것을 알아가고 있지만, 우리 사회는 우리의 스트레스가 정신질환임을 확신해 가고 있다. 정신과 의사 토머스 사스T. Szasz가 56년 전에 썼듯이, 정신질환은 있을 수 없다. 우리의 정신은 과정process이지, 구조물이 아니고, 타인과의 관계에 의존한다. 우리 정신은 진정한 나와 진정한 당신의 대화에서 자양분을 공급받는다. 우리 정신은 우리 뇌의 물질적 요소로 단순히 환원될 수 없다. 이런 과정은 통상적 의미에서의 질환이 아니다. 우리 정신을 분자로 환원하는 행위는 생명을 끄는 것이고, 트라우마이다. 이런 환원은 인간을 로봇 같은 객체로 바꾸는 것이며 우리를 죽이는 일이다.

많은 사람들은 부정확하게 다음과 같이 결론짓는다. 정신병의 정서적·사회적 단면에 대한 나의 강조는 내가 약물치료에 반대한다는 것을 의미한다고. 나는 약물치료 반대주의자가 아니다. 나는 약물치료에 대한 인간적 대안치료를 옹호한다. 사실 나는 전국정신과의사협회로부터 자격을 인증받은 정신과 의사이다. 다른 접근으로는 회복을 촉진할 수 없을 때 나는 정신과 약물을 처방한다. 나는 가능한 최저치의 용량을 필요한 최소기간 동안만 처방한다. 약물을 처방할 때 나는 언제나 환자나 그들의 조력자에게 약물은 타인과 관계 맺기를 하고, 치유하고, 삶을 회복하는 자신의 역량에 접근할 수 있는 것을 도와줄 뿐이리고 말한다. 나는 언제나 그들 자신이 자기 회복에 적극적인 참여자가 되기를 원한다.

개인적으로 내가 회복할 때 다른 사람들이 나에게 접근할 수 없었고, 나도 나 자신에게 접근할 수 없었던 그런 때가 있었다. 그때 그들이 나에게 주었던 항정신병 약물이 나를 도왔을 것이다. 그러나 나는 병원에 입원한 지 수개월 이후에는 약물복용을 지속하지 않았다. '필요할 때 약물을 복용하는 방식'으로 전환했던 것이다. 나는 40년 이상 약물복용을 중단하고 있다. 그렇다고 내가 수차례의 정신질환 발병 이후에도 약물복용 없이 온전한 삶을 살아가는 예외적인 사람에 속한 것은 아니다. 네덜란드의 뷘데린크Wunderink 박사가 이끈 최근의 연구는 조현병으로 진단받았다고 해서 평생 약물을 복용해야 하는 것이 아님을 밝혔다. 실제로 그 연구는 정신과 약물복용을 중단한 집단이 7년 이상 지속적으로 약물을 복용했던 그룹보다 더 회복하기 쉽다는 점을 밝혔다.

더 늦기 전에 세상을 일깨워 이런 사실을 알게 해야 할 시점이다. 정신건강에 대인관계적 자원을 더 많이 제공할 필요성, 그 효과성을 증명해야 할 때이다. 우리 사회가 약물복용에 과잉 노출되어 고통을 느낄 수 없게 되기 전에 행동에 나서야 한다. 행동을 취할 정도로 우리 사회는 이미 고통을 겪었다. 고통을 겪은 우리가 정서의 차원에서 독성에 중독된 사회의 정서적 카나리아이다. 석탄 광부가 독극물에 노출되는 것을 막기 위한 원시적인 경고 장치로서 카나리아를 지하 갱도로 데려가는 것처럼, 우리는 현대사회에서 정서적 카나리아 역할을 한다. 우리는 독성적이고 비인간적인 삶의 방식 때문에 위기에 처해 있기 때문이다. 우리 모두는 손턴 와일더Thornton Wilder의 희극 〈우리 읍내Our Town〉의 에밀리같이 되는 것을 피해야 한다. 무덤에서 그녀 자신의 짧은 생애를 보자마자, 에밀리는 "인생이 이렇게 빨리 지나가는구나. 우리는 서로를 돌아볼 시간이 없구나"라고 회상한다.

나는 정말 다행스럽게도, 조현병으로 진단받았지만 회복했다. 실제로 많은 다른 사람들도 회복했다. 지금 나는 나의 여정을 나 자신에 대한 선물이자 사회에 대한 선물로 본다. 경멸받고 버려진 사람으로 보기보다는, 영구적일 것으로 예측된 '정신질환'에서 회복한 우리는 자산으로 인정받아야 한다. 어떤 나라에서는 이런 사람들을 샤먼shamans이라고 부른다. 거부당하거나 무시되는 사람이 아니라 우리의 도움을 받아야 한다고 평가받는다.

회복의 희망이 있다는 것을 세상이 아는 것이 중요하다. 마찬가지로 사람들이 치료받는 방식이 그들의 회복에 중요하다는 것을 세상이 아는 것도 중요하다. 나는 권력의 지위에 있는 많은 사람들이 조현병이나 정서적으로 심각한 상태라고 진단받은 사람들에게는 희망이 없다고 대중을 설득할 때 분노가 치민다. 이런 돌팔이 의사들이 자신들의 교육을 통해 현 상태를 영구화시킴으로써 엄청난 경제적 이득을 얻는 일이 빈번하다. 흔히 말하듯이, 개인의 유전적 요소가 인간 행동의 주된 요인이라는 믿음이 위험한 상상, 즉 사람들은 삶의 상태를 개선할 수 없다는 인식을 촉진시킨다. 이런 생각의 옹호자들은 회복한 우리를 부인하려고 시도한다. 이러한 차별, 불길한 운명의 예고는 우리 사회가 정신건강 문제의 이면에 있는 사회적 요인을 해결하는 데 필요한 자원을 투자하는 것을 가로막는다.

나의 책은 자기를 받아들이고, 자기를 이해함으로써 회복의 여정을 걸어간 나의 이야기에서 시작한다. 나는 회복이 무엇인지에 대한 나의 생각을 말한다. 거기에 사람들이 회복될 수 있다는 추가적인 증거를 보강한다. 이어서 회복이 어떻게 일어나는지에 관하여 몇 가지 생각을 공유할 것이다. 거기에는 '회복의 역량강화 패러다임'이 포함된다. 끝으로 나는 정서적 심폐소생술 e-CPR을 통해 일상생활에서 회복적 접근을 실천하는 방법을 권고한다.

✳

2009년 12월, 나는 수잰Suzanne에게서 이메일을 한 통 받았다. 그녀는 1년 반 전에 아들을 잃고 난 뒤 나를 찾은 것이었다. 그 이메일에서 그녀는 전국역량강화센터의 '회복 역량강화 패러다임'을 통해 젊은이들의 정신병 회복에 도움을 줄 수 있음을 증명할 수 있도록 대안적 치유센터를 창설하기를 희망한다고 적었다. 그녀는 "나는 길게는 희망을, 짧게는 신념을 가지고 있습니다"라고 적었다. "비록 나는 열정과 비전을 가지고 있지만, 상대적으로 힘이 없습니다. 나는 정신병으로 아들을 잃은, 현 상황을 변화시키기를 절망적으로 희망하는, 마음이 무너진 엄마일 뿐입니다. 심각한 정서적 스트레스 상황에 있는 사람의 치료를 완전히 바꾸어야 할 때라는 당신의 의견에 찬성합니다."

그녀의 편지는 내 가슴 깊이 와 닿았다. 나는 이렇게 답장을 보냈다. "당신의 열정은 길을 밝힐 것입니다. 나는 당신의 이메일을 슬픔과 분노를 갖고 읽었습니다. 아들을 잃은 당신에게 깊은 위로를 보냅니다. 나는 병원에서 영혼이 무너지는 경험을 견뎌냈지만, 변화에 대한 나의 열정은 당신과 같은 여러 사람들의 꿈으로부터 자극을 받습니다. 우리는 병원에 대한 대안을 절실히 필요로 합니다. 무기력에 대한 대안이 필요합니다. 약물만이 전부인 치료법에 대한 대안이 필요합니다." 몇 년 후 나는 매사추세츠주에서 그런 대안이 출범하는 것을 지원했다. 그것이 바로 '동료가 운영하는 쉼터peer-run respite'이다. 동료가 운영하는 쉼터는 소규모의 가정 같은 환경이고, 실제 경험을 한 사람들이 정신병원 입원에 대한 대안을 제공한다.

나는 수잰의 재능 있고 예술적인 아들 제이크Jake가 중증 정신질환을 앓았고, 노숙자가 되었으며, 캘리포니아의 샌타바버라 지역의 선로를 건너면서 암트랙Amtrak 기차에 치여 숨졌다는 것을 알게 되었다. 수잰과 제이크의 이야기는 내 마음을 울려, 지난 30년간 썼던 나의 글들을 다듬어 이 책을 써야겠다고 생각하게 되었다. 수잰은 내가 이 책을 쓰게 된 동기가 우리의 대화임을 밝혀도 좋다고 승낙했다. 그녀는 정신병에서 회복될 수 있고, 회복한다는 말이 세상 밖으로 터져 나올 수 있는 것이 중요하다고 생각했다. 그녀는 "이 책이 사람들에게 크나큰 희망을 줄 것입니다"라고 말했다.

나는 제이크를 생각하면 눈물이 쏟아진다. 나는 수잰의 감동적인 TED 강연을 지켜보았다. 그녀는 거기서 정신질환에 관한 거짓말을 끝낼 것을 호소했다. 거기서 그녀는 제이크의 웃는 모습, 성장하는 모습, 생활하는 모습, 희망을 만들고 그 희망이 빼앗기는 모습을 보여주었다. 그녀의 얘기를 들으면서 조현병으로 진단받았을 때 절망의 감정, 항정신병 약물을 복용하면서 죽어가던 감정을 떠올렸다. 나는 또한 나의 누이 라크Lark가 전 삶을 통해 정신질환과 싸웠던 것도 떠올렸다. 나의 슬픔은 서서히 열정적 분노로 대체되었다. 어떻게 그렇게 많은 사람이 잘못될 수 있는가? 전문가들이 어떻게 그렇게 잘못된 방향으로 갈 수 있는가?

✳

나는 어린 시절에 감정을 억누르면서 지냈다. 감정이 순수한 사고를 방해한다고 믿었다. 또한 감정을 표현하는 것이 두려웠다. 갈등을 일으키기가 싫었기 때문이다. 지금 나는 나의 감정을 소중하게 생각한다. 제이크 얘기를 들을 때 분노를 느끼는 것이 나에게는 중요하다. 눈물을 흘릴 때 나는 몸과 정신, 나의 과거와 현재, 나의 슬픔과 기쁨이 일체화되었음을 느낀다. 내 눈물을 보며 나는 전체를 느끼고, 중요함을 느끼게 된다. 내 눈물은 나를 제이크, 수잰, 그리고 라크와 연결시킨다.

오늘 아침, 「오버 더 레인보Over the Rainbow」 노래를 부르면서 이 노래가 내게 왜 그렇게 중요한지를 느꼈다. 노래를 부르면서 나의 누이가 새가 되어 고통에서 벗어나 날아가는 것을 보았다. 제이크가 그 곁에서 고통에서 벗어나 날아가는 누이의 모습을 바라보았다. 라크가 일전에 내게 썼듯이, "지치고 질척거리는 이 세상을 방황하는" 수천 명의 영혼을 보았다. 이 글을 쓰는 동안 눈물이 뺨을 적시고 흘러내렸다. 내가 사랑했던 누이를 치유하기 위해 애쓰고 있는 동안 가졌던 강렬함을 느끼고 있다. 나는 회복할 수 있었지만 누이는 회복하지 못했기 때문에, 경험했던 후회의 감정이 치밀어 오르는 것을 내버려 두었다. 나를 깊은 정신질환으로 내몰았던 이유 중 하나는 그녀를 거기서 벗어나게 할 길을 찾기 위해서였던 것 같았다. 존스홉킨스 병원에 처음 입원했을 때를 떠올렸다. 나는 격리실 벽을 바라보고 있다. 벽에는 그림이 있다. 나는 그것을 자세히 관찰하면서 내 누이가 그것을 그렸음을 알 수 있다. 그녀가 나보다 앞서 그 병실에 있었기 때문이다. 실제로 그녀가 나보다 앞서 병원에 입원했지만, 그것은 다른 병원이었다.

나는 이 책이 희망을 말하는 것이기를 바란다. 우리는 우리 삶의 단편을 모아 희망의 배를 만들 것이다. 그런 희망의 정신이 내가 앞으로 사용할 모든 단어에 솟구칠 것이다. 나는 잔혹한 폭풍우 속에 있는 에밀리 디킨슨의 희망의 새를 인지하고 있다.

희망은 깃털이 있는 것이다 –

그것은 영혼에서 부화한다 –

그리고 가사 없이 노래를 부른다 –

그리고 끝나지 않는다 – 영원히 –

디킨슨은 희망은 영혼에 자리 잡고 있고, 가사 없는 곡조로 끊임없이 노래 부른다는 점을 지적한다. 깃털을 갖고 있는 이미지는 날개의 이미지이다. 희망은 우리 영혼을 역경을 넘어 자유의 세계로 실어 나르는 새와 같다. 노래를 통해 나는 우리 자신의 목소리Voice를 가지는 것의 중요성을 깨닫는다. 노래가 끊이지 않는 것은 이 어두운 시대에서의 집요함이 얼마나 중요한지를 일깨우는 것이다. 비슷한 주제가 신비한 마스터 에크하르트Master Eckhardt에서도 공유되고 있다. "영혼은 그 안에 있는 어떤 중요한 것이다. 결코 죽지 않는 언어redelicheit의 불꽃funklein이다…. 영혼의 불꽃이다. 그것은 시간과 공간에 영향을 받지 않는다."

희망은 언제나 회복의 가장 중요한 측면으로 인용된다. 그러나 제대로 이해되지 않고 있다. 희망 없이는 회복은 시작될 수도 없고, 나아갈 수도 없다. 희망 없이는 삶도 있을 수 없다. 그러나 무엇이 희망을 일깨우는가? 간단히 말해 희망이 조달할 물자라면, 다른 사람으로부터 그것을 빌려야 할 것처럼 보인다. 그러나 어떻게 빌릴 수 있는가? 수잰의 슬픔에 찬 전화는 희망을 향한 울부짖음이었다. 조현병에서 회복될 수 있음을 그녀와 제이크가 알았다면, 그는 살아남을 수 있었을 것이다. 절망은 자살을 유발하는 가장 심각한 요인이라고 한다. 그녀와 다른 사람들은 나의 회복의 이야기가 중요한 것은 희망을 주기 때문이라고 말하곤 한다. 그들은 내 이야기가 정신병에서 회복할 수 없다는 신화에 맞서게 한다고 말한다. 이 책이 한 사람에게 그런 희망을 준다면, 이 책을 쓸 이유가 있다.

몇 해 전, 연설 약속 때문에 일본을 방문했다. 어떤 간호학 교수가 내 강연을 듣기 위해 오키나와에서 도쿄까지 왔다. 무엇 때문에 여기까지 왔는지 내가 묻자, 그녀는 이렇게 말했다. "이전에는 교과서에서 조현병이나 다른 심각한 정신적 스트레스에서 회복될 수 없다는 것만을 읽었습니다. 그런데 웹사이트에서 당신이 회복했다는 이야기를 읽었어요. 그래서 나는 새로운 희망을 가졌습니다. 나는 당신의 회복 이야기를 직접 듣고 싶었어요. 그러면 나는 그 희망을 내 가슴에 간직해서, 내가 가르치는 학생들에게 전달할 수 있을 것 같아요."

조현병에서 내가 회복한 것은 내 영혼, 내 목소리, 그리고 내 삶은 살아갈 가치가 있다는 인식의 진화에서 자양분을 받았다. 이 글을 쓰면서, 나는 "너는 할 수 없어. 너는 전달할 독특한 것이라고는 아무것도 없어. 그 답은 이미 다 적혀 있어"라고 내게 말하는 부정적 목소리를 이겨내고 있다. 나는 마틴 루터 킹Martin Luther king Jr. 목사의 다음 말에서 자극을 받는다.

삶을 부정하도록 위협하는 힘에 대해 용기를 갖고 맞서야 한다. 삶이 불확실하다고 해도 그 불확실성을 긍정하는 것, 그런 용기가 삶의 힘이다. 용기는 창의적 의지를 발휘할 것을 요구한다. 창의적 의지는 절망의 산으로부터 희망의 돌멩이를 갖고 나올 수 있게 한다.

나는 이 책이 당신의 가슴에 희망을 주고, 당신이 희망의 돌멩이를 갖고 나오기를 기대한다. 그러면 당신도 나처럼 희망의 심장박동을 듣게 될 것이다.

✦ 우리가 우리의 공유된 인간성을 경험할 때
회복은 모든 사람에게 가능하다

회복은 중증 정신질환 진단을 받은 몇몇 소수의 활동만은 아니다. 회복한 우리는 전통적인 정신건강 시스템에 대안을 찾는 운동을 해오고 있다. 전통적 시스템은 공동체 전체의 문제를 해결하는 데 실패했다. 그래서 우리가 그 문제에 대처해 나가고 있다. 호주 사람들이 말하듯이, "내 공동체가 건강하지 않으면 내가 건강할 수 없고, 내가 건강하지 않으면 내 공동체도 건강할 수 없다".

오늘날 정신건강 시스템은 개인의 증상을 완화하는 것에 초점을 맞춘다. 그러나 우리 모두가 공유하는 더 깊은 내면의 인간적 상처를 치유하는 데 도움을 주지 않는다. 이 점에서 정신건강 시스템 자체는 더 깊은 문제에 의문을 던지지 않은 채 단순히 사회의 증상을 치유할 뿐이다. 2011년부터 현재까지 이어지는 점령 운동Occupy movement은 이런 깊은 내면의 문제를 부각시켰다. 여러모로 우리는 산업적·기계적 사고방식에 식민화되어 있다. 우리 삶은 조직체에 속해 있지, 우리 자신에 속해 있지 않다. 우리 모두는 기계와 컴퓨터의 매트릭스에 포함되어 있다. 따라서 우리는 우리 자신의 삶을 점령하고, 식민화된 삶의 방식을 던져버릴 필요가 있다. 이런 상황을 만들고 유지하는 경제적·정치적 세력을 더 깊게 분석하는 것은 이 책의 영역을 벗어난 것이지만, 내가 설명할 주요한 주제에 반영되어 있다.

이 책의 주제는 다음과 같다.
• 우리의 자연적 본성은 온전한 인간 존재로 공동체에서 완전한 삶을 살아가고, 가슴과 가슴으로 우리 주변 사람과 연결되는 것이다.

- 온전해지기를 원하는 이런 자연적 본성이 트라우마로 왜곡될 때, 우리는 스트레스를 경험하고, 그것이 정신질환의 증상으로 해석된다. 실제로 이런 스트레스는 인간적으로 보다 온전해지기를 원하는 시도이다.
- 현재의 정신건강 시스템은 사람을 비인간화하고 사람들에게 희망과 권리를 빼앗아감으로써 회복을 방해하고 있다. 약물복용이 남용되고, 진솔한 관계 맺기가 활용되지 않고 있다.
- 모든 사람이 자신의 인간성을 회복할 희망은 언제나 있다.
- 스트레스 상황에 있는 사람이 가슴과 가슴으로 타인과 연결될 때, 그들은 자기 자신의 가슴과 연결되고 자신의 인간성을 회복할 수 있다.
- 우리는 자신의 가장 깊은 자아Self와 정서적으로 대화할 수 있게 될 때 비로소 스트레스 상황에 있는 다른 사람의 가장 깊은 자아Self에 접근할 수 있다.
- 정서적 대화는 회복의 경험을 가진 사람들이 가장 잘 활용할 수 있다.
- 우리의 인간성의 회복은 사랑과 상호 존중의 가치를 공유하는 사람의 공동체에서 생겨날 수 있다.
- 우리는 우리의 공통적 인간성을 회복하는 데 필요한 사랑과 상호 존중의 공유에 기반한 경제적·교육적·사회적 구조를 만들 필요가 있다.

제1부
내 삶을 회복하기

나의 인간성을 찾는 여정은 세 단계로 전개되었다. 스물네 살이 될 때까지인 내 삶의 첫 단계 동안, 나는 앵무새처럼 살았다. 한 가지 버전의 세상 속에서 나는 잠들어 있었다. 그것은 나 혼자만의 독백이었다. 권위 있는 사람들이 내게 부여한 세상의 서사였다. 나로서 존재하는 것이 어려웠다. 나는 나 자신을 불신했다. 가족이 내게 기대하는 것을 충족시킬 필요가 있었다. 나의 정서적 욕구는 부차적이었다. 나는 6대째 가업을 잇기 위해 의사가 되어야 했다. 아버지는 내 별명을 '황금소년'이라고 붙여주었다. 스물네 살까지 나는 외형적인 성공을 달성했다. 결혼을 했고, 생화학박사가 되었다. 그러나 내 내면은 비어 있음을 느꼈다. 나 자신의 목소리는 없었고, 공허했다. 나 자신의 자아감은 없었다.

스물네 살부터 서른에 이르는 삶의 두 번째 단계에서, 나는 에드가 앨런 포의 까마귀처럼 외로웠다. 나는 내 주위의 아주 다른 세상과 대화하면서 깨어나고 있었다. 내 삶을 바꾸는 경험은 아내가 내 곁을 떠난 바로 그날 시작되었다. 나는 절망했고, 더는 살 가치가 없다고 느꼈다. 까마귀처럼 잃어버린 내 사랑을 위해 울부짖었다. 당시 너무 고통스러웠지만, 지금 나는 그녀가 떠난 것에 감사한다. 그녀가 떠났기에 나는 솔직한 목소리를 찾고 앵무새로 있기를 멈추었기 때문이다. 나는 조현병 진단을 받았다. 그리고 나를 구성했던 가면을 뚫고 나왔다. 나의 진실한 자아를 찾음으로써 내 삶을 회복하기 위해 나는 깨부수고 나올 필요가 있었다.

서른 살부터 지금까지인 내 여정의 세 번째 단계에서, 나는 나의 솔직한 자아를 발전시키면서 참여적이고 애정 어린 사람이 되고 있다. 이 단계에서 나 자신을 한 마리 푸른색 왜가리라고 본다. 나는 인류 무리의 한 부분으로 세상과 조화를 이루면서 우아하게 살아가고 있다. 이 단계에서 나는 의미 있는 사랑과 일을 찾았다. 이 책은 두려움으로부터 사랑으로 나아가는 나의 여정을 기록한 글이다. 나는 내 내면에, 그리고 내 주위에 여러 다양한 목소리와 다양한 버전의 현실을 통합해 가고 있다.

제 1 장
다른 사람들을 위해 존재하기

나는 메릴랜드의 타우슨Towson에서 태어나, 테라스 데일Terrace Dale이라고 부르는 거리에서 살았다. 집은 요크로드the York Road 고속도로가 내려다보이는 언덕에 있었다. 거기서 나는 나보다 아홉 살 많은 누이 샐리, 네 살 많은 형 샌디와 함께 자랐다. 아버지는 의사였다. 어머니는 아이를 돌보는 일을 도맡았다. 가정에 대한 내 기억은 즐거운 것이었다. 우리는 공동체의 일원이라고 느꼈고 우리 가족은 행복한 것처럼 보였다.

내가 한 살 때 거의 죽을 뻔했던 이야기가 가족 사이에 전해졌다. 어렸기 때문에 내용은 헷갈리지만, 내가 나이가 들었을 때 그 사건을 다른 아이에게 전해주는 것이 중요했다. 내 목에 있는 흉터를 보여주면서 나는 아이들에게 내가 아기였을 때 심각한 폐렴을 앓았다는 얘기를 하곤 한다. 나는 죽어가고 있었고, 아버지가 내 목에 구멍을 내어 숨을 쉬도록 했다고 말하곤 한다.

사실, 이것은 서로 다른 두 이야기를 섞어놓은 것이다. 나와 내 조상 한 사람의 이야기였다. 실제로는 내가 한 살이었을 때 크루프croup 병을 앓았고 병원에 입원해야 했다. 나는 숨을 쉴 수 없었고, 소아과 의사가 기관지 절개술을 실시했다. 또한 나는 폐렴도 앓고 있어서 산소 텐트 안에 있었다. 이 일이 일어났던 1944년, 의사들은 감염과 싸우기 위해 매일 천 단위의 페니실린만 사용했다. 그 시절, 아버지는 존스홉킨스 병원에 연구진과 함께 일하면서 페니실린의 효과성을 증진시키는 연구를 했다. 그의 연구로 동물들은 그 당시 사용되는 것의 열 배가 넘는 용량도 수용할 수 있다는 것이 밝혀졌다. 아버지는 내게 사용할 페니실린 용량을 만 단위로 증액할 것을 권유했다. 나는 나아졌고, 그때부터 어머니는 아버지가 연구 때문에 저녁 시간에 늦는 것을 더는 불평하지 않았다. 이렇게 해서 아버지는 내 생명을 구했다. 기관지 절개술보다는 그의 연구를 통해 내 생명을 구한 것이었다.

또 다른 기관지 절개술 이야기는 내 기관지 절개수술보다 70년 전에 일어난 것이었다. 나의 증조부 프랭크 르무안Frank LeMoyne도 의사였다. 그에게는 여섯 살 된 딸 마네트Mannette가 있었는데, 디프테리아에 감염되었다. 증조할아버지는 집에서 기관지 절개술을 실시했다. 디프테리아가 딸의 기관지를 막아버렸기 때문이다. 우리 가족에게 전해진 이야기는 증조할아버지가 마네트에게 기관지 절개술을 실시하면서 울었다는 부분이다. 그녀는 증조할아버지의 눈물을 닦아주면서 "저기, 저기, 아빠, 나는 괜찮아질 거예요"라고 말했다. 그 말을 하고는 그녀는 사망했다. 르무안 가족은 내 삶에 특별히 큰 영향을 미쳤다. 나의 두 명의 증조부 르무안이 르무안 가족의 형제 프랭크Frank와 존John이었기 때문이다(나의 부모는 6촌지간이었다).

나는 독립적 성향이 강했음이 분명하다. 어머니 말씀에 따르면, 내가 두 살 때 갑자기 요크로드로 뛰어내렸다고 한다. 어머니는 공포에 질렸다. 트럭 운전기사가 멈추었고, 나를 들어서 집 앞마당에 내려준 게 분명하다. 또 다른 드라마틱한 사건은 요크로드의 시가전차가 내 어머니와 누이가 탄 차와 충돌한 일이었다. 부상은 경미했지만, 그 충격은 오래갔다.

내가 세 살 때, 우리는 고급 마을인 럭스턴Ruxton에 있는 작은 벽돌집으로 이사를 갔다. 그 집은 아버지의 키 작은 사촌동생 마크 피셔Mac Fisher가 지었다. 문을 열고 처음 들어갔을 때 6피트 3인치(191센티) 키의 아버지는 "나의 작은 마크를 위한 멋진 작은 집이군"이라고 말했다. 여기서의 어린 시절, 어머니는 자신과 나에 관해 질문을 하곤 했다. 아마도 이것은 더 깊은 진실을 계속 찾아가는 이유이기도 하다. 아버지는 자신의 어린 시절에 관해 얘기를 해주었다. 내가 존스홉킨스 병원의 순회 진료를 하는 아버지를 따라 병원에 갈 때면 자신이 환자를 대하는 돌봄적 접근방법을 보여주곤 했다.

내가 공간과 연속성에 대해 인지하게 되었을 때 나는 길먼Gilman 학교를 다녔다. 나중에야 나는 내 증조부 피셔Fisher가 50년 전에 설립한 학교라는 것을 알게 되었다. 나는 거기서 12년을 다녔다. 때때로 억압적이었지만, 그것이 나의 내면의 힘을 기르는 데 도움이 되었다고 생각한다. 가장 암울했던 시절에도 나의 내면에 내가 의지하는 나의 일부가 있다는 것을 언제나 느끼고 있다. 이런 자아의 감각은 어린 시절 나를 돌보았던 부모와 공동체의 지지가 있었기에 얻은 결과라고 생각한다.

나는 가족 내의 조정자였다. 고통스러운 다툼, 논쟁, 눈물이 우리 가정에도 있었다. 형은 누이와 싸웠고, 나와도 싸웠다. 부모님은 돈 문제로 다투었다. 나는 나 자신에게 이렇게 말했다. "나는 그들에게 골칫거리가 되지 않을 거야. 가족들은 이미 갈등을 너무 많이 갖고 있어. 나는 조용하고 합리적인 사람이 될 거야. 그리고 도움을 줄 거야." 나는 사람들이 잘 지낼 수 있게 돕는 방법을 언제나 찾곤 했다.

럭스턴의 작은 지붕은 내 마음에 닻을 내렸다. 나는 1940년대 말, 1950년대 초반 시절 그 당시 있었던 인간적 만남들과 소속감을 정겹게 회상했다.

마을 집회에서 크리스마스 캐럴을 부르던 것을 기억한다. 우리는 우편물을 매일 우체국에서 받아왔는데, 거기에서 우체국장인 포츠Potts 부인이 우리에게 최근의 마을 뉴스와 가십거리를 들려주었다. 포츠 부인의 아들은 주유소를 경영했고, 우리 이웃들은 식자재 소매점을 운영했다. 우유배달원이 유제품과 좋은 이야기를 배달해 주었다. 우체국은 교환원이 연결해 주는 전화 통화를 운영했었는데, 그에게 시간이나 날씨를 물어도 된다고 확인시켜 주었던 것 같았다. 나는 아버지 가족을 통해 소속감을 가졌다. 럭스턴에는 피서성을 가진 사람들이 많았다. 그들은 의사, 엔지니어, 법률가로서 공동체의 삶에 긍정적으로 기여했다. 나의 아버지는 영웅이었고, 지금도 그러하다.

나의 고조부 프란시스 줄리어스 르무안Francis Julius Lemoyne의 삶은 또 다른 자극을 주었다. 그는 억압받는 사람들과 궁핍한 사람들을 위한 두려움 없는 옹호가로 알려져 있었다. 의사였을 뿐 아니라 노예제 폐지론자였다. 펜실베이니아의 워싱턴에 있는 그의 집은 지하철도의 일부였다. 나는 1837년으로 기재된 문서를 가지고 있는데, 거기에 노예제 폐지를 청원하는 당시의 유명한 지역 인사들과 나란히 증조부의 서명이 있다. 그의 아버지는 의사이고 장인은 변호사였는데, 1790년 프랑스 혁명의 유혈을 피하기 위해 프랑스에서 이민해 왔다. 그들은 오하이오주의 갈리폴리스Gallipolis에 정착했다.

나는 어머니와 아주 — 아마도 너무 — 가까웠다. 체크 트위드 정장을 입고 있는 어머니 무릎에 앉아 있던 것을 지금도 명료하게 기억한다. 어머니는 나를 꼭 붙잡고 이렇게 말했다. "너는 나의 어린아이야, 너는 언제나 어린아이로 있을 거야." 나는 때로는 어머니의 머리를 빗겨주기도 하고, 머리를 조심스럽게 양 옆으로 가르기도 했다. 그러면서 나는 요크로드의 전차와 충돌한 사고로 생긴 상처를 발견하기도 했다. 나의 마지막 즐거운 기억 중 하나는 네 살 생일날 아침이었다. 나는 부모님 침실로 뛰어가 침대에 올라갔다. 부모님이 이불 밑에 선물을 감춰두었기 때문이다. 그 선물 중 하나가 소방차였다. 잠시 뒤, 나는 파스텔 초상화 모델로 어머니 앞에 앉아 있었다. 그 초상화는 64년 뒤 어머니가 사망할 때까지 어머니 침실에 걸려 있었다. 거기에는 내가 소방차를 들고서 만족한 듯 웃고 있는 모습이 있다.

나는 조용했고, 소심했으며, 천성적으로 민감한 소년이었다. 내가 좋아하는 책은 먼로 리프Munro Leaf가 쓴 『꽃을 좋아하는 소 페르디난드The Story of Ferdinand』였다. 그 이야기는 이렇게 시작한다. "옛날 스페인에 작은 황소가 있었는데 그의 이름은 페르디난드였다. 그와 같이 살았던 다른 황소들은 달리고 뛰어오르고 머리를 서로 부딪치는데, 페르디난드는 그러지 않았다. 페르디난드는 조용히 앉아서 꽃 냄새를 맡는 것을 좋아했다…." 페르디난드는 매우 강하게 성장했으나, 코르크나무 밑에서 꽃향기를 맡는 것을 더 좋아했다. 그의 어머니는, 페르디난드가 다른 젊은 황소들과 머리를 맞부딪치지 않게 되면 외톨이가 될 것이라고 걱정했다. 그러나 그는 혼자 있으면서 꽃향기를 맡는 것이 더 행복하다고 말했다. 사람들이 최고의 투우를 고르기 위한 대회를 하던 어느 날, 그는 벌에 쏘였다. 그 때문에 그는 아파서 투우장으로 뛰어 들어갔다. 거기 들어서자마자 그는 싸움을 거부하고 집으로 돌아와 코르크나무 아래에서 하루를 앉아 있었다. 나는 페르디난드와 나를 동일시했다. 나는 어린아이 인형을 갖고 있었는데 아이를 먹이고 옷 입히는 것을 좋아했다. 그러나 나는 나중에 레슬링 선수가 되었다. 지금에야 비로소 나는 내 마음속에서 갈등이 생겼음이 분명했다는 것을 깨닫는다.

네 살 생일이 지나고 3개월 후, 누이동생 라크Lark가 태어났다. 나는 어머니의 관심을 잃게 되었다는 깊은 상실감을 경험했다. 모든 아이들이 동생이 태어난 것에 적응하는 데 어려움을 겪는다. 나의 경우 라크의 출산에 대한 어머니의 반응 때문에 상실감은 특히 고통스러웠다. 그 당시 진단을 받지는 않았지만, 어머니는 산후 우울증을 겪었던 것 같다. 실제로 어머니는 그 후 20년간 우울증에 시달린 것 같았다. 어머니는 넷째 아이(첫 아이를 낳은 지 14년 뒤 라크를 가졌다)를 가진 경험을 익사에 비유했다. 어머니는 자신의 저널에 나에게 얼마나 미안한 느낌이었는지 기술했다. "댄의 왕관이 떨어지는 것을 보고 슬펐다."

내가 라크와 애증관계를 가지게 된 것은 놀랄 일이 아니다. 결국 라크가 출생하면서 어머니의 관심을 빼앗아갔다. 다른 한편, 라크는 외로운 집에서 나의 동료가 되어주었다. 그 당시 집은 특히 외로웠다. 샐리와 샌디가 되도록 밖에서 많은 시간을 보내려고 했기 때문이다. 샐리는 고등학교에 다녔고, 종종 친구네 집을 방문했다. 샌디는 거의 모든 시간을 주유소에서 보냈다.

라크는 나를 통해 세상에 적응하는 방법을 배우는 것 같았다. 우리는 가정부였던 메릴린Marilyn에게서 많은 도움을 받았다. 사실 메릴린과 그 자매들은 서로 다른 시간에 우리를 돌봐주었다. 라크는 매우 민감한 아이였다. 나는 그녀에게 손가락으로 십자 표시를 함으로써 그녀를 쉽게 울릴 수 있었다. 아주 특별한 재능을 가진 예술가였던 어린 시절의 라크는 동물의 감각을 종이에 표현할 수 있는 이상한 능력을 보여주었다. 사실 어머니는 라크의 그림에 호들갑을 떨면서 칭찬하여, 나는 결코 그녀 같은 성취를 달성할 수 없음을 깨닫고 그림 그리는 것은 모두 포기해 버렸다.

나는 느리게 기초적인 것들을 배워갔다. 프리스쿨preschool에 다닐 때 나는 공포스럽게도 아이들이 대부분 알파벳이라고 부르는 것을 상당히 많이 알고 있음을 깨달았다. 집에 돌아왔을 때 나는 어머니 침대로 뛰어가 울면서 소리 쳤다. "나는 알파벳을 몰라요! 우리 반에 다른 아이들은 알고 있는데, 나는 알파벳을 배우기에 너무 늦었어요!" 어머니는 곧바로 나를 앉혀놓고 알파벳을 가르쳤다.

나의 1학년은 도전이었다. 내가 속한 반에서는 어렸는데, 학교 담당자들은 내가 성적이 좋기 때문에 유치원^{Kindergarten}에 갈 필요가 없다고 말했다. 다른 아이들은 대부분 유치원에 있었는데, 나는 외톨이가 되었다는 느낌을 받았다. 나는 1학년 선생님을 좋아하지 않았다. 그 선생님은 거칠고 차가운 것 같았다. 읽기는 나에게 신비로운 것이었다. 먼저 선생님은 어떻게 큰 소리로 읽는지 보여주었다. 나는 그것을 이해할 수 있었고 그대로 따라 했다. 그러나 선생님이 "자, 이제 눈으로 읽기 시작해라"라고 말했을 때, 나는 무엇으로 읽는지를 알지 못했다. 조용히 읽는다는 생각은 오랫동안 나를 당황하게 했다. 그러나 선생님은 내가 겪는 어려움에 대해 그리 관대하지 않았다. 나는 보충학습 읽기를 할 숙제를 받았다. 선생님이 점심시간 관찰자였기 때문에 상황이 더 나빴다. 나는 식당에서 나오는 음식을 대부분 싫어했는데, 특히 어묵케이크가 싫었다. 나는 몰래 어묵케이크를 내 무릎에 놓인 냅킨에 집어 놓았다가 식사 시간 후 계단 구석에 던져버렸다. 어느 날 점심시간 관찰자가 내가 어묵케이크를 먹지 않는 것을 보았다. 그녀는 내 앞에 서서, "너는 점심을 먹어야 해. 다 먹을 때까지 내가 여기 서 있을 거야"라고 말했다. 나는 끔찍한 맛의 어묵케이크를 억지로 입에 쑤셔 넣고 씹기 시작했다. 내가 기억하기에 그다음에 있었던 일은 먹은 것을 접시에 토한 것이었다. 그 뒤로 그녀는 내게 어묵케이크를 먹으라고 하지 않았다. 그러나 이런 사건으로 나와는 나쁜 관계에 있게 되었다.

길먼^{Gilman} 학교는 피셔 가문의 역사로 가득했다. 매년 나는 피셔 가문의 업적을 더 많이 알게 되었다. 아버지의 할아버지가 그의 손자들을 볼티모어 거리에서 벗어난 곳에 있도록 할 안전한 시골 환경을 만들기 위해 이 학교를 건립했다. 학교의 최고상은 피셔 메달이었다. 내가 역겨운 어묵케이크와 끔찍한 조우를 했던 어둡고 으스스한 식당은 피셔 다이닝 홀^{Fisher Dining Hall}이었다. 나는 그 식당에 있는 것을 좋아하지 않았고, 사람들이 내게 무엇을 하느냐고 묻는 것을 좋아하지 않았지만 학교를 옮겨달라고 부탁할 생각은 없었다. 나는 의무에 충실한 아들이었고, 길먼 학교를 포함해서 가족이 세운 계획을 잘 따랐다.

어쨌든 나는 글쓰기를 배워 즐거웠다. 그리고 나는 정말로 숫자를 좋아했다. 숫자는 명확했고, 답을 얻을 수 있었다. 어느 날 내 시험지 상단 오른쪽 구석에 날짜를 썼던 것을 뚜렷하게 기억한다. 1949라고 적으면서 나 자신에게 "이날을 언제나 기억할 거야. 이제 나는 오늘이 언제이고, 그것이 무엇을 의미하는지를 알고 있어"라고 말한 것을 기억한다. 때로는 혼란스러운 세상에서 배움은 위안이 되었다. 그러나 나의 펜글씨는 실망스러웠고, 다른 학급 친구들의 기술이 부러웠다. 어머니에게 급우가 나보다 펜글씨를 더 잘 쓴다고 말했을 때, "너의 펜글씨가 훨씬 낫다"라며 "네 글씨는 너의 고유한 것"이라고 말씀해 주셨다. 그 말씀 덕분에 내 마음이 편해졌지만, 나의 펜글씨는 악필이어서 의사가 되는 것밖에 '할 수 있는 게 없게' 되었다.

나는 스포츠와 학교 공부에서 이기고 최고가 되도록 열의를 다했다. 되돌아보면, 이렇게 하는 것이 가정에서 결핍되어 있었던 나에 대한 관심을 얻는 방법이었다. 나는 3학년 때 선생님을 좋아했다. 그 선생님도 나를 좋아했던 것 같다. 선생님은 나의 너구리 이야기를 좋은 예로 학생들에게 읽어주었다. 그 글은 대부분 가슴에서 우러나온 이야기라고 말씀하셨다. 어느 날 나는 내가 선생님과 결혼할 수 있을 정도로 클 때까지 선생님이 결혼하지 않았으면 좋겠다고 간청했다. 선생님은 부드럽게 웃으시면서, "네가 나와 결혼하겠다니 멋진 일이구나. 네가 어른이 되는 어느 날, 결혼할 멋진 여자를 찾게 될 거야"라고 답하셨다. 그녀가 결혼했는지는 알지 못한다. 4학년 때 나보다 더 성적이 좋은 소년이 있었다는 것을 나는 기억한다. 그가 나보다 성적이 좋은 것에는 중요한 무언가가 있을 것이라고 믿고, 나는 그의 일거수일투족을 관찰했다. 기도하는 동안 뒷짐을 지는 것이 그의 성공 비결이라고 판단했다. 매일 아침 나는 그의 손동작을 그대로 따라 하곤 했다. 그러나 여전히 내가 라이벌 친구만큼 성적이 좋지 않음을 깨달은 몇 주 후 나는 모방하기를 포기했다.

매번 학년이 끝날 때마다 어머니가 지켜보기를 끔찍히 싫어하셨던 행사가 있었다. '현장학습'이었다. 현장학습의 클라이맥스는 도보 경주였다. 3학년 때까지는 내가 이겼기 때문에 행복했지만, 4학년 때는 프레디Freddie라는 아이가 우리 반에 들어왔는데, 정말 빨랐기 때문에 도보 경주마다 그 아이가 이겼다. 나는 불쌍한 패자였고, 질 때마다 울었다.

내가 당혹스러웠던 또 다른 원인은 나의 키였다. 아이 때는 작다는 것이 트라우마였다. 나는 언제나 작았다. 나는 상처받는 별명을 얻곤 했다. 가령 '새우 배' 같은 것이었다. 학급 사진을 보면 나는 왜소한 키를 고통스럽게 떠올리게 되었다. 나는 키가 제일 작은 세 명 중 한 명이었고, 언제나 첫 번째 줄에 섰다. 그래도 레슬링은 내가 돋보인 공간이었다. 체구를 기준으로 경기를 했기 때문이다. 레슬링은 또한 내 내면에 억누르고 있던 공격성을 분출할 수 있는 기회를 주었다. 체구가 큰 아이가 나를 칠지도 모른다는 두려움에서 그런 공격성이 유래했다. 그러나 나를 가장 많이 괴롭힌 것은 형 샌디였다. 형은 육상이나 학교 공부에서 나를 앞서지 못했기에 아버지는 실망하셨다. 야구는 특히 아버지에게 아주 중요한 것이었다. 아버지는 대학에서 야구 대표팀이었고, 자녀도 그렇게 되기를 원했다. 형 샌디는 야구공을 던질 줄 몰랐는데, 나는 할 수 있었다. 나는 진짜 야구선수가 될 수 있었고 이를 자꾸 들먹이곤 했다. 그래서 아버지는 내게 더 많은 관심을 기울였다. 이것은 샌디에게 깊은 상처를 주었다. 내 배를 심하게 때리면서 이런 감정을 분출했다. 배를 맞을 때 나는 거의 숨을 쉴 수 없었다. 내가 더 자랐을 때는 몸싸움을 해서 등을 제압할 수 있었기 때문에 거의 대등하게 대응했다.

열 살 때 나의 선생님은 레슬링부 코치이기도 했다. 그 당시 내가 좋아하던 셔츠는 팔에 청색과 황금색 상병 무늬를 수놓은 카키색 셔츠였다. 질문을 하기 위해 선생님 책상에 갈 때마다, 선생님은 팔을 내게 걸치면서 내 엉덩이 쪽으로 손을 쓸어내리곤 했다. 이것은 이상한 느낌이었다. 그러나 나는 그가 다정한 듯해서 좋았다. 어느 주에 그가 우리 반을 자신의 가족 농장에 데리고 갔다. 그는 우리에게 냇가에 있는 여러 종류의 벌레를 보여주었다. 그 후 달콤한 초코케이크를 주었다. 점차 그는 학교에서 나를 5학년 학생이 이용하는 건물 지하로 데려가기 시작했다. 어두워서 '지하감옥'이라고 부르는 곳이었다. 그곳을 방문했던 기억은 여전히 내 마음 깊은 곳에서 소름이 끼치는 어떤 것이다. 그러나 나는 그가 내게 바지를 벗으라고 말하던 것을 기억한다. 일종의 금지된 탐색이 계속되었다. 그는 이 얘기를 누구에게도 하지 말라고 했다. 다행스럽게도 그다음 해 내 친구가 자기 어머니에게 이 선생님이 자신을 '지하감옥'에 데려가 자기 몸을 탐색하고 있다고 말했다. 조사 결과 그 선생님은 정신병원에 입원하게 되었고, 나중에는 마을을 떠났다. 나는 분명 매우 부끄러웠을 것이다. 몇 년이 지나서야 그 사실을 어머니에게 말했기 때문이다. 불행하게도 어머니의 반응은 "그건 그렇게 심각한 게 아니었을 거야. 그렇지 않았다면 네가 이미 말했을 거야"라는 말이었다. 나는 내 마음을 어머니에게 말하지 못했다. 나는 부모와 공유하는 것이 매우 적었다. 수년이 지나서야 나는 나의 정서적 발전에서의 걸림돌과 정신병을 열 살 때 내가 겪었던 그 트라우마와 연결 지을 수 있었다. 그 트라우마의 영향을 내가 이해할 수 있었던 것은 '성의 꿈Castle Dream' 세러피therapy(이 부분은 나중에 설명할 것이다)와 명상 덕분이었다.

대략 그 즈음 아버지는 헌팅턴 병(유전질환으로 뇌세포가 파괴되어 신체적·정신적 능력이 악화되고 흔히 치매로 발전됨 - 옮긴이 주)을 앓기 시작했다. 1950년대에 그것은 끔찍한 질병이어서 누구도 얘기하기를 꺼렸다. 아버지의 할머니와 어머니가 모두 헌팅턴 병을 갖고 있었다. 헌팅턴 병임이 분명해졌을 때 아버지 나이는 쉰두 살이었다. 나는 열 살이었다. 아버지는 용기 있게도 예순일곱 살까지 의사 일을 계속했다. 그 시점에서 아버지는 이제 운전을 하지 않았다. 그래서 환자들이 집으로 아버지를 방문하러 왔다. 나는 아버지가 헌팅턴 병을 언급한 것을 기억하지 못한다. 아버지가 일흔다섯 살이었을 때 요양원에 입소했다. 더는 걸을 수 없었고 식사보조가 필요했다. 왜 입소했는지 물으면, 아버지는 '약한' 헌팅턴 병이 있다고 말했다. 성장하면서 나는 내 형제와 내가 헌팅턴 병을 앓을 확률이 50 대 50임을 알게 되었다.

아버지가 조용히 질병의 증상과 투쟁하고 있을 때, 어머니와 나는 점차 다시 가까워졌다. 어머니는 끊임없이 독백을 하곤 했다. 독백은 "뭐라고 답했더라?"라는 질문으로 시작했다. 내가 어머니에게 무언가 질문했기를 바란다. 어머니와의 기억은 대부분, 어머니가 예수에 대한 믿음이 없어진 이유를 설명했던 것에 관한 것이다. 어머니는 감독교회 신자Episcopalian로 성장했다. 그러나 그 종교에 실망감을 느꼈음이 분명했다. 어머니는 "예수님이 신성하다면, 그는 고통을 겪지 않았을 거야. 나에게는 그가 사람이라는 게 더 중요해. 왜냐하면 그때 그가 고통을 겪었기 때문이지. 그것은 예수가 신성하다고 생각하는 것보다 더 많은 것을 의미해. 그래서 나는 유니테리언이 되고 싶어. 왜냐하면 그들은 예수를 우리와 마찬가지로 신성하지 않다고 믿기 때문이야. 그래서 예수가 이룬 것은 우리도 모두 이룰 수가 있지"라고 말하곤 했다. 나는 어머니가 예수에 대한 믿음을 잃은 것은 아버지가 헌팅턴 병을 앓게 된 것, 즉 아버지에 대한 신뢰를 잃은 것과 관련이 있다고 생각한다.

토요일마다 나는 아버지와 특별한 시간을 가졌다. 아버지는 나를 존스홉킨스 병원에 데려가 순회 진료를 하는 데 따라다니게 했다. 우리는 반짝이는 대리석 복도를 걸어 내려갔는데, 발소리가 벽에 울리곤 했다. 처음에 나는 당황했다. 아버지는 의자를 끌어 환자의 침대 곁에 붙이곤 환자의 건강과 아무런 관련이 없는 듯한 일반적 문제에 관해 얘기를 나누기 시작했다. "가족을 본 적이 있나요? 여기 오기 전에 어떤 일을 하셨나요?" 이렇게 묻곤 했다. 대화를 하는 동안 아버지는 손을 환자의 손목에 대고 맥박을 재곤 했다. 아이로서 내가 보기에는 개별 환자에게 쏟는 시간이 끝이 없는 것 같았다. 그러나 돌봄과 관심의 느낌은 매 순간 분명했다. 이런 순회 진료를 몇 시간 한 후, 우리는 거리를 걸어 내려와 리드Reed 약국 쪽으로 갔다. 거기에서 나는 항상 크림이 얹혀 있는 루트비어 탄산수(식물 뿌리로 만든 탄산수 – 옮긴이 주)를 주문했다.

아름답고 총명하고 창의적인 여동생 라크는 여덟 살 때 자책의 시간을 시작했다. 라크는 먹는 것을 거부하고, 거식증을 앓게 되었다. 라크는 워싱턴 D.C.에 있는 아동병원에 6개월 동안 입원해야 했다. 다행히 라크는 아동 분석자의 도움을 얻었다. 점차 라크는 다시 먹기 시작했고 어머니는 그 의사가 예수 같다고 느꼈다. 의사는 내가 어떻게 지내는지 어머니에게 물었고, 어머니는 내가 아주 정상이라고 답했다. 예언적이게도 그 의사는 "정상적으로 보이는 아이를 잘 지켜보세요. 나중에 문제가 생길 수도 있어요"라고 말했다. 우리 중 누구도 그 말을 듣고 싶지 않았다. 라크의 거식증에는 트라우마가 관련되었을 가능성이 있었는데, 우리는 모두 라크의 문제는 뇌의 화학적 불균형 때문이라고 느꼈다. 우리 가족에게는 강력한 의사 전통이 있었고, 우리는 트라우마를 찾으려 하지 않았다. 우리 가족은 이런 문제가 화학적 불균형 때문에 생긴 것이라는 믿음을 선택했다. 그때 이후 라크는 전연 행복해 보이지 않았다.

트라우마가 있는 동안 나는 성인이 되어야 했다. 나는 내 성장 과정에서 빠진 부분을 채울 기회를 얻지 못했다. 나는 진지하고 책임감 있을 필요가 있었기 때문이다. 그 결과 내 목소리는 나의 것이 아니었다. 학교에서 나는 좋은 성적을 얻는 데 도움이 되는 목소리만 사용했다. 집에서는 내 가족이 작동하는 데 도움이 되는 목소리만 사용했다. 지난 시절을 되돌아보았을 때 내가 나를 앵무새에 비유하게 된 이유이다. 어떤 곳에서도 나는 나의 진짜 목소리를 발전시킬 기회를 갖지 못했다. 내가 진짜 누구인지에 대해 아무 생각이 없었다.

열여섯 살이 되어 고등학교 2학년이 되었을 때, 나는 처음으로 깊은 사랑에 빠졌다. 마를린Marlene에게 푹 빠졌다. 내가 매력적이라고 그녀가 말했기 때문이다. 마를린과 같이 있으면 즐거웠다. 우리는 자동차를 타고 영화를 보러 갔고, 차 유리창에 김이 서리도록 열기를 일으켰다. 우리는 종교를 두고 논쟁을 벌였지만, 나는 마를린과 같이 있는 것을 사랑했다. 그녀는 엄격한 천주교 가정에서 성장했고, 나는 유니테리언이 더 옳다고 그녀를 설득하려고 노력했다. 나는 그녀가 어떻게 신을 믿을 수 있는지 이해할 수 없었다. 이것이 그녀를 괴롭혔다. 그녀도 목을 껴안고 애무하는 것을 좋아하지 않았다. 그녀는 그렇게 하면 같이 잠을 자게 되는데 그건 결혼할 때까지 미루어 둘 일이라고 어머니가 가르쳤다고 말했다. 그녀는 운전을 배우고 있었다. 나는 그녀가 프렌치 키스를 해주면, 내 아버지의 회색 복스홀Vauxhall 차를 운전할 수 있게 해주겠다고 약속했다. 그녀는 머뭇거리면서 승낙했다. 그 당시, 어느 날 차로 그녀 집으로 돌아가면서 나는 그녀에게 우리의 졸업파티에 대해 물었다.

그녀는 "우리는 계속 친구로 지낼 수 있지"라고 말했다.

나는 믿기지 않은 듯 흔들렸다. "친구? 친구라고 말하는 게 무슨 뜻이지?"

"우리는 너무 가까워졌어. 나는 거리를 좀 두고 싶어."

그것은 청천벽력이었다. 세상이 깜깜해지는 것 같았다고 생각했다. 나는 절망했다. 이럴 리 없어. 마를린이 잘못 생각한 것이 분명해. 그날 저녁 나는 왜 그녀가 거리를 두려고 하는지 마를린에게 계속해서 물었다. 우리는 너무 어려서 그렇게 깊어질 수 없다고 그녀는 말했다. 나는 울고 또 울었다. 나중에 그녀는 내가 너무 울어서 걱정이 되었다고 했다. 그 일이 있은 후, "다시는 누구와도 그렇게 가까워지지 않을 거야"라고 나 자신에게 다짐했다.

그녀는 졸업 파티에 나랑 같이 갔다. 그러나 우리는 냉정해져 있었고 춤도 거의 추지 않았다. 춤이 끝난 뒤 우리 중 몇몇은 함께 모여 술을 아주 많이 마셨다. 그때 나는 심각한 음주 습관에 들어서게 되었다. 음주는 그날 저녁의 정서적 고통을 잊는 데 도움이 되는 것처럼 느껴졌다. 음주는 나의 학교와 가정생활에서의 엄격한 통제로부터 벗어나는 즐거운 휴식이었다. 그해 여름은 외부 파티가 매우 많았다. 볼티모어의 좋은 가정 출신 백인 앵글로색슨 청교도WASP 소년으로서 나는 많은 초대를 받았다. 샴페인이 무한히 흘러나왔다. 돌이켜 보면, 그런 많은 밤을 보내는 것을 편안하게 여겼다는 것이 놀랍다.

나는 나의 감정을 통제하기 위한 수단으로 이성에 의지했다. 나는 좋은 WASP 전통에 따라 내 감정을 감추었다. 나는 합리적인 젊은이였다. 내 가슴은 나에게 말하는 것을 멈추었다. 누가 가슴을 필요로 할까? 그것은 고통만 줄 뿐인 것처럼 보였다.

어떤 대학을 다녀야 할지를 결정할 시간이 다가왔지만 다른 선택은 없었다. 나는 가문의 전통을 이어받을 수 있게 조심스럽게 길들여졌다. 나는 프린스턴 대학교를 6대째 다닐 자손이어야 했다. 나는 프린스턴 티셔츠를 입었고 동창회 모임에도 따라갔었다. 길먼 학교는 프린스턴 대학교에 진학하기 위한 양성소였다. 50명의 급우 중 10명이 프린스턴 대학교에 진학했다.

상급반 10월에 나는 인터뷰를 했고, 조기입학자로 합격통지를 받았다. 장차 처벌을 받는 일이 없어야 한다는 조건으로. 그 조건은 얼마나 터무니없는가! 나는 언제나 모범적 행동을 하는 젊은이였기 때문이다.

그 후 몇 주 뒤, 감옥에 있는 나를 발견했다. 나는 입학사정관이 한 말을 떠올렸다. 그 모든 것은 할로윈 축제 때의 장난에서 시작되었다. 우리는 12개씩의 썩은 달걀로 무장했다. 저녁이 되었고, 우리는 차로, 그리고 뛰어서, 롤랜드Roland 공원 위쪽으로 달려갔다. 차 한 대가 누군가의 정원으로 질주해 들어갔다. 나는 어떤 1학년 학생을 좇아 갓길로 질주해 내려갔다. 그때 누군가 내 팔을 끌어당기는 느낌을 받았다. 그리고 근엄한 목소리로 "달걀을 내려놓아라, 애야"라고 명령했다. 공포에 질려 경찰관의 얼굴을 쳐다보았다. 그는 나와 다른 급우 일곱 명을 순찰차로 데려갔다. 우리는 경찰서로 끌려갔다. 어떤 한 아이가 집에서 만든 자물쇠 모양의 쇳조각으로 '무장'했기 때문이다. 나중에 그 아이는 "나는 단지 어른이고 싶었어"라고 말했다. 그날 밤 그는 감옥에서 지냈다. 격분한 부모들은 나머지 아이들을 보석으로 석방시켜 데려갔다. 보호관찰하에 남은 학기를 마무리한 후, 우리의 기록은 삭제되었고, 나는 프린스턴 대학교에 입학 허가를 받았다. 그 무모한 장난으로 인해 우리는 실제로 악명을 얻었다.

돌이켜 보면, 대학을 다니면서 집에서 떨어져 사는 데 필요한 일상생활에서의 책임을 받아들일 준비가 되어 있지 않았다. 대학 준비 단계까지의 학교 생활은 영국식 학교 전통을 모델로 한 것이었다. 규율은 길었고, 자기표현과 정서적 연결은 짧았다. 7학년부터 12학년까지 길먼 컨트리Gilman Country 비기숙 남학교에서 거의 대부분의 WASP 학생단체는 양복, 넥타이, 바지를 착용하도록 했다. 나는 쇼핑을 좋아하지 않았기 때문에, 어머니가 내 옷을 골라 주셨다. 10학년부터는 내 신발이 나의 내적 감정을 표현하는 한 형태였다.

어머니가 골라준 신발을 신는 대신, 나는 또래 친구들 사이에 인기 있는 신발을 사기 시작했다. 가령 데저트 부츠나 스웨이드 새들슈즈(신발 등 부분에 안장 모양으로 부드러운 가죽을 붙인 신발 ― 옮긴이 주) 같은 것들이었다. 나는 이발사에게 내 머리를 짧게 잘라달라고 하고, 윗편 머리는 그대로 두었다. 10대 초반에 나는 과산화수소수와 브릴크림을 머리에 바르는 실험을 했는데, 여자애들의 관심을 끌려고 한 것이었다.

당혹스럽게도 세탁물을 챙겨주던 가정부를 두고 있었다는 걸 인정하지 않을 수 없다. 가정부가 내 옷을 잘 다려 접어서 따로 두곤 했다. 그러니 내가 대학에 들어가서 내 옷이 뒤죽박죽 섞여 있었던 것은 놀랄 일이 아니었다. 대학 이전의 엄격한 학교의 규칙에서 벗어났기에, 나는 무엇이든 손에 잡히는 것을 입었다. 기숙사의 룸메이트는 내가 세탁물을 개지도 않고 주름이 잡히는 것을 신경 쓰지도 않은 채 방에 던져두는 습관을 보고 기겁을 했다. 그는 나와 반대로 모든 셔츠를 다려서 접어두었다. 어느 날 그는 내가 불행한 게 분명하다고 말했다.

"왜 그렇게 생각하는 거야?" 나는 방어적으로 물었다.

"네 옷을 방에 넣어두는 방식이 너의 불행을 반영한다고 생각해." 그는 이렇게 답했다. "또, 사람들이 나에게 이렇게 묻곤 했어. '네 룸메이트한테 무슨 문제가 있니? 그는 항상 화가 나 있는 것 같아.'"

글쎄, 이런 평가를 듣자 나는 화가 났다. 다음 해에는 나와 마찬가지로 옷 정리에 신경을 쓰지 않는 룸메이트를 만나야겠다고 다짐했다.

이후 내 삶의 회복은 대부분 사랑하고 사랑받는 것을 인정하는 것을 배우는 것이었다. 나는 사람과 가까워지고, 이어서 그 사랑을 잃게 되는 것을 두려워했다. 내가 깊이 연루되어 있지 않으면 누군가를 잃게 되는 것이 고통스럽지 않을 것이라고 믿었다. 가까워진다는 것은 또한 위험하게 느껴졌다. 그것은 내가 감정을 더 격하게 경험하고, 그것이 두려웠음을 의미한다. 정서적으로 가까워지면 나 자신을 주장할 수 없게 될까 봐 두려웠다. 나는 비록 동의하지는 않았지만 내 여자친구가 바라는 것을 실천할 필요가 있었다고 추측한다. 이런 두려움의 한 일화가 대학에서의 조이스Joyce와의 관계였다. 나는 그녀를 여름 첫 사교파티에서 만났다. 내가 프린스턴 대학교에 다닌다고 말하는 것을 조이스가 우연히 듣게 되었다.

"그건 그렇게 대단한 게 아니야. 나는 바사Vassar 대학에 진학할 거야." 그녀는 테이블 건너편에서 내 말에 참견했다.

나는 그녀의 투지에 감탄하면서, 같이 춤추지 않겠느냐고 청했다. 우리는 그해 여름 꽤 가까워졌다. 우리는 우리의 노래를 갖고 있었다. 토미 로Tommy Roe가 부른 「시엘라Shiela」였다. 그러나 점차 그녀에게 매력을 갖게 되었던 특징 — 그녀가 솔직하게 말하는 태도 — 때문에 나는 화가 났다. 나는 그녀가 나보다 결정을 더 신속하게 한다는 것을 알게 되었다. 그녀는 자신의 감정에 더 가까웠기 때문이다. 나는 또한 그녀가 화가 나면 그것을 표현할 수 있고, 극복할 수 있다는 것도 알게 되었다. 그런데 나는 나의 화를 붙들고 있었다. 화를 밖으로 분출할 때면, 상대적으로 관계가 없는 어떤 것에 대한 분노로 표출되었다. 예를 들면, 미래 우리 가정이 어떨지 추측하는 토론을 하는 동안, 그녀는 우리 아이들이 어디에 있는 교회를 다닐지를 계획하기 시작했다. 즉, 프로테스탄트 교회였다. 그러나 나는 유니테리언 신자로 교육을 받아왔고, 프로테스탄트에 동의하지 않았다. 처음에 나는 그녀의 계획을 따랐다. 우리가 결혼에 관해 아무런 얘기도 나누지 않았음에도. 그러나 내면에서 나는 부글부글 끓고 있었다. 내가 최종적으로 내 견해를 밝힐 때는 나는 화가 치밀어 이성을 잃은 상태였고 그녀는 충격을 받았다. 나의 분노는 며칠 동안 지속되었다.

내가 조이스와 관계를 계속 유지했던 것은 부분적으로 그녀의 어머니 때문이라고 생각한다. 조이스의 어머니는 멋진 분이었다. 나 자신에 관한 작지만 유익한 통찰을 할 수 있게 해주셨다. 가정에서 나는 그런 통찰을 잃어버렸던 것이다. 조이스가 신입생으로 대학교에 입학해서 그녀의 부모님이 그녀를 대학에 데려갔을 때 나도 그녀와 그녀 부모님을 따라갔다. 왜 그랬는지를 깨닫지 못했지만, 그것은 정서 여행이었다. 지난 해 내가 대학에 진학했을 때, 나는 진학에 관한 내 감정을 통제했다. 집으로 돌아오는 길에 나는 리키 넬슨Ricky Nelson의 노래, 「러블리 틴에이저Lovely Teenager」를 불렀다. 조이스의 어머니는 그 노래가 얼마나 슬픈지에 관해 비평을 해주면서, 내가 슬픔을 느끼는지 궁금하다고 말씀하셨다. 나는 그녀의 비평에 깜짝 놀랐던 것을 회상한다. 나는 슬프거나 외로운 것을 느끼지 못했기 때문이다. 그러나 나는 기록을 해두었고, 그 노래는 슬프게 들린다고 생각했다. 나는 또한 그녀가 그것을 알아챈 것에 감동을 받았다. 그런 경험은 내게 새로운 것이었다.

조이스와의 관계에서 가장 큰 트라우마는 내가 2학년일 때 일어났다. 프린스턴 대학교에서 매우 중요한 사교행사는 '싸움bicker'이었다. 일종의 돌진 게임으로 그것으로 소속될 식사클럽을 결정했다. 식사클럽은 프린스턴판 형제단 같은 것이었다. 좀 더 오만한 형태이기는 했지만. 15개의 식사클럽이 사회적 서열에 따라 정렬되어 있었다. 프린스턴 대학교에서는 어떤 학생의 사회적 지위는 그가 어떤 클럽에 소속되어 있는지에 따라 좌우되었다. 사회적 신분의 상층에 아이비Ivy 클럽이 있었다. 많은 내 친척들이 거기에 속해 있었다. 상층부 식사클럽에 초청되는 사람은 멋진 방, 멋진 룸메이트, 멋진 인간성을 가질 필요가 있었다. 나는 그 세 가지 기준에서 모두 낙제였다. 싸움bicker 첫날 행사 때 모든 클럽이 검증팀을 당신의 기숙사 방으로 보내 당신과 당신의 싸움 메이트의 잠재력을 평가한다. 그 주가 지나가고 나서, 당신에게 관심을 잃어버린 클럽은 이제 대표단을 더는 보내지 않는다. 3일째까지 우리 방에 방문한 대표단은 아주 소수였다. 여전히 방문하는 클럽 대표단 중에는 상층부 클럽은 없었다. 나는 조이스에게 상황을 알렸고, 그녀는 공포에 질렸다. 엘리트 클럽에 소속되었다는 것으로 사람의 명망이 측정될 뿐 아니라 그것으로 여자친구의 명망까지 측정되었다. 그 주가 끝난 뒤 나는 몇몇 하층부 클럽에 초청되었다. 하위 다섯 개에 속한 클럽이었다. 나는 상대적으로 소극적이었다. 나뿐만 아니라 나의 친구들도 대부분 동일한 결과였다. 그러나 조이스는 화가 났고, 내가 더 나은 클럽에 소속될 수 있게 요청하라고 주장했다. 삼촌 또한 나를 압박해서 더 나은 클럽에 소속되도록 노력하라고 했다. 그래서 나는 매우 모욕적이었지만 더 나은 클럽에서 받아줄 것을 청원했다. 마침내, 내가 입회를 요청했던 클럽에 소속되었다. 그러나 먹구름이 곧 몰려왔다. 하위 클럽에 소속되었던 내 친구들 몇몇은 내가 그들을 거부했다고 느꼈고, 그들이 나를 제외시켰다. 나는 여자친구와 내 가족을 즐겁게 해주기 위해 더 나은 클럽에 소속되기를 청원했던 것이었다. 이 사건은 내가 나 자신의 자아가 없었음을 느꼈던 많은 사건 중 하나였다. 나는 내가 누구인지 몰랐다. 나는 카멜레온 같다고 느꼈다.

조이스와 나는 그다음 해에도 관계가 진척되지 않았다. 그러나 내 가슴은 조이스와의 관계에서 떠나 있었다. 그녀 부모님과의 휴가 중에 그녀와 관계를 나쁘게 끝냈다. 우리는 현관에 서 있었다. 달빛이 비치는 밤이었다. 조이스는 우리가 해야 한다고 생각한 결혼식에 관해 말하기 시작했다. 나는 결혼은 말할 것도 없고, 그녀와의 관계를 계속하고 싶지 않았다. 갑자기, 아무런 예고도 없이 나는 벌떡 일어나 그녀와 더는 같이 지낼 수 없다고 말했다. 그녀는 기겁을 했다. 이런 일이 있으리라는 어떤 예고도 하지 않았기 때문이다. 정말로 끔찍한 시간이었고, 장소였다. 그녀 아버지의 반응은 나를 더 충격에 빠뜨렸다. 과거에 그는 항상 자신이 나를 매우 존중하고, 당신의 친구들에게 나를 엄청나게 자랑했다고 말하곤 했다. 그러나 그 순간 그는 내 결정이 올바르다고 했다. 조이스와 내가 결코 어울리지 않는다는 것이었다. 나는 수 대에 걸친 전문직 가문에 속하고, 그의 가족은 최근에 와서야 하급 관리직 계급에 소속되었기 때문이라는 것이다. 그녀 집에서 차로 내 집으로 돌아오는 길은 긴, 침묵의, 고통스러운 세 시간이었다. 내가 어떤 느낌이었고 그 느낌을 어떻게 설명해야 할지를 알 수 있었다면, 결별은 정서적 해일처럼 밀려오지는 않았을 것이다.

나는 사랑을 양 측면에서 보았다. 돌이켜보면, 조니 미첼Joni Mitdhell의 노래 「양쪽 모두Both Side Now」가 떠오른다. 그 후렴구처럼 "나는 사랑이 무엇인지 정말 아무것도 모른다".

비슷한 시점에 나는 직업을 구상하고 있었다. 열여덟 살 때 나는 아버지에게 정신병에 관해 좀 더 많은 것을 발견하기를 원한다고 말했다. 아버지는 시모어 케티Seymour Kety 박사를 찾아가 보라고 권유했다. 나는 국립정신건강 연구소National Institute of Mental health: NIMH에 있는 그를 방문하기 위해 베데스다 Bethesda로 갔다. 연구소는 거대하고 위압적인 벽돌 건물이었다. 케티 박사는 임상과학실험실의 책임자였다. 그의 책과 그의 권위, 그리고 그의 회색 머리카락이 나에게 감동을 주었다. 그때가 1962년이었다. 그는 과학계의 고위 성직자였다. 10년 전 그는 NIMH를 설립했다. 나는 그의 주술에 빠져들었다. 나는 의대에 진학하리라고 생각하고 있었다. 그러나 그는 새롭게 개척할 영역이 신경화학neurochemistry이라면서 나를 설득했다.

"신경화학은 미래의 분야거든. 의사 자격을 얻느라 시간을 낭비할 필요가 없어. 너는 생화학에서 박사학위를 취득하는 게 필요해. 그때 너는 NIMH로 돌아와서 내 연구실에서 일할 수 있을 거야." 그는 이렇게 말했다.

누가 그렇게 중요한 인물의 권고를 거부할 수 있겠는가? 나는 할 수 없었다. 연구자가 되어 내 누이의 정서적 스트레스를 치료해 줄 것이다. 나는 아버지의 헌팅턴 병을 치료해 줄 것이다. 나는 가족 의사가 될 것이다. 결국 내 세대 중 누군가가 의사가 되어야 했다. 우리 가문에는 언제나 의사가 있었다. 아버지, 삼촌, 할아버지, 증조할아버지 그리고 6대를 거슬러 가도 모두 의사였다. 나에게는 선택의 여지가 없는 듯했다. 내가 할 수 있는 유일한 선택은 어떤 분야의 의사가 될 것인가였다. 나는 실험실에 갈 것이고, 내 가족의 문제를 발견하고 그것을 치료할 수 있을 것이다! 이후 10년간 무엇을 해야 할지를 알았기 때문에 나는 큰 안도감을 얻었다.

프린스턴으로 돌아와 나는 신속히 생화학을 전공하기로 결정했다. 그러나 내 천성은 실험실에 맞지 않았다. 내 실험은 종종 뒤죽박죽이었고, 내 일을 깔끔하게 조직하지 못했다. 가문의 전통의 무게를 전부 어깨에 짊어지고, 나는 세상의 큰 기계의 부품이라고 스스로를 설득했다. 우리 모두는 부속품이고 화학물질이었다. 나의 주된 목표는 우주, 특히 뇌라는 우주의 법칙을 발견하는 것이었다. 이렇게 해서 나는 정해진 법칙에 따라 나의 삶을 통제할 수 있고, 또 그것을 고칠 수 있다고 생각했다. 되돌아보면, 나는 세상이 나의 외부에 있는 것이라고 경험했다. 세상은 경험을 통해서가 아니라 도구를 통해 발견해야 할 어떤 것이었다. 나는 삶의 표피에서 떠돌고 있었다. 숙달되고 말은 잘하지만 누구와도 정서적으로 가까워질 수 없었다. 누이동생 라크는 내가 그런 인공적인 상태에 있다는 것을 알 수 있었다.

어느 날 라크는 나를 가까이 끌어당기면서 이렇게 말했다. "오빠는 밥 딜런의 노래를 들어야 해. 그가 오빠에 관해 노래를 불렀어."

밥 딜런은 「마른 남자의 발라드Ballad of a Thin Man」라는 노래를 부르고 있었다. 그가 쉰 목소리로 가사를 내뱉을 때, 내 내면을 휘저으려는 듯한 삶의 전율을 느꼈다. 그가 "어떤 중요한 일이 일어나고 있어. 너는 그것을 알지 못하지, 그렇지, 존스 씨?"라는 가사를 읊을 때 그것이 마치 나에게 하는 말 같았다.

1963년 11월 22일, 나는 다른 미국인과 마찬가지로 트라우마를 경험했다. 1963년을 살았던 거의 대부분의 사람들이 그날 자신이 어디에 있었는지를 기억한다. 학생들이 케네디 대통령이 피살되었다는 소식을 전할 때 나는 문학반의 종교적 이념 수업을 마치고 나가려고 하고 있었다. 그런 일은 가능할 것 같지 않았다. 그러나 실제로 그런 일이 일어났다. 용기를 주는 우리의 젊은 대통령이 어떻게 죽을 수 있는가? 나는 곧 메스꺼워지기 시작하면서 먹은 것을 토해냈다. 믿을 수 없어서 충격을 받아 그다음 날 나는 양호실에서 하루를 보냈다. 며칠 후 나는 추수감사절을 보내려고 라크와 삼촌 무안Moyne과 함께 할머니 집으로 갔다. 삼촌은 장례일부터 계속해서 조의를 표하는 조문복을 입고 있었다. 그는 고등학교 때 그리고 프린스턴 대학교 신입생 때 케네디 대통령의 룸메이트였다. 그들은 가장 가까운 친구였다.

그다음 해 나의 선배 연구 조언자인 아서 파디Arthur Pardee는 좀 더 조심스러워야 한다고 끊임없이 경고했다. 그가 내 연구실에 들어올 때마다, 실험실 의자 끝자락에 있는 유리 용기를 치우기 시작하면서, "대부분의 실험실 사고는 유리 용기가 의자 끝자락에 너무 가깝게 있기 때문에 생기는 거야"라고 말했다. 그를 보면 나는 공포에 질리곤 했다. 그러나 가족을 치료하기 위한 나의 동기 때문에 실험실 작업을 계속할 수 있었다. 대학의 룸메이트는 "너는 실험에 적합한 사람이 아닌 것 같아. 너는 사람에 너무 관심이 많아"라고 말하면서 나에게 주의를 주려고 했다. 그 말을 듣고 나는 "누구라도 간절히 무언가를 하기를 원한다면 그걸 할 수 있는 법이야"라고 대꾸했다. 나는 그가 옳다는 것을 알았다. 그러나 내가 하기를 원하는 것은, 중요한 사람들이 내가 해야 한다고 하는 것만큼 중요하지는 않다고 느꼈다. 연구를 함으로써 내 가족의 불행의 생화학적 기초를 발견할 것이라고 확신했다. 나는 프린스턴 대학교에 그해 여름까지 머물면서 학부 학생으로 시작했던 연구를 마무리하고, 내 연구 중 일부를 간신히 출판할 수 있었다. 나는 버클리 캘리포니아 대학교와 위스콘신 대학교로부터 입학통지를 받았다. 나는 위스콘신 대학교를 선택했다. 버클리 대학은 너무 급진적이라고 생각했기 때문이다.

여름이 끝날 무렵, 나는 부모님 그리고 라크와 함께 델라웨어에 있는 레호보스비치Rehoboth Beach에 며칠 머물렀다. 거기서 우리는 즐거운 시간을 보냈다. 그때 내가 떠나려고 하자 라크와 어머니가 너무나 격정적으로 울었기 때문에 매우 놀랐다. 아버지는 언제나처럼 절제력이 강했다. 이것이 우리 가족이 보낸 마지막 휴가가 될 것이라고는 전혀 생각지도 않았다. 그러나 그들은 그것을 알고 있었다. 나중에야 나는 그들이 나를 정말로 잃어버릴 것이라고 느꼈다는 것을 알게 되었다.

나는 먼 중서부로 가고 있었다. 차로 가는 동안 나는 여전히 그들의 눈물이 의아했다. 당시 나는 너무 자기중심적이어서 여러 해가 지나기 전까지 그들이 내게 얼마나 많은 애정을 가지고 있었는지를 깨닫지 못했다. 나는 처음에 롱 아일랜드에 있는 콜드 스프링Cold Spring 항구로 차를 몰았다. 거기서 나는 파디 박사와 같이한 나의 연구를 과학적 관점에서 발표했다. 나는 참석자들을 보고 놀랐다. 그중에는 프랜시스 크릭Francis Crick과 함께 DNA 구조를 공동 발견한 제임스 D. 왓슨James D. Watson도 있었다. 그리고 난 뒤 나는 나의 폭스바겐 비틀Beetle 차에 기어들어 갔다. 차 안에는 온갖 너저분한 물건이 가득했다. 나는 24시간 차를 몰아 위스콘신의 매디슨Madison으로 갔다. 거기에는 새로운 교육, 즉 정치교육이 나를 기다리고 있었다.

내 세대의 다른 아이들과 마찬가지로 나는 1960년대 후반부의 벽에 부딪

했다. 우리는 1950년대의 "그것을 비버에게 맡겨라Leave it to Beaver"(단순하고 평범한 미국 중산층 가정의 소년기를 보여주는 1950년대 말~1960년의 시트콤 제목 ─옮긴이 주)와 같은 식의 삶을 살았다. 우리는 집단화되었고 산업화되었다. 텔레비전은 가장 완벽한 가정의 모델을 보여주었다. 모든 것을 가장 잘 아는 것 같은 아버지(어머니는 왕관 뒤의 조용한 권력자이지만)가 있는 가정. 모든 문제에는 기술적인 해결책이 있다고 우리는 교육받았다. 우리는 듀퐁의 슬로건인 "화학을 통한 더 나은 삶"을 믿었다. 모든 가정이 자신의 울타리가 있는 주택을 가질 수 있는 아메리칸 드림을 이룰 수 있다고 믿었다. 베이비부머는 이런 꿈의 한중간에서 태어났다. … 아니면 악몽인가. 나는 제2차 세계대전 중에 태어났다. 그래서 나는 텔레비전이 넘쳐 나기 이전의 삶의 기억을 약간 가지고 있다. 우리 가족은 1953년까지는 텔레비전을 구입하지 않았다. 나의 히피 생활의 정점인 스물일곱 살 때, 열아홉 살 젊은 여성이 나의 세대가 부럽다는 말을 했던 것을 기억한다. 그녀는 우리 세대는 1960년대 학생운동의 반란으로 세상이 뒤집어지기 이전의 삶이 어떠했는지를 알 기회가 있지 않았느냐고 말했다. 그녀는 핵심을 말했다. 나는 베이비부머보다 나이가 많다. 그러나 나는 그들과 나를 동일시한다. 내가 처음으로 환각물질인 메스칼린을 흡입했을 때가 스물다섯 살이었다.

폭스바겐을 몰고 매디슨으로 가던 1965년 나의 부모와 나의 동부 지역 WASP 존재들의 전형적인 세계는 사그라지고 있었다. 내가 성장해 왔던 기계학적 자아의 내면에 새로운 의식의 묘목이 중서부 지역의 토양에 뿌리내리고 있었다. 새로운 나, 진정한 나의 자아에 접근하기 시작한 내가 이전의 자아의 틈을 뚫고 솟구쳐 오르기 시작했다.

매디슨에 도착했을 때 이미 거기는 정치적 활동으로 들썩이기 시작했다. 그린 랜턴이라는 협동주의 레스토랑은 프린스턴의 식사클럽과는 전혀 딴판이었다. 거기에는 웨이터가 없었고, 요리를 제외한 모든 일을 멤버들이 했다. 120명의 회원이 일주일에 6일 동안의 점심과 저녁을 위해 매주 7.50달러를 갹출했다. 저녁식사 후 급진적 학생운동 리더들이 미제국주의의 악마성과 베트남 전쟁을 종료해야 할 필요성에 대해 강연했다. 다음번 시위 때 어디서 모일지 말하곤 했다. 처음에 나는 그들의 분석에 저항했다. 나는 여전히 우리 정부를 믿고 있었다. 그러나 나의 확신에 커다란 구멍이 생겨나기 시작했다.

어느 날 로런이라는 친구가 "너는 확실히 워런Warren 위원회의 보고서를 믿지 않는구나? 그건 은폐한 거야"라고 말했다.

나는 이런 주장이 몹시 거슬렸다. 어떻게 해서 그가 옳을 수 있을까? 그러나 그는 열정적이고 또 많은 정보를 갖고 있었다. 나는 케네디 대통령을 잃은 것이 마치 가족을 잃은 것과 같이 느껴졌다. 로런은 계속해서 말했다. "나는 변호사 마크 레인Mark Lane과 같이 일했어. 우리는 워런 보고서가 사실을 은폐했다는 걸 발견했어. 증거에 근거하면 음모가 있었다는 거야. 그건 총잡이 단독범행이 아니야." 그는 마크 레인의 책 『섣부른 심판Rush to Judgment』을 인용했다. 나는 귀 기울여 듣고, 말하고, 또 읽고, 생각하고, 마침내 그가 옳다고 판단했다. 그때 나는 스스로에게 물었다. "케네디 암살에 관해 정부가 거짓말을 한다면, 그들은 그 밖에도 무엇에 관해 또 거짓말을 했을까?" 로런은 그 질문에 대한 답을 갖고 있었다. 그가 물었다. "우리가 왜 베트남 전쟁을 한다고 생각하니?" 나는 표준적인 정부식 답변을 했다. "우리는 공산주의와 싸우기 위해 베트남에 있는 거지. 베트남이 멸망하면 동남아시아의 다른 나라도 공산화되겠지." 그는 머리를 가로저었다. "아니, 우리의 경제적 이익을 지키기 위해 베트남에 있는 거야. 우리 기업들은 원재료가 필요하거든." 그의 말을 들으면서 견고한 확신에 찬 고급 사립학교 출신의 자아가 깨지는 소리를 들을 수 있었다. 나는 맹목적 믿음을 가졌다가 이제 맹목적 불신으로 나아갔다. 나는 누구를, 무엇을 신뢰할 수 있을지 걱정스러웠다.

어떤 친구가 나를 옆으로 끌어당기며, 내가 사람들과 사귀는 방식을 그녀가 걱정한다고 말해주었을 때, 내게 변화가 필요하다는 또 다른 경고가 다가왔다. 내가 겉으로는 성격이 좋은 것 같지만, 다른 사람들과 정서적으로 가까워지려고 하지 않는다는 것을 그녀나 다른 사람들이 금방 알아챈다고 그녀가 말했다. 그녀의 말이 벨소리처럼 울렸고, 고통스러웠다. 내 마음 깊은 곳에서는 그녀가 제대로 지적했다는 것을 알았기 때문이다. 그녀는 내가 얼마나 조심스럽게 자신을 방어하는지 보아왔다. 겉으로 잘 가꾸어진 이런 존재방식 – 또는 비존재방식 – 이 나의 첫 22년간을 거의 정서적 느낌 없이 효과적으로 지낼 수 있게 해주었다.

대학원 첫 학년 겨울학기 때 나는 세라를 만났다. 그녀는 내게 결여된 정서를 표현하는 것처럼 보였다. 우리는 점차 가까워졌다. 특히 내가 베트남전쟁에 반대하면서 세라가 아버지와 대립할 때 그녀의 편에 설 때가 계기였다. 세라는 삶에 대한 나의 과학적 접근방법에 대해 불편해했다. 나는 외로움 그리고 누군가와 결혼해야 한다는 감정 때문에 그녀와 동거하게 되었다고 믿는다. 스물세 살이 막 지나서 나는 그녀와 결혼했다. 그 당시 나는 같이 잠자리를 하면 결혼해야 한다는 낡은 관습을 가지고 있었기 때문이다. 나는 내가 결혼 적령기라고 생각했다는 것을 기억한다. 당시 나는 내 생활을 어떤 프로그램 또는 학교의 숙제처럼 운영하려고 노력했다. 나는 권위 있는 사람들에게 내가 무엇을 해야 하는지를 묻곤 했다. 그리고 내가 어떻게 느꼈는지와 무관하게 그들이 말해준 계획을 실행하곤 했다. 나는 생화학자가 되어야 하고, 결혼해야 하는 것으로 프로그램화되어 있었다. 세라는 나와의 결혼을 진심으로 원한 것은 아니었다. 그러나 내가 그녀를 설득해 결혼하게 되었다.

결혼식 날, 형은 주저함이 없었느냐고 내게 물었다. 나는 확신에 차 "전혀"라고 말했다. 마치 또 다른 시험을 치르는 것처럼.

실제로 나는 그 당시 감정을 거의 느끼지 않았다. 감정을 느낄까 봐 너무 걱정스러웠다. 그래서 문제가 있었고, 아내는 그 때문에 실망했다. 사실 어느 날 밤 나는 비명을 지르며 깨어났다. "내가 원하는 것은 사실이야. 확실하고 딱딱한 사실들 말이야." 그 일로 아내는 나를 걱정했다. 내가 감정 없이 접근하자 그녀의 감정도 차가워졌고 나와 연결되지 않은 느낌을 갖곤 했다. 우리는 친밀한 관계를 맺지 못했다. 나는 더 많은 시간을 실험실에서 보냈다. 집에 있을 때 나는 아내의 잔소리를 들었다. 아내는 '샤워를 마친 후에는 샤워 커튼을 닫아라', '식탁에 잡스러운 것을 두지 마라' 등의 부탁을 했다. 나는 매일 저녁 똑같은 반찬을 내놓는다고 아내에게 불평했다.

매디슨에서의 3년은 나의 낡은 자아와 새로운 자아 간의 투쟁이었다고 말할 수 있다. 나의 낡은 자아는 의무에 충실하게 계속 화학물질을 측정하면서 제럴드 뮬러Gerald Mueller 박사의 지도에 따라 세포 성장의 비밀을 발견하려고 노력하고 있었다. 나는 아버지의 헌팅턴 병과 누이의 거식증을 치료할 수 있는 기술과 지식을 발전시키려고 노력하고 있었다. 나의 새로운 자아는 모든 것이 뒤집혀지는 것처럼 보이는 세상에서 그런 경력을 갖는 것이 어떤 의미가 있는지 계속 의문을 제기하고 있었다.

3년이 지나 나는 뮬러 박사의 실험실에서 벗어나려고 결심했다. 거기서 7년 또는 8년 동안 머물고 있는 대학원생을 너무 많이 보았다. 나는 베트남 전쟁에 가게 되는 건 싫었기 때문에, 먼저 공공건강 서비스를 지원해야 했다. 그리고 NIMH에서 일하는 것은 내가 반드시 해야 할 일이었다. 그래서 나는 케티 박사에게 편지를 썼다. 나는 잭 듀럴Jack Durell 박사에게서 답장을 받았다. 그는 케티 박사는 NIMH를 떠났지만 자기와 같이 일할 수 있다는 것을 알려주었다. 케티 박사가 내가 할 일을 알려준 지 6년 뒤 나는 NIMH로 되돌아갔다.

듀럴 박사는 내가 익숙해져 있던 박사들과 달리 부드러운 품성의 소유자였다. 그는 말쑥한 정장을 입고 있었고, 연구자처럼 보이지도 말하지도 않았다. 그는 정신과 의사였다. 그는 "너는 나와 좋은 관계로 일할 수 있을 것 같아. 그것이 너의 경력에도 도움이 될 거야. 나는 이 분야에서 존경을 받고 있거든. 나는 실험을 감독하고 있지만, 곧 정신과 병원을 개원하려고 하고 있어"라고 말했다. 나는 이것에 의문을 품고, 진짜 연구자를 찾아야겠다고 결심했다. 그래서 나는 NIMH 인명부를 보았고 거기서 시모어 코프먼Seymour Kaufman 박사를 찾았다. 그가 아미노산 합성의 생화학 분야에 중요한 기여를 했다는 것을 알게 되었다. 그는 테린Pterin이라고 부르는 중요한 공동인자를 발견했다. 나는 이 합성물에 대해 읽은 적이 있었다. 그러나 그것을 어떻게 발음하는지는 몰랐다. 그의 실험실을 방문했을 때 그의 외모에 감명을 받았다. 그는 중견 과학자였음에도 여전히 흰색 실험실 가운을 입고 있었다. 심지어 가운은 지저분했다. 그가 여전히 실험실에서 일하고 있음이 분명해 보였다. 당시 나는 너무나 좋은 앵무새였기 때문에 내가 그의 업적에 감명을 받았다고 말하면 그가 좋아할 것임을 알았다. 나는 '프테린Pterin'이 타이로신 생화학에 필요하다는 것을 발견한 그의 실험이 얼마나 대단한 것인지 아부했다. 테린을 발음할 때 P를 포함시켜 발음했다.

그는 나를 교정해 주면서, "네가 말하는 것은 테린이군"이라 말하며 P는 묵음이라고 지적해 주었다.

"맞아요. 제가 말한 게 바로 그것입니다."

나는 듀럴 박사를 만난 것도 말했지만, 그가 나를 실망시켰다는 점은 말하지 못했다.

"그래. 나도 잭을 알아. 그는 내 친구야. 내가 우울해질 때마다 그는 TV를 보라고 말해."

나는 그에게 나의 교육과정을 설명해 주었다.

"그래. 프린스턴 대학교에 간 것은 좋은 출발이군. 그러나 위스콘신에 대해서는 그런지 잘 모르겠어."

그는 출신배경을 너무 의식하는 것처럼 보였지만, 나는 그의 실험실에서 일할 수 있는지 문의했고, 그는 좋다고 했다.

학위논문을 방어하기 위해 나는 매디슨으로 돌아왔다.

제2장
고유한 내 목소리를 찾기

1968년 9월 박사 학위논문 심사를 마친 날은 내 인생에서 가장 행복한 날 중 하나였어야 했다. 나는 스물네 살이었고 생화학 박사학위를 취득했다. 선배 연구자 다섯 명이 연구를 잘 수행했다고 평가한 것이다. 심사장소였던 사무실을 빠져나왔을 때를 나는 분명히 기억한다. 나는 실험실로 달려갔고 모든 사람들이 환호했다. 우리가 거주할 아파트를 구하기 위해 이미 3주 전에 워싱턴 D. C.로 떠난 아내에게 나는 전화를 걸었다.

"무슨 일이 있었는지 맞혀봐, 세라! 내가 방금 논문심사를 통과했어."

침묵 후에 그녀는 돌처럼 차가운 목소리로 말했다. "대단하네." 내 심장이 가라앉았다.

나는 무언가 매우 잘못되었다는 것을 알았다. 그다음 날, 나는 세라의 냉랭한 어조의 목소리에서 관심을 돌리기 위해, 작별인사를 하고 짐을 싸면서 바쁘게 지내려고 애썼다. 국립공항(로널드 레이건 워싱턴 내셔널 공항)에 착륙한 후 나는 모든 것이 잘될 것이라고 생각하며 서둘러 세라를 껴안았다. 그러나 그녀의 뻣뻣하고 감정 없는 신체 반응은 그렇지 않다는 것을 말해주었다.

"우리 이야기 좀 해." 그녀의 운명적인 말이었다.

그날 밤 저녁식사 때 세라는 폭탄을 투하했다. 우리의 결혼생활은 끝났고 그녀는 떠나고 싶어 했다. 나는 세상이 무너지는 것을 느꼈다. 나는 그녀가 나를 떠나고 싶어 하는 이유를 설명해 달라고 부탁했다. 그녀는 내가 삶에 대해 냉철하게 과학적으로 접근하는 것을 언급했다. 돌이켜보면, 누가 그녀를 탓할 수 있을까? 그러나 그 당시 나는 그녀를 몹시 비난했다.

세라가 떠났을 때, 나의 낡은 자아는 금이 갔다. 나는 스물네 살이었고, 박사학위도 얻었고, NIMH에서 꿈꾸던 일을 시작했다. 그러나 나는 포Poe의 시에서처럼 까마귀의 그림자 아래 바닥에 엎드려, "이제는 아니야"라는 말을 되뇌고 있었다. 「까마귀The Raven」는 내 여동생 라크가 쟁반에 그린 그림에

잘 묘사되어 있다.

> 그래도 그 까마귀는 날아가지 않고 여전히, 아직도 앉아 있다
> 내 방문 바로 위에, 팔라스(아테나 여신)의 창백한 흉상 위에
> 그 눈은 꿈꾸고 있는 악마의 모습을 꼭 닮았고,
> 그 위의 불빛은 그를 비추어 바닥에 그의 그림자를 드리운다
> 그리고 내 영혼은 바닥에 떠도는 그의 그림자를
> 벗어날 수 없으리 ― 절대로!

포의 또 다른 작품인 『큰 소용돌이 속으로의 하강The Descent into the Maelstrom』은 그때의 내 감정을 정확히 포착한다. 거기서는 한 어부가 거대한 소용돌이 속으로 빨려 들어간 후 자신의 생존에 관한 환상적인 경험을 이야기한다. 어렸을 때, 나는 터널에 갇히는 것에 대해 두려움을 느꼈다. 나중에는 나선형에 몰두하게 되었다. 나는 나선형의 밖으로 향하는 부분에 집중하려고 했다. 그러나 한 친구가 나에게 그것들은 죽음의 징조라고 설득했다. 터널과 안쪽으로 돌아가는 나선형의 조합은 마치 소용돌이가 나를 빨아들이는 것처럼 느끼도록 만들기 시작했다. 지난 몇 년간의 격동의 시간 동안 나는 절망과 낙담의 소용돌이 속으로 빨려 들어가는 것 같은 기분이 들었다. 첫 번째 하강하는 회전은 해방이었다. 정말로, 나는 내 영혼에 대한 의무감에서 벗어나기 위해 그것들을 겪어야 했는지도 모른다. 포의 이야기에서, 큰 소용돌이 속으로의 하강은 죽음의 두려움에 대한 어부의 직면을 나타내는 것일지도 모른다. 특히 그는 시간과 영원의 다리라고 부르는 소용돌이의 밑바닥에서 무지개를 본다. 무지개와 아치형 구조물이라는 테마는 내 인생에서 나중에도 나타날 것이다.

세라가 이사 간 지 며칠 후, 나는 다음과 같이 썼다.

내 본성에 호소한 때로부터 많은 소중한 시간이 흘렀다. 나는 감각과 행동의
세계로부터 고립되는 것에 대해 많이 걱정하곤 했다. 섹스는 큰 고민거리였
다. 나는 감정/이성의 문제를 곰곰이 생각하곤 했다. 나는 1962년 6월 플라
톤을 읽은 후의 첫 성찰 중 하나를 분명히 기억할 수 있다. 그 기간 동안 나는
이성적이게도 감정보다 이성을 선택했다. 나의 어머니도 비슷한 선택을 했다
고 지적했다. 바퀴가 돌고 6년 후에는 나는 방어적이었고 내 감정을 지배하는
[글자 그대로] 것을 두려워했다고 말한다. 아마도 내가 정말 어떤 사람인지를
두려워했기 때문일 것이다. 나는 나 자신이 아니라 마치 훌륭한 수필가처럼
감동이 가득한 글을 쓰곤 했다. 오늘 나를 찾는 일이 시작된다. 나는 누군가?
외형적으로 성공적인 것처럼 보였던 지난 시절 동안 나는 어디에 있었던가?
나는 나 자신의 많은 부분이 감추어져 있었다고 느낀다.
나는 현재 상태의 나를 있게 한 최근의 사건들을 간단히 검토할 것이다. 나는
이 사건들을 소중하게 여긴다. 그 사건들이 이런 본능적 반응을 얻을 정도로
충분히 내 인간성에 내려앉았기 때문이다.

그 후 나는 그해 여름 내 아내와의 관계가 얼마나 나쁘게 악화되었는지에
대해 썼고, 그 뒤에 다음과 같은 반성이 뒤따랐다.

아마도 그녀는 내가 미친 듯이 화를 내지 못하는 것에 속이 상했던 것일까?
아마 결혼 기간에 대해 더 깊게 화가 났을 것이다. 그녀는 나에게서 마법이 사
라졌고 더는 나를 정말 사랑하지 않는다고 말하곤 했다. 그녀는 나를 단지 가
끔 사랑했을 뿐이다. 설상가상으로 나는 여전히 그녀를 사랑했다. 내가 부부

상담을 받자고 제안했더니 그녀는 그냥 웃기만 했다. 그렇게 긴 여름이 계속되었다. 우리 둘 다 마음을 터놓고 이야기하기를 원하지 않았다. 그것은 눈물을 의미할 뿐이기 때문이었다.

월요일이 되었고 나의 불행을 알리기 위해 집으로 돌아갔다. 그런 불행을 겪고 싶은 사람이 어디 있겠는가? 어머니는 그다지 동정심이 없었다. 나는 화가 났지만, 그 분노를 표현하지 않았다.

역겹게도 나는 그 역할을 한껏 즐겼으며, 아무런 반성이 없었으므로 나에게서는 문제를 찾을 수 없었다. 나는 어린 시절 내내 어머니에 대한 분노나 불만을 거의 표현하지 않았다.

이것이 내가 1년 이상 했던 내면의 대화의 첫 번째 글이었다.

세라가 떠나기 2주 전, 나는 다시 그녀에게 부부 상담을 받으러 가자고 애원했다.

그녀는 웃으면서, "무슨 소용이야? 난 결혼생활을 유지하고 싶지 않아"라고 말했다. 그녀는 숙련된 사회복지사와의 1회 상담에는 동의했다. 상담이 끝나자 사회복지사는 내가 정신분석을 받아야 한다고 했다.

"당신은 큰 잠재력을 가지고 있으나 감정적인 스트레스 때문에 그것을 성취하지 못하고 있습니다. 당신은 마치 도스토옙스키의 소설 『백치The Idiot』의 주인공 같습니다. 치료를 받으면 당신의 잠재력을 드러내는 데 도움이 될 겁니다."

나는 낙관적인 기분이 들었다. 사회복지사는 세라에게 계속해서 개별적으로 만날 것을 권유했다. 세라는 다음 주에 이사를 갔다. 그녀는 단호했다. 듀퐁 서클DuPont Circle 근처의 침실 두 개짜리 아파트에서 나는 갑자기 견딜 수 없을 정도로 외로움을 느꼈다.

세라가 떠난 직후 나는 어머니께 다음과 같은 편지를 썼지만, 보내지는 않았다. 나는 그 편지가 너무 솔직해서 보낼 수 없다고 느꼈던 것 같다. 그러나 나는 어머니에 대해 내가 느끼고 있는 감정을 좀 더 깊이 이해할 필요가 있었다.

어머니께,

우리가 중요한 시기에 정말로 의사소통을 한 적이 있었나요? 없었어요. 최소한 제 쪽에서는 없었어요. 중요한 내면의 감정에 대해서는 의사소통이 없었고, 단지 편의와 피상적인 것만 있었어요. 어머니한테 상처를 주려는 것은 아니에요. 어머니는 최악의 상황에서도 최선을 다했어요. 이보다 더 좋을 수는 없어요. 이게 나의 이익을 위해서는 최선이에요. 왜냐하면 저는 잃어버린 자아의 심연을 주위에서, 특히 내 뒤에서 마침내 깨닫고 있기 때문이에요. 우리 서로 정말 솔직했나요? 아니에요, 나의 완벽성에 대해 하셨던 말씀은 실수를 범할 수 있는 저에게 진짜 큰 상처를 주었고, 아직도 주고 있어요.

할머니가 완벽에 대해 말하곤 했던 이야기를 기억해 보세요. 사촌 존^{John}이 다섯 살 무렵이었을 때, 할머니는 존에게 존의 아버지가 완벽하다고 말했어요. 어린 존은 동의하지 않고 말했어요, "할무니, 아무도 완벽하지 않아요".

할머니는 "네 아빠는 완벽해"라고 대답했어요.

존은 "아빠와 함께 살아야 한다면, 할무니는 아빠가 완벽하다고 생각하지 않았을 거예요"라면서 자신의 생각을 바꾸지 않았어요. 저도 저 자신에 대해 같은 방식으로 생각했어요. 그 누구도 완벽하지 않아요. 실제로 우리를 인간답게 만드는 것은 우리의 불완전함이에요. 그리고 저는 저를 매우 인간적으로 만들 수 있을 만한 것을 충분히 갖고 있어요. 다른 아이들이 어떻게 행동하는지를 고려한다면, 제가 완벽한 역할을 하도록 만드는 것은 아마도 어머니가 가졌던 진정한 욕구였을 거예요. 나는 이런 욕구를 감지했고, 의무감 이상을 가졌어요. 저는 제가 '멋진 소년'이라고 믿었고, 그렇게 되려고 시도했지만, 불가능한 것이었어요. 그런 시도를 했다는 것은 비참한 것이었음을 의미해요. 저는 다른 사람들과 가깝게 잘 지내본 적이 없어요.

표면적으로는 전 괜찮았지만, 가슴과 가슴이 상호 작용을 해야 할 때에는 실패했어요. 왜일까요? 가장 큰 이유는 자만심과 이기주의처럼 보이는 그런 우월감을 제가 가지고 있었기 때문이에요. 따뜻함과 겸손함이 결여되어 있는 게 분명한 사람을 누가 좋아하겠어요? 이를테면, 항상 비하하고 타인을 당황하게 만들고, 과대포장하고 자화자찬하고, 특히 그들을 다른 인격체로 소중히 여기지 않는 그런 사람 말이에요. 그래요, 그게 제가 동료를 보는 방식이에요. 아이러니하게도, 제가 어머니와 잘 지냈던 것처럼(정말 그랬을까요?) 다른 사람들과도 제가 멋지게 잘 지낸다고 어머니는 생각했고, 그렇게 말했어요. 어머니는 라크에게도 같은 관점을 세뇌시켰어요.

가엾게도, 라크는 언제나 내가 우리 반에서 가장 인기가 있다고 생각했어요. 완전 거짓이에요. 나는 외톨이였어요. 그러니까 괴짜였고, 저는 그것을 한껏 즐기는 것 같았어요. 다른 사람들과의 관계에서 비롯되는 이런 문제에 대한 해결책은 나는 실제로는 그들을 필요로 하지 않는다고 결심하는 것이었어요. 그러니까 저는 동료 없이도 잘할 수 있는 독립적인 부류였어요. 그래서 저는 독립과 자기의존이라는 이름으로 매우 외로운 어린 시절을 보냈어요. 그것은 얼마나 끔찍한 잘못된 방어 메커니즘이었겠어요. 그런 방어기제를 세우는 데 저는 정말 능숙했었어요.

또 다른 하나는 저의 인지력 부족이었어요. 저는 기본적으로 제가 매우 통찰력 있는 사람이라고 생각하지만, 몇 년 동안 사람들은 제가 얼마나 인지력이 부족한지를 말해주었어요. 대체로 그들이 틀렸다고 치부하곤 했는데, 그게 틀렸을까요? 어떤 면에서는 그들이 옳았어요. 저의 있는 그대로의 모습, 특히 타인과의 관계를 직면하는 데서 생기는 불가피한 고통을 피하려고 제 인지력을 마비시켰던 거죠. 그렇게 의식적으로 인지력을 둔하게 만들려는 저의 동기는 강했어요. 어머니에게서 비롯된 나에 대한 관점이 위기에 처하기 때문이지요. 즉, 저는 완벽하다는 어머니의 관점 말이에요.

저의 인지력을 충분히 발휘했다면 제가 결코 완벽하지 않다는 것이 드러났을 거예요. 그러나 그러한 모순은 큰 불안을 야기했을 거예요. 그래서 다른 사람의 말이나 생각을 주의 깊게 보지 말고, 자기 자신 이외에는 아무도 믿지 말고, 자기 자신에게 진실하지 않도록 하자, 이러한 방식으로 저는 가혹한 현실로부터 제 자신을 멋지게 고립시켰어요. 놀랍게도, 냉정한 현실과 대치하는 일은 많지 않았어요. 대치 상황이 생겼을 때, 당연히도 저는 심한 충격을 받았고 일시적으로 흔들렸어요. 그런 사건의 하나는 제가 고등학교 2학년 때 마를린Marlene에게 거절당했던 일이에요. 아, 제가 빛나는 갑옷을 입은 그녀의 기사가 아니라고 그녀가 말했을 때 저는 얼마나 처절하게 울었는지 몰라요. 분명히 그녀는 그날 밤 이후 제 장래를 걱정했던 모양이에요. 이제는 그녀의 걱정을 저는 이해할 수 있어요. 저는 3개월 동안 주말에만 그녀와 데이트를 했었지만, 큰 격려를 받지는 못했어요. 그러나 그녀가 저와 함께하지 않을 것이라고 말한 그곳에서 저는 몇 시간 동안 울고 있었어요. 또 다른 사건은 엘크리지 클럽의 한 데뷔 파티에서 있었던 일이에요. 나는 조니 스톡브리지Johnny Stockbridge와 등을 대고 앉아 있었는데, 그가 누군가에게 "저 피셔는 정말 달라(또는 이상해?)"라고 말하는 것을 들을 수 있었어요. 그런 이미지를 가꾸는 데 평생을 보냈음에도, 저는 충격을 받았어요.

어렸을 때 제가 피할 수 없었던 또 다른 충격적인 두 가지 현실은 제 체구와 다른 사람들과의 경쟁이었어요. 제 작은 덩치가 저에게 끼친 영향은 과소평가되어서는 안 돼요. 저는 제 나이대의 평균 키보다 상당히 작았어요. 아무리 둔감하게 지각하거나 자기기만을 하려고 해도 그 사실을 숨길 수는 없었어요. 하룻밤 자고 나면 사라질 수 있는 게 아닌 진짜 매일매일의 현실이었어요. 저는 계속 키가 더 작아져서 모든 사람들이 저를 내려다보는 것에 대해 매우 기분 나빴던 것을 기억해요. 자신을 내려다보는 사람들보다 더 우월하다고 느끼기란 어려워요. 그리고 다음은 경쟁이에요. 전 항상 경쟁심이 강했어요. 왜냐고요? 이것은 어머니가 저를 위해 엮어준 완벽함과 우월함의 이미지를 시험하는 또 다른 수단이었기 때문이에요. 저는 그런 이미지에 자신을 맞추기 위해 이겨야만 했고, 운동회, 파운스(패밀리 카드 게임), 성적 등에서 지는 것은 큰 충격으로 다가왔어요. 진다면 정말 눈물 흘릴 만한 일이었어요. 그런 정신으로 게임에 접근하는 사람에게 어떻게 좋은 스포츠가 될 수 있었을까요? 불가능해요.

다음으로 감정의 문제가 있어요. 어머니가 정말 아끼는 누군가에게 진실해지려 한다면, 어머니는 가면과 장벽을 버리고 있는 그대로가 되어야 해요. 글쎄요, 저는 단지 조금 많이 버리려고 하지만, 곧 멈추어버리곤 해요. 저는 제가 스스로를 아는 것보다 그들이 나를 더 많이 알도록 놔둘 수 없어요. 그것이 한계인 것 같아요. 그러고 나서 게임이 시작되어야 해요. 나 자신이 아니어야 하는 게임 말이에요. 알려질지도 모른다는 두려움에서 감정적으로 대응하지 않는 것이에요. 사랑을 잃을까 봐 화내는 것을 두려워하지만, 화를 표출하지 못하는 것은 실제로 사랑을 잃게 해요. 사랑의 표현 자체는 자발성을 잃게 해요. 저는 집중적으로 사랑을 분출하는 대신에 지속적으로 감정을 죽이는 형태로 애정을 표현하고 있어요. 그것은 곧 의존성으로 표현되고, 단지 누군가를 곁에 두기 위해서만 매달리는 것이었어요.

많은 것이 자신의 감정을 표현하는 것에 좌우되는 친밀한 관계에서 사람들이 상호 작용하는 방식은 복잡해요. 감정을 자기 스스로에게 표현할 수 없는데, 다른 사람에게 감정을 표현하는 것은 사실상 불가능해요. 그래서 말을 하지 않는 대신, 여기 그리고 지금 나와 함께 있는 방식을 느끼기보다는, 나는 옳다고 생각되는 방식으로 말했어요. 다시 한번 말하지만, 이 많은 고뇌는 댄Dan의 오래된 완벽 이미지 때문인 것 같아요. 만약 댄이 정말로 '멋진 소년'이라면, 그는 오직 멋진 일들만 할 수 있다고 느낄 거예요. 그래서 만일 증오나 우울증처럼 멋지지 않은 것들을 느낀다면, 지금의 나(잘못된 감정을 갖고, 비판을 들을 수 없는 나) 그리고 되어야 한다고 느끼는 나 사이에 크나큰 갈등이 생겨요, 왜일까요? 완벽한 사람은 어떤 잘못도 하지 않기 때문에 그에 대한 비판은 틀린 게 분명해요. 완벽한 사람, 그것이 바로 어머니가 바랐던 저의 모습이죠. 제 감정과 충동 속에서도 완벽한 모습 말이에요. 그 때문에 저에게는 선악의 문제로 다가와요. 조이스 그리고 세라와 맺었던 깊은 관계에서, 저는 끊임없이 제가 좋은 사람이라는 말을 들었어요. 글쎄요, 제가 좋은 사람일지도 모르지만, 전 확신할 수가 없어요. 저는 필요한 이미지에 맞추어 좋은 일을 하고 좋게 행동하지만, 저는 이런 일들을 정말 선한 행동과 선한 말로 느끼는 것일까요? 그렇지 않다고 생각해요. 내 감정과 마찬가지로 그것들은 공허한 소리일 뿐이에요. 제가 선하든 악하든 상관없어요. 저는 무엇보다도 먼저 제 자신이 되어야 하고, 잠시 머물다 가는 문화적 가치의 피상적인 꼬리표를 없애야 해요.

위에서 말한 것처럼 제가 완벽하지 않은 것이 분명해요. 오히려 그 반대예요. 그리고 완벽해지려고 시도하면 그만큼, 현재 있는 그대로의 저와 거리가 더 생기게 돼요. 왜 제가 인간적이라기보다는 완벽하다고 묘사되었는지(그리고 묘사되는지) 그 이유를 알기 위해 어머니 안의 내면을 주의 깊게 그리고 철저하게 살펴보기를 간청드려요. 그리고 다시 현재의 나와 있어야 할 나는 상호 배타적이라는 점을 강조하고 싶어요. 그리스도의 신성이 그의 인간성을 훼손

한다는 이유로 그리스도의 신성을 배척하시면서, 신성이 많이 쌓이도록 하기 위해 저의 인간성을 훼손하고 파괴하는 것을 걱정하지 않으시는 것은 아이러니예요. 그것이 어머니에게는 치유적이었을지 몰라도 저에게는 건강하지 않은 것이었어요.

책임 문제에 관한 한, 저는 제가 어머니에게 너무 많은 것을 떠맡기고 있고 저 자신을 충분히 수용하지 않고 있다고 생각해요. 비록 그 과정이 명확하거나 쉽지는 않지만, 저는 항상 다르게 행동할 수 있는 선택권을 가지고 있었어요. 저는 오래전에 제 약점의 깊이와 그것을 간과했을 때 받는 악영향을 지적했어야 했어요. 그런 자기기만 속에서 살도록 저를 내버려 두지 말았어야 했어요. 제가 정말로 비정상적으로 행동하고 있다는 사실을 제가 직면했어야 했어요. 또한 무엇보다도 다른 사람이 필요하고 소중하다는 것을 오래전에 제가 깨달았어야 했어요(지금 제가 믿고 있듯이 인간적인 필요 말이에요). 천재(저는 아니에요)나 예술가(저는 아니에요)에게 그들의 작품은 그들의 삶이 될 수 있을 거예요. 하지만 저는 그런 리바이어던 같은 지위에 이르지 못할 것이고, 결혼과 아이 같은 세속적인 것들에 관심이 있기 때문에, 저는 이 땅에서 사람들의 중요성에 대해 현실적이어야 해요!

일주일 후 나는 이렇게 썼다.

이제 한 달 그리고 몇 명의 정신과 의사들을 본 뒤, 나는 오늘 일요일 아침에 아파트에 혼자 앉아 있다. 미지의 바다에서 길을 잃었다. 내 평생 집요하게 피했던 그런 상태였다. 세라는 한 블록 떨어진 곳에 산다. 우리에게 미래는 흐릿하다. 나는 단지 그녀를 잊고 끝내기를 원한다. 숙려기간 이후에 이혼하고 처음부터 다시 시작해라. 그러나 그렇게 하는 것은 합리적이지 않고 권장되는 방법이 아니다. 목요일 밤, 목소리와 눈물로 서로를 인정함으로써 우리는 아직까지는 서로 긴밀하게 연결되어 있었다. 그러므로 우리는 각각 미지의 바다에 머물면서 오직 시간만을 신뢰해야 한다. 그녀는 부부상담사와 친구들 사이에, 나는 정신과 의사와 친구들 안에 머무른 채로. 나에게 오늘은 정신분석을 시작해야 할지 말아야 할지 결정해야 하는 만큼 중요한 날이다. 그래서 나는 스스로에게 묻는다. 내가 너무 엉망이어서 그것이 필요한가?

나는 체스트넛 로지Chestnut Lodge의 창시자의 아들인 제임스 불러드James Bullard 박사와 함께 그 로지의 정신분석에 들어갔다(로지는 조앤 그린버그Joanne Greenberg의 치유에 도움을 준 곳이었다. 해나 그린Hannah Green이라는 필명으로 나온 그녀의 저서 『나는 당신에게 장미 정원을 약속하지 않았다I Never Promised You a Rose Garden』에서 그것을 적고 있다). 일주일에 5일, 나는 8시 약속을 위해 차를 몰고 메릴랜드주 록빌Rockville로 갔다. 일주일에 5일은 소파에 꼼짝 못하고 누워 불러드 박사의 어쿠스틱 타일 천장을 응시하면서, 내 마음에 떠오르는 것은 무엇이든 말하라는 지시를 충실히 따랐다. 나는 두 달 동안 온갖 종류의 역사를 다 토해낸 후, 분석가에게 돌아서서 내 마음의 부서진 기계를 고칠 수 있는 통찰력과 정신적 메커니즘을 제공해 달라고 부탁했다. 나는 그에게 정신분석을 자동차 수리점처럼 본다고 말했다. 정신분석에 참여하면서 나는 잘못되었다고 느끼는 모든 것을 그에게 말해준 다음, 그는 심리적 정비공으로서 통찰력을 가지고 자신의 심리적 렌치wrench를 내 문제에 적용해서 해결해 줄 것이라고 생각했다. 고맙게도 그는 거절했고 나의 옛 자아는 더욱 무너져 내렸다.

"당신은 내가 당신을 고쳐달라고 하는데, 그 필요성이 무엇인가요?"

그는 그 책임을 내 손에 확실히 되돌려 놓고 있었다.

※

나는 치료를 받으면서 부모님에 대해 더 알고 싶어졌다. 부모님은 많은 비밀을 간직하고 있었다. 특히 아버지가 그랬다. 어느 날 밤 라크와 내가 아버지를 궁지에 몰아넣었던 기억이 난다. 우리는 아버지에게 우리가 자라는 내내 무슨 생각을 했는지 물었다.

아버지는 "가족들과 함께할 수 있어서 기뻤다"라고 말했다.

나는 소름이 끼쳤다. "그 말이 저에게는 아버지가 우리 집에서는 손님인 것처럼 느꼈다는 말로 들리네요" 하고 소리쳤다.

"그래, 손님이 된 기분이었다"라고 아버지는 동의했다.

그리고 나서 우리는 아버지에게 최근의 추수감사절 만찬에 대해 어떻게 생각했는지 물었다.

"글쎄, 거기엔 힘센 남자들이 좀 있었지"라고 말했다.

"힘센 남자들이 거기 있었다는 게 무슨 소리예요?" 나는 당황해서 말했다.

"르무안LeMoyne, 척Chuck, 샌디Sandy가 있었는데, 그들은 진짜 남자들이야"라고 아버지가 엄숙하게 말했다.

"하지만 아버지는 저를 언급하지는 않았어요." 나는 믿을 수 없다는 듯이 대답했다.

"글쎄, 난 너에 대해서는 확신할 수 없어." 그 진술로 토론은 끝났다.

라크와 나는 깜짝 놀랐다. 이것은 우리 아버지의 생각 속으로 들어가는 몇 안 되는 창 가운데 하나였고, 그것이 드러나는 것이 걱정스러웠다. 남자다움 그리고 아버지가 가족 내에 속해 있지 않다고 느끼는 것에 대한 문제들은 이전에도 있었다. 그러나 그렇게 말하는 것을 우리가 들은 것은 그때가 처음이었다.

※

내가 치료를 받을 때 우리 가족의 헌팅턴 병 내력에 대한 문제가 더 자주 제기되지 않았다는 것은 지금 생각해 보면 실망스러운 일이다. 그 주제는 집에서 좀처럼 제기되지 않았지만, 마치 다모클레스의 검(말꽁지 한 가닥에 묶여 있는 칼자루 밑의 디오니소스 왕의 자리에 다모클레스를 하루 앉아 있게 했다는 그리스 로마 신화에 나오는 검 ― 옮긴이 주)을 머리 위에 늘어뜨린 것 같은 느낌이 들었다. 헌팅턴 병을 물려받을 위험이 50 대 50이라는 점 때문에 내 삶은『이상한 나라의 앨리스』의 흰 토끼처럼 달려가게 되었다. 할머니는 신경계의 점진적인 퇴화가 나타나는 장애를 가지고 있었다. 내가 할머니를 봤을 때, 할머니는 말하지도 먹지도 못하고 요양원에 누워 있었다. 할머니가 1955년에 돌아가실 때까지 일요일마다 목격했던 끔찍하고 품위 없는 광경이었다. 할머니가 돌아가셨을 때 나는 열한 살이었다. 할머니의 사망 당시 아버지도 그 병을 가지고 있다는 것은 이미 분명했다. 다행히도 우리 가족은 대부분의 다른 가족들보다 발병이 늦었다. 그러나 어렸을 때 조기 사망선고를 받은 것처럼 우리를 맴돌고 있는 위협을 우리 모두 의식하고 있었다.

강인하고 가정교육을 잘 받은 아버지는 시간이 지나면서 할머니처럼 굴복했다. 시간이 흐르면서 그가 할 수 있는 일이 서서히 줄어들었다. 우리는 아버지의 병세 악화에 대해 거의 대화를 하지 않았기 때문에, 그것은 더 큰 걱정거리가 되었다. 나는 다른 가족들처럼 세상을 향해 의연하려고 했다. 부모님의 친구들이 아버지에 대해 궁금해할 때, 나는 항상 아버지가 괜찮다고 말하곤 했다. 그들은 이어서 정중하게 캐물을 수도 있었으나 그러지는 않았다.

어느 날, 우리는 동네 식당에 있었다. 아버지는 마지막 줄에 서 있었다. 계산대 점원이 나를 불러 아버지가 쟁반을 들고 갈 것인지 물어봤다. 점원이 아버지가 잘해내지 못할 것이라고 걱정했기 때문이다. 처음에 아버지는 거부했지만, 그 상황을 피하려고 내가 쟁반을 테이블로 옮길 수 있도록 했다. 우리는 조용히 식사를 했는데, 다시는 그때 식당에서와 같이 되돌아갈 수는 없었다. 60대 초반에, 아버지는 운전을 중단해야 한다는 말을 들었다. 그러다가 걸음걸이가 어려워져 환자들을 보기 위해 사무실로 가는 것을 포기해야 했다. 그러나 그 환자들은 아버지를 너무 사랑해서 우리 집에서 계속 만나자고 고집했다. 요양원에서 보낸 아버지의 마지막 5년은 할머니가 감내해야 했던 것과 비슷했다. 아버지는 그 시련을 믿을 수 없을 만큼 우아하고 위엄 있게 맞이했다.

※

아내가 나를 떠났음에도, 아니면 아마도 그 때문에, 나는 실험실에서의 내작업을 통해서 세상에 행복을 가져다줄 수 있을 것이라는 가능성에 계속 집중하고 있었다. 자신의 불행을 먼저 다룰 필요가 있다는 걸 나는 깨닫지 못했다. 감정을 시험관 안에서 발견할 수 없다는 것을 이해하지 못했다. 감정은 시험관 안에서 만들어지는 것이 아니라 인생 속에 존재한다. 불행하게도, 나는 내가 만들어낸 현실 속에 갇히게 되었다. 상당히 무난했던 어린 시절을 거친 이후, 나는 진지한 어른이 되었다. 이제 조현병을 일으키는 화학물질을 찾고 화학적 불균형이 조현병의 원인이라고 믿으며, 화학적 불균형을 바로잡는 방법을 찾는 것을 주요 임무로 삼고 있었다.

　NIMH에서 내 상사인 시모어Seymour는 완벽한 화학자였다. 그는 인생의 모든 면에 대해 공식을 쓸 수 있어야 한다고 확신했다. 그가 가장 좋아하는 단어는 '메커니즘'이었다. 나는 그를 본보기로 삼아 신경전달물질인 도파민,

세로토닌, 노르에피네프린의 생성을 조절하는 효소의 가장 깊은 비밀을 탐구했다. 예를 들어 페닐알라닌, 하이드록실라제, 티로신 하이드록실라제, 트립토판 하이드록실라제. 그것들은 신경화학의 성배였다. 나는 매우 훌륭한 생화학자였고, 많은 공식을 생각해 냈다. 사실, 5년간의 연구 끝에 나는 열, 산소, 소금, 철 등과 같은 적어도 40가지의 다른 변수들이 그러한 효소의 활동에 크게 영향을 미치고 뇌의 화학적 균형을 조절한다는 것을 발견했다.

그러나 이러한 신경전달물질의 화학작용에 깊이 파고들수록 나는 나 자신을 의심하기 시작했다. 나는 신경전달물질의 반응이 그 물질만의 삶을 가지고 있다는 것을 느끼기 시작했다. 나는 내가 생화학 기계라는 것을 느끼기 시작했다. 이것이 나를 괴롭혔다. 예를 들면, 이러한 모든 화학 안에서 나는 어디에 존재했는가? 나는 시모어의 두 가지 생화학적 설명에 대한 신념을 잃고 있었다. 모든 화학물질은 말을 해주지 못했다. 즉, 화학물질에게는 자신들이 어느 길을 가야 할지를 말해줄 생각과 감정을 가진 사람이 필요했다. 이런 생각 때문에 나는 실험실에 가는 것이 점점 좋게 느껴지지 않았다. 하지만 그것은 내가 선택한 직업이었다. 즉, 나는 26년만 더 버티면 되었고 쉰한 살에 은퇴할 수 있었다. 그러나 스물다섯 살밖에 안 되었을 때 은퇴까지 몇 년이 남았는지 헤아리고 있는 것은 옳지 않은 것 같았다.

그래서 나는 이중생활을 하기 시작했다. 낮이 되면 나는 NIMH에서 과학과 연구에 계속 관심이 있는 척했지만, 밤에는 바뀐 의식 상태를 탐구하고 예술적 자아를 열기 시작했다. 내 삶에서는 내 안에 살고 있는 두 자아 사이의 싸움이 시작되었다. 낡은 자아는 조현병과 헌팅턴 병의 생화학적 기초를 발견하기 위한 희망으로 신경전달물질의 메커니즘을 분류하면서 매일 신경화학 실험실로 충실하게 터벅터벅 걸어갔다. 그러는 동안, 나의 내면 속에서 새로운 자아가 태어나고 있었다. 그 자아는 감정적이고 예술적이며 정치적인 자아였다. 세상을 맛보고, 반응하고, 인간애라는 흐름의 일부가 되고자 하는 자아였다.

나의 낡은 자아가 손을 꽉 쥐었다. "날 놓지 마, 난 네가 아는 전부야"라고 말했다. 그러나 나의 낡은 사고와 존재하지 않기의 방식은 효과가 없다는 것을 알고 있었다. 나는 기계적이고 단선적인 과거에 화가 났다. 새로운 삶의 방식을 발견할 필요가 있었다. 반쪽짜리도 안 돼! 나는 모든 각도에서 단선적 사고방식을 공격했다. 현대무용, 정치극, 공동생활, 환각제를 통해 예전의 자아를 활짝 열어젖히기 위해 노력했다.

차츰 새로운 삶을 만들기 시작했다. 나는 칠레 출신의 마르크스주의자였던 강사로부터 코르코란 박물관에서 미술 수업을 들었다. 나의 첫 번째 임무는 보드에 붙일 수 있는 구조물을 만드는 것이었다. 속이 빈 스티로폼 30개에 석고반죽을 부었다. 내가 판자에 붙어 있는 30개의 단조롭고 똑같은 피라미드 시리즈를 자랑스럽게 전시했을 때, 강사는 내가 산업가처럼 예술을 했다고 말했다. 나는 그가 옳다는 것을 알았다. 예술을 창작하고 새로운 삶을 창조하기 위해 나의 기계화된 측면을 해체해야 한다는 것을 깨달았다.

나는 현 상황을 만족스럽게 받아들이는 삶을 살았으나 이제는 정치적 반항자로 변했다. 나는 사람들에게로 눈을 돌렸다. 실험실에서 내 작업을 믿기가 점점 더 어려워졌다. 나는 마리화나를 피우며 다른 현실을 탐구했다. 나는 한 인간으로서의 나 자신을 증명해야 한다고 느끼면서 여러 가지 단기적인 관계 맺기를 했다. 그리고 낸시Nancy의 집에 9개월 정도 머물렀다. 우리는 콜롬비아로 모험을 떠났고 그동안 내 동생이 있는 곳에 방문했다. 우리는 또한 작은 엔진으로 움직이는 30피트짜리 통나무배를 타고 5일 동안 아마존을 여행했다. 나는 내가 상상하지 못했던 내 자아의 측면을 경험하기 시작했다.

나는 유리 시험관에서 더 깊은 존재의 진실을 발견할 수 있을지 의심스러워한 채 연구실에 도착하곤 했다. 나는 우리가 모두 화학물질의 집합체 이상이라는 것을 깨달았다. 내가 7년 동안 연구해 온 일에 대한 믿음을 잃어버렸다. 내 박사학위는 무의미해 보였다. 나는 그동안 가설을 만들고 실험을 수행한 다음 그 결과를 분석하여 그 증거가 나의 가설을 지지하는지 또는 기각하는지 살펴보는 과학적인 방법을 계속하려고 애썼다.

불행하게도 나는 과거의 자신에 대한 기억을 통제력으로 삼아 나 자신을 실험 대상으로 삼고 있었다. 앞으로 6년 동안 나의 자아와 세계에 대해 서로 대립적인 견해를 가지고 투쟁할 것이다. 나, 그리고 다른 모든 인간은 그저 생화학적 반응과 기계적인 움직임으로 구성된 로봇일까? 아니면 우리 자신은 화학으로 전락할 수 없고, 희망과 꿈과 사랑을 가진 유일무이한 인간일까? 후자가 진실이라면 이제 나는 어떻게 해야 하는가?

❋

1969년 운명적인 가을날, 다트머스 대학에서 열린 제4회 백혈구 배양 회의에서 주요 발표를 맡았다. 나는 박사학위 연구에서 설명했던 세포 성장 메커니즘을 즉석에서 설명했다. 내 마지막 자연과학 발표, 즉 "세포 성장 메커니즘은 세포막에서 포스파티딜이노시톨phosphatidylinositol이 전환되면서 시작된다"라는 주제의 발표를 체계적으로 전달했다. 내 일의 중요성에 대해 믿음을 잃었지만, 세포 성장의 초기 전조라고 내가 발견한 화학적 변화의 단계적 전개에 대해 설명했다(다음 그림 참조).

연단에서 내려오는데 턱수염을 기른 대학원생이 나를 멈춰 세우면서, "야, 멋있는 발표였어. 약에 취한 거야?"라고 물었다.

고립된 과학자로부터 인문주의자로의 나의 전환

"아니, 약은 안 했는데"라고 나는 대답했다.

"우리랑 함께하자, 우리는 새로운 마약을 하려고 해."

구름 낀 시원한 오후 뉴햄프셔주에서, 우리는 나를 돌아올 수 없는 길로 가도록 만든 작은 보라색 알약(그들이 메스칼린이라고 말했던)을 복용했다. 나는 마치 토끼 구멍으로 굴러떨어지는 이상한 나라의 앨리스가 된 것 같았다. 그 여행은 내 내면을 너무 많이 열어줘서 나는 내가 바뀌어야 한다는 것을 깨달았다.

어느 순간 나는 길을 걷고 있었는데 갑자기 내 아내도 같은 길을 걷고 있다는 것을 깨달았다. 즉, 우리는 삶의 신비로움에서 의미를 찾기 위해 고군분투하는 인간일 뿐이었다는 것이다. 나는 그 순간 그녀를 용서할 수 있었다. 그녀가 떠난 후 1년 동안 나를 집어삼켰던 증오에서 벗어나기 시작했다.

또 다른 순간, 나는 개울 한가운데 있는 바위 위에 서 있었다. 문득 그 순간 지구상의 모든 사람들이 다른 사람들과 연결되어 있다는 생각이 들었다. 곰곰이 생각해 보면, 이런 통찰은 또한 내가 이런 경험 전에 얼마나 많은 단절된 느낌을 받았는지를 말해준다. 불행하게도 그 여행은 동시에 오랫동안 잠겨있던 문을 열어젖혔다. 쏟아져 들어오는 눈부신 빛으로 나는 눈이 멀었다.

몇 주 후에, 그 대학원생이 나에게 연락해 왔다. 그와 함께 내가 메스칼린으로의 여행에 동참할 것인지 알고 싶어 했다. 이번엔 우리 둘 다 여자친구를 데리고 오려고 했었다. 뉴욕 근교로 벗어나 멀리 나간 그 여행은 짜릿하고 통찰력을 주는 것이었다. 어린 시절 이후로 처음으로 진실한 감정을 느낄수 있었다. 나는 내 자아의 여러 차원이 팽창하고 있다고 느꼈다. 나는 사진적 심상을 갖게 되었다. 이제 시각적 이미지를 평소보다 훨씬 더 오래 간직할 수 있었다. 낸시와 나는 들판에서 반딧불이를 보았다. 차츰 나는 반딧불이의 의사소통 패턴을 분간할 수 있었다. 들판의 한쪽 끝에서 한 무리의 반짝거림이 시작되고 난 다음에 바다 위의 파도처럼 끊임없이 들판을 가로질러 움직였다. 반짝임이 저편에 도달하면 다시 되돌아왔다. 어렸을 때 기억처럼 모든 감각이 살아 있었다. 서서히 그 효과가 사라졌고, 우리는 일상 세계의 평범한 삶과 의식으로 돌아왔다. 나는 무디 블루스The Moody Blues의 〈어퀘스천 오브 밸런스A Question of Balance〉 앨범에 있는 곡을 연주했다. 나는 그 곡이 전달하는 생각, 특히 자기 이해를 통해서 균형을 이룬다는 내용에 감동했다. 가사가 묘사하듯이, "나는 눈을 떴고 언제나 존재하고 있었던 방식을 깨달았다". 하지만 내 눈은 잠시 동안만 계속 떠 있었다. 메스칼린이 사라지자 나는 나 자신이 다시 사그라지는 것을 느끼게 되었다. NIMH의 실험실로 다시 돌아왔고, NIMH와 거기서의 분석 작업으로 내 자아가 죽어가는 것처럼 느꼈다.

※

뉴욕 시골로의 여행 몇 주 후에 그때의 몽환적인 연결 상태로 돌아가고자, 나는 약을 또 한 알 복용했다. 생김새는 달랐지만, 나는 그게 메스칼린인 줄 알았다. 8시간에서 10시간 후에 대사되는 메스칼린과는 대조적으로, 아마도 3·4일 동안 체내에 머무르는 환각제인 STPSerenity Tranquility Peace(LSD와 유사한 합성환각제 — 옮긴이 주)였을 것이라는 것을 나는 지금에서야 깨달았다. 그래서 내 여자친구와 나는 셰넌도어 숲Shenandoah Forest의 산에서 각자 그 운명적인 약을 먹었다. 황금빛 오후였지만 그 여행은 순조롭게 시작되지 않았다. 속이 메스껍고 정신이 몽롱했다. 곧 나는 겁이 났다. 우리는 숲에서 길을 잃고 간신히 되돌아왔다. 쓰레기장을 지나면서 큰 곰 두 마리를 보았다. 그야말로 무서움을 느꼈다. 나는 왜 그런지 모르겠지만 그 곰들이 내가 자신들의 공간에 침입한 것을 비난하고 있음을 알았다. 나는 그들이 나를 통과시켜 주기 전에 내가 그들을 보호하겠다고 그들에게 약속해야 한다는 것을 감지했다. 나중에는 잠을 잘 수 없었다. 곰이 나를 공격하고, 내가 독살당하고, 내 여자친구를 믿지 못하는 기괴한 이미지가 떠올랐다. 어느 틈엔가 그녀가 나에게 "네 엄마가 누구든, 아마 싸움꾼이었을 거야"라고 말했던 것을 기억한다. 나는 "누가 내 엄마였지? 나는 누구지?"라고 의문을 품게 되었다.

다음 날 아침 우리는 간신히 내 믿음직한 볼보를 타고 워싱턴으로 돌아왔다. 그러나 나의 편집증 증세는 낮 동안 꾸준히 고조되었다. 사방에 경찰이 있는 것 같았고 그들이 나를 쫓고 있다고 확신했다. 나는 여자친구를 포함한 모든 것을 제거해야 한다고 느꼈다. 그녀는 NIMH의 수면 연구실에서 일했다. 나는 그녀의 실험실이 나를 실험하고 있다고 확신했다. 우리가 도시로 돌아왔을 때, 나는 그녀에게 우리 관계는 끝났다고 말했다. 이것은 그녀에게 충격적이고 두려운 것이었다. 내가 그녀에게 상처를 주었음이 분명하다. 아마 어떤 면에서는 나를 떠난 세라에게 앙갚음을 해야 한다고 느꼈는지도 모른다.

내가 그녀에게 우리 관계가 끝났다고 말하는 순간 그녀는 미소를 지으며, "이제 네가 권력을 모두 가졌구나"라고 말했다. 그것은 그 이전에는 그녀가 권력을 가지고 있었다고 그녀가 느꼈음을 의미했다. 아마 그랬을 것이라고 나는 생각했다.

나는 S 스트리트에 있는 공동 주택으로 돌아왔다. 내 방은 엉망이었고 내가 생각할 수 있는 것은 모든 것을 치워버려야 한다는 것뿐이었다. 이것은 내가 연인과 헤어지고 싶을 때 반복되는 주제였다. 즉, 나는 동시에 모든 내 소유물을 없애야 한다고 느꼈다. 나는 세상을 모 아니면 도로 보았다. 나는 머릿속에서 빙빙 도는 혼란을 이해하려고 애쓰며 집으로 돌아왔다. 나는 내 하우스메이트인 리언Leon과 함께 그의 치료 모임에 저녁을 먹으러 갔다. 하지만 음식은 매우 매웠고 속이 메스꺼웠다. 나는 침대로 가서 잠을 자려고 했다. 가슴이 두근거리는 것을 느낄 수 있었다. 이글스the Eagles의 노래가 귓가에 울려 퍼지고 있었다. "너 자신의 수레바퀴 소리가 너를 미치게 만들지 마"(마음속 생각의 수레바퀴에 이끌려 가면 안 돼 — 옮긴이 주).

나는 말이 더는 나오지 않을 때까지, 더는 움직일 수 없을 때까지 더욱더 깊이 내면 여행을 했다. 나는 중독되고 마비되고 움직일 수 없다고 느꼈다. 텔레비전 카메라가 집 주위를 둘러싸고 있음이 분명했다. 카메라는 내가 저질렀던 범죄 때문에 나를 감시하기 위해 거기 있다고 생각했다. 생각하고 또 생각했다. 내가 무엇을 잘못했는지, 내 실수가 무엇이었는지를 생각하려고 애썼다. 케네디 대통령의 암살과 내가 연결되었다고 생각했다. 나는 이제 이 나라를 더는 믿지 않기 때문에 삼촌이 나에게 화를 낸 것이 아닌지 걱정했다. 삼촌은 내가 베트남 전쟁에 반대하는 시위를 했기 때문에 화가 났었다. 그것이 내가 중독된 이유였다. 어머니가 공범임이 분명했다. 나는 내가 누군지를 알아내려고 애쓰고 있었다. 아버지가 순종적이지 않았기 때문에 존스 홉킨스 병원에서 고문을 당했다고 상상했다. 그들이 아버지를 지시할 수 있도록 라디오 수신기를 아버지의 등에 꽂았다고 상상했다. 나는 부모님께 전화를 하고 싶었지만 그들을 믿을 수 없었다. 나는 리언에게 말하고 싶었지만 그도 믿을 수 없었다. 그가 나를 중독시킨 것과 관련 있을 것이라고 경계했다. 나는 근육이 마비되었다고 느꼈다. 세상과 그 안에 있던 모든 사람들이 죽은 것처럼 보였다. 나도 내면에서 죽었다고 느꼈지만 아직 깨닫지 못했다. 내 인생 대부분의 시간 동안 그랬던 것처럼 나는 내 정신을 양분시키기 위해 애썼다. 그러나 나 또한 완전하고, 통합되고, 타인과 연결되기를 간절히 원했다. 나의 여러 측면은 햇빛처럼 보였으며, 밝게 타오르는 불덩어리 같았다. 불덩어리 하나는 머릿속에, 또 하나는 척추에 있는 것 같았다. 나의 어떤 한 부분은 두 개의 태양이 함께 있는 것이 필수적이라고 했고, 반면에 다른 부분은 안 된다고 말하면서 그건 재앙이 될 것이라고 했다. 마침내 기진맥진해져서 그것들을 더는 떼어놓을 수 없었고, 눈이 부시게 번쩍이는 불빛이 보였다. 마침내 나는 죽어서 없어졌다고 확신했다.

다음 날 아침에 일어났을 때 나는 큰 재앙을 겪었다고 확신했다. 나는 내가 누구인지에 대해 깊은 혼란 속에서 깨어났다(나의 경험은 정신병을 겪는 동안 경험하는 자아의 부활에 대한 존 위어 페리John Weir Perry의 묘사와 매우 가까웠다. 이 묘사는 그의 저서 『광기의 저쪽 편The Far Side of Madness』에서 찾을 수 있다). 나의 이전의 자아에 대한 기억은 거의 모두 사라져 있었다. 사실, 나는 거의 읽을 수 없었다. 나는 모든 것을 다시 배워야 한다고 느꼈다. 나는 내가 누구였는지, 어디로 가는지도 몰랐다. 나중에 나는 방바닥에 있던 내 인생의 폐

기물 속에 놓여 있는 출생증명서를 발견했다. 증명서에는 세 가지 다른 날짜가 적혀 있었다. 나는 내가 진짜 언제 태어났는지 궁금해지기 시작했다. 그것은 자연스럽게 나의 부모님이 누구인지에 대한 질문, 내 출생과 내 삶의 다른 부분들에 대해 속고 있었던 것이 아닌가라는 질문으로 이어졌다. 나는 이제 "나의 진정한 자아란 무엇인가?"라는 상징적인 질문과 "내 진짜 생일은 무엇인가?"라는 문자 그대로의 질문을 혼동하고 있었다는 것을 깨달았다(나중에 세상에 다시 합류했을 때, 나는 출생증명서를 다시 검토했고, 세 가지 다른 날짜가 있었던 이유를 이해할 수 있었다. 가장 이른 날짜는 나의 실제 생년월일이었다. 그다음은 2주 후에 그 증명서가 국가에 제출되었을 때 날짜였다. 1960년의 마지막 날짜는 내가 카누를 타러 캐나다로 여행을 갈 수 있도록 증명서가 재발행된 날짜였다. 이 예는 심각한 정서적 고통을 겪고 있는 사람들이 자신이 누구인지 설명하기 위해 환경 내에서 단서를 찾는 방법을 보여주는 예이다).

나는 읽으려고 했다. 나는 책을 집어 들었지만, 글자는 알아봤지만, 단어를 구성할 수 없었다. 나는 공황상태에 빠졌다. 나는 화장실로 갔다. 거기서 하우스메이트 리언이 얼굴에 하얀 물질을 올려놓고 긁어내는 것을 보았다.

"뭐 하는 거야?" 나는 그에게 물었다.

"면도하는데, 보다시피." 그는 대답을 하면서, 내가 면도하는 것이 무엇인지 모른다는 것을 깨닫고는 깜짝 놀랐다.

우리는 산책을 가기로 결정했지만 온 세상이 죽은 것 같았다. 차가운 가을 바람이 길 건너 나뭇잎에 불고 있었다. 나무에는 나뭇잎이 없었다. 우리는 내가 '뱀파이어Vampire'라고 생각하고 말했던 '디 엠파이어The Empire'라는 이름의 모퉁이 레스토랑에 갔다. 나는 그곳에 있는 모든 사람이 실제로 죽었다고 확신했다. 안에 있는 모든 사람들의 안색이 은은한 노란색으로 보였다. 마치 전날 밤 나의 옛 세계가 죽은 것 같았다. 내 생애 첫 25년 동안 내가 조심스럽게 건설했던 세계는 사라져버렸다. 아직 그 자리를 대신할 새로운 세계가 내게는 없었다. 그래서 나는 모든 삶이 내 외부에서 일어나는 것처럼, 일어나는 일들에 내가 할 수 있는 한 필사적으로 어떤 의미를 부여했다. 내면에는 어떤 삶도 느낄 수 없었다. 내 내면은 죽은 것 같았다. 나는 그 식당에 있는 어떤 음식도 좋아하지 않았다.

집으로 돌아왔을 때, 나는 또 다른 룸메이트인 허비에게 "나가서 음식 좀 사다 줘"라고 소리쳤다.

"원하는 음식이 뭔데?" 그가 물었다.

나는 아무 생각도 없었다. 화가 났을 때 아이스크림이 도움이 되었다고 그가 말했다. 아이스크림을 조금 먹어보았지만, 그것은 옳지 않은 것 같았다. 나는 어떤 행동도 잘못된 것이 될까 봐 소파에 꼼짝도 않고 누워 있었다. 그래서 나는 그냥 거기에 누워서 몇 개 남지 않은 잎사귀 사이로 흘러나오는 햇빛을 바라보았다. 그것은 아름다웠고 나는 잠시 동안 기운이 솟는 것을 느꼈다. 그러자 내 지옥이 다시 시작되었다. 나는 현실과 혼동되는 꿈속에 있는 나 자신을 발견했다. 나는 수천 살 먹은 사람이었다. 무슨 일이 일어나고 있는지, 내가 누구인지를 설명하기 위해 해답을 찾기 위해 텔레비전을 켰다. 교황이 나에게 특별한 의미를 지닌 메시지를 가지고 있다고 생각했다. 그는 나에게, 오직 나하고만, 직접적으로 말했다. 그 때문에 나는 의미심장하고, 주목받는 사람이 되었다. 그것은 또한 권위 있는 위치에 있는 누군가가 내가 누구인지를 정의하도록 해야 한다는 나의 지속적인 욕구를 반영했다. 나는 내가 알베르트 아인슈타인이라고 생각했다. 나는 서둘러 책장으로 가서 그의 전기를 일부 읽었다. 나는 아인슈타인이 한 말들을 정말로 내가 썼다고 확신하게 되었다. 여전히 꿈과 같은 상태였지만, 그때 나는 NIMH에 있는 잭 듀럴Jack Durell 박사와 이야기를 해야 한다고 고집을 부렸다. 그가 내 문제를 해결할 수 있을 것이라고 확신했다. 그는 자신을 그렇게 확신하는 것 같았고 또 그렇게 중요한 위치에 있었다. 실험실에서 온 친구가 들렀다. 그는 내가 자리를 비운 이후로 실험실에 아무 일도 없었다고 말했다. 나는 그 말이 실험실에서 발견되는 모든 것이 나에게 달려 있다는 것을 의미한다고 생각했다. 그것은 다시 내가 아인슈타인이라는 느낌을 강화시켜 주었다. 이러한 생각은 나의 실제 생활이 얼마나 무의미하게 느껴졌는지를 드러내는 것이었다.

이제 이 친구들은 나를 볼티모어로 데려가기로 결정했다. 별을 올려다보면서 나는 그것이 실망하여 나를 내려다보는 조상들의 눈이라고 생각했다. 내가 그들을 실망시켰고 그들의 지시를 따르지 않았다고 느꼈다. 내 삶에 내려진 지시를 상기시키기 위해 볼티모어로 돌아오고 있다고 나는 느꼈다. 나는 사람들이 내가 듣고 싶어 하는 것을 듣고 그 노래를 그들에게 다시 들려주는 똑똑함이 있었다. 부모가 기대한 것을 하지 않았던 형과는 달리 나는 착한 아들이었다. 공부와 야구를 잘했고, 또 의사가 되는 것이 부모님의 꿈이자 가족의 전통이었는데, 나는 그것을 이루었다.

나는 내 주변에서 일어나고 있는 일을 이해할 수 있는 설명을 계속 찾아보았다. 나는 누이 샐리Sally와 함께 지내면서 단서를 찾았다. 그녀는 벽에 런던의 사진을 붙여두고 있었다. 나는 그녀에게 그것을 어디서 가져왔는지 물었다. 어머니한테서 가져왔다고 말했다. 나는 그 말이 우리 어머니가 영국의 여왕이라는 것을 의미한다고 생각했다. 그렇게 되면 나는 왕자가 되는 것이다. 그러자 나는 내가 움직이지 말아야 한다고 느꼈다. 내가 잘못 움직이면 끔찍한 일이 일어날 것이기 때문이다. 그래서 가장 안전한 상황은 전혀 움직이지 않는 것이었다. 물론 말해서도 안 된다. 나는 죽은 친척들이 하늘에서 모두 보석이 되어 내 삶의 방향을 지시하는 모습을 그릴 수 있었다.

당연하게도, 우리 가족은 두려움과 함께 대안이 없었기 때문에 나를 존스 홉킨스 병원의 정신과로 데려갔다. 아버지와 처남이 교직원인 만큼 환자로서 그 자리에 있는 것이 쑥스러웠다. 그래서 나는 정신과 과장이 되기 위해 이곳으로 안내되었다고 나 자신에게 말함으로써 타격을 누그러뜨렸다(당시 나는 이런 생각들을 경험하고 있었지만 왜 그런 생각이 일어나는지 깨닫지 못했다). 그들이 내 침대를 보여주었을 때, 나는 '나의, 정신과 과장이 병동에서 잠을 자는 것은 이례적인 일이다'라고 생각했다. 도너번Donovan의 노래 「부드러운 노란색Mellow Yellow」(흡연용으로 건조된 바나나 껍질을 찬양하는 내용의 노래. 바나나에 환각물질이 있다는 속설에서 유래됨 – 옮긴이 주)이 뒤에서 연주되고 있었다. 나는 열심히 귀를 기울이며, 다음에 무엇을 해야 할지에 대한 메시지를 노래에서 얻으려고 노력했다. 곧, 간호사가 도착해서 입으로 '그것it'을 복용할지 아니면 주사로 맞고 싶은지를 내게 물었다. '그것'이 무엇인지도 모른 채, 나는 그녀가 섹스를 언급한 것이라고 생각했다. 나는 두 가지 유형 모두 매우 격렬하게 거절했다. 이로 인해 그녀는 폭력단(보호사 – 옮긴이 주)으로부터 물리적 도움을 요청했다. 그녀가 주사를 놓을 수 있도록 힘센 젊은 남자 두 명이 나를 붙잡으려 했다. 나는 몇 년 전 학교에서 배운 모든 레슬링 기술을 소환하며 그들의 노력에 격렬하게 맞섰다. 내가 그들을 한 사람씩 진압하자 증원 병력들이 출동했다. 그들은 계속 "저항하지 마, 그러면 훨씬 더 쉬워질 거야"라고 말했다. 그러나 나는 그들과 더 격렬하게 싸웠다. 그다음에 내가 알 수 있는 것은 내가 의식을 잃어가고 있었다는 것이다.

　나는 꿈같은 세상에서 깨어났다. 나는 대화를 들을 수 있었다. 병원의 모든 소리가 들렸다. 나는 다시 태어난 갓난아이 같다고 생각했다. 병원의 대리석 바닥을 걸어갈 때 나는 또각또각 어머니의 하이힐 발소리를 들을 수 있었다. 나는 어머니의 목소리도 일부 들을 수 있었지만, 눈을 뜨거나 그 소리에 집중할 수 없었다.

머칠이 지나자 나는 완전히 깨어났고, 일상의 현실로 돌아왔다는 것을 알게 되었다. 나는 그동안 있었던 모든 일이 그 메스칼린 때문임에 틀림없다고 스스로에게 말했다. 만약 내가 그것을 복용하지 않았다면, 이런 일은 일어나지 않았을 것이다. 그래서 단순히 메스칼린을 멀리하면 다시는 그런 일이 일어나지 않을 것이라고 생각했다.

나는 새로운 치료사를 구해야겠다고 결심했다. 내가 만나오던 사회복지사는 너무 멀리 있어서 그의 분석이 도움이 되지 않았기 때문이다. 나는 조지 셈치신George Semchyshyn이라는 정신과 의사와 면담을 했고 "당신은 진짜인가요?"라는 중요한 질문을 했다.

"노력해 보죠"라고 그는 매우 진실한 태도로 말했다.

매우 생산적인 3년의 치료 기간 동안 우리는 협력했다. 그는 대인관계적인 관점을 가졌다. 가장 현실적이고 인본주의적인 방식으로 나를 계속 보았다. 그는 쉽게 특징지을 수 없었다. 그가 도움이 되는 통찰력을 제시할 때마다 나는 그를 축하하곤 했다. 그는 진심으로 겸손하게 내가 통찰력을 만들어 냈다고 재빨리 말하곤 했다. 자신은 내가 새로운 이해에 도달할 수 있는 배경을 제공할 뿐이라고 말했다.

그러는 동안 나는 실험실이 있는 직장으로 돌아왔지만, 내 마음은 여전히 거기에 있지 않았다. 마음속 깊은 곳에서, 내가 심오한 변화를 겪고 있다는 것을 깨달았다. 즉, 예전의 나로 돌아갈 수 없었다. 그러나 나는 여전히 너무 무서워서 앞으로 나아갈 수 없었다. 구르는 돌멩이 같은 나의 생활은 정지되어 있었다. 한편 내면에서는 내가 다음에 어떤 방향으로 나아가야 할지에 대한 아이디어를 제공할 자아가 없다고 느꼈다. 낡은 자아를 무너뜨린다고 생각하면 외롭고 공허해졌다. 밥 딜런Bob Dylan이 부르는 것처럼 "구르는 돌처럼, 집으로 가는 방향도 없고, 모든 것을 전혀 알 수 없는 것" 같았다. 나는 목적이 필요했고 그 의미를 향해 같이 일할 부족a tribe이 필요했다.

리언은 그 부족 중 초기 구성원이었다. 세라가 떠난 직후 그가 나에게 연락했다. 그의 아내도 그를 떠났다. 그는 내게 전화를 걸어 함께 독신자 댄스에 가자고 제안했다. 그것은 실수였다. 독신자들은 대부분 중년이었고 우리는 훨씬 어렸기 때문이다. 리언은 사회복지학과에 진학하여 치료사가 되었다. 그는 나에게 워싱턴 무료 클리닉을 소개해 주었다. 또한 그는 노래를 잘했고 기타 연주 실력도 훌륭했다. 우리는 듀엣으로 노래를 불렀고 우리가 가장 좋아하는 노래는 엘턴 존Elton John의 「유어 송Your song」이었다. 어떤 사람들은 이 노래가 엘턴 존의 애인에 대한 노래였기 때문에 우리가 게이라고 생각했다.

우리 부족의 또 다른 구성원은 짐Jim이었다. 나는 대기 오염과 싸우는 동안 짐을 만났다. 그는 랠프 네이더Ralph Nader(유명 정치인 — 옮긴이 주)를 위해 일하고 있었고 나는 '청정 대기를 위한 메트로폴리탄 워싱턴 연합Metropolitan Washington Coalition for Clean Air'의 자원 기술 책임자였다. 짐이 합류하기 전까지는 나만 기술위원회의 일원이었다. 그와 나는 워싱턴 D. C.에서 대기 오염을 줄이기 위한 피셔-설리번 지침을 만들었다.

1970년 여름, 나는 훌륭한 여성 건축가를 만났다. 우리는 모든 면에서 서로 양립할 수 있고 연결되어 있는 것처럼 보였기 때문에 나는 그녀가 내 인생의 사랑이 되기를 바랐다. 우리는 리언과 그 여자친구와 함께 일주일 동안 휴가를 갈 예정이었다. 그런데 그녀가 갑자기, 개인적인 문제가 많아서 떠나야 한다는 장문의 편지를 보내왔다. 그래서 나는 리언과 그 여자친구와 함께 휴가를 위해 메인Maine주까지 12시간을 운전했다. 나는 제3의 바퀴처럼 느껴졌다. 우리는 마리화나를 피웠지만, 그 때문에 더 공허해질 뿐이었다. 나는 잠을 잘 수가 없었다. 일주일이 지나자 내가 하데스(그리스 신화의 죽은 자들의 나라 ─ 옮긴이 주)에 있다는 것을 확신하며 12시간이나 차를 몰고 워싱턴으로 돌아왔다.

돌아오는 길에 나는 다시 내 마음속 동굴의 안전지대로 침잠했다. 며칠 동안 무서운 이미지와 환상적인 상상을 경험한 후, 나는 침묵 속에 빠졌다. 나의 신경화학 연구는 중요하지 않은 것 같았다. 그런 비인간적인 연구는 내가 겪고 있는 인간적인 고통에 아무런 도움이 되지 않았다. 그런데 나는 왜 감정의 화학을 연구하고 있을까? 나는 출근을 할 수 없을 것 같다고 보고하기 위해 실험실로 전화를 걸었다. 우리 비서 해티Hattie에게 연락을 했다. 내가 너무 스트레스를 받아서 일을 할 수 없다고 말하기 시작했을 때 그녀는 차분했다.

"동물원에 한번 가보는 것이 어떨까요, 스트레스를 받는다고 느낀다면 가볼 만한 곳이에요"라고 그녀가 제안했다. 그녀 역시 차가운 과학계에서 벗어나려고 하고 있었다. 나는 동물원에서 홀로 하루를 보냈다. 우리에 갇혀 있는 유인원들의 고통과 내가 너무 많이 연결되어 있다는 것을 느꼈다. 나는 움직이지 않는 도마뱀을 한참 동안 바라보았다. 나는 도마뱀의 존재와 연결되었고 이것은 내가 덜 외롭게 느끼도록 도와주었다. 나는 내가 실험실에서 연구해 온 페닐알라닌 하이드록실라제 효소라고 상상했다. 나는 페닐알라닌이 나를 향해 쏘는 것을 볼 수 있었고, 부상을 피하고 티로신을 형성하기 위해 재빨리 거기에 산소를 추가해야 했다.

1970년 그 서늘한 8월의 어느 날, 나는 말하고, 먹고, 움직이는 것을 중단했다. 친구들은 겁에 질렸다. 내 정신과 의사한테 연락하자, 그는 나를 베데스다 해군병원으로 데려가라고 했다. 친구들은 나를 차에 태웠다. 내가 몸을 구부릴 수 없었기 때문에 그들은 큰 어려움을 겪었다. 그들은 내 다리를 차창 밖으로 내밀어 놓아야 했다. 경찰은 왜 내 다리가 창문 밖으로 튀어나왔는지 궁금해하며 그들을 막았다. 나는 이런 일이 벌어지고 있다는 것을 어렴풋이 알아차리고 있었지만 더는 몸을 움직일 수 없었다. 매우 서둘렀기 때문에 그들은 신분증도 소지품도 없이 나를 병원 응급실에 떨어뜨려 놓았다.

응급실의 전문가들은 각자 클립보드를 손에 들고 질문을 하면서 내게 다가왔다. 주소가 어떻게 되세요? 역순으로 전직 대통령 다섯 명의 이름을 말해볼래요? 모든 질문이 공격처럼 보였다. 그들은 내가 거기 있든 없든 정말 신경 쓰지 않는 것 같았다. 내가 응할 이유가 없어 보였다. 그들은 점차 포기하고, 휠체어에 앉히고는 나를 구석으로 밀어놓았다.

결국 직원 중에서 가장 낮은 계급인 위생병 한 명이 나와 함께 있겠다고 하면서 그 상황이 중단되었다. 다른 사람들과 달리 그는 호기심과 흥미를 보였다. 그는 돌보듯이 그리고 영원처럼 보이는 것에 대한 꾸준함을 갖고 내 눈을 똑바로 바라보았다. 나는 그의 또랑또랑 빛나는 시선에 놀랐다. 그가 곁에 있으면서 돌보았기에 나는 그의 시선에 응답했다. 그는 영원처럼 보였던 존재를 향해 미소를 지었다. 그는 매우 온화하고 요구하지 않는 방식으로 나를 관찰했다.

"당신은 몹시 괴로워하는 것 같군요"라고 하면서 침착하게 나를 관찰했다.

그는 상당한 기간 동안 내면의 '나'를 실제로 보기 위해 애를 쓴 최초의 사람이었다.

"안녕하세요, 제 이름은 릭Rick이에요." 그가 진실하게 말했다. 그는 진짜 사람인 것 같았다.

"제 말이 들리면 고개만 끄덕이세요"라고 간청했다.

나는 고개를 끄덕이며 그와 연결될 가능성이 있다고 느꼈다. 그러고 나서 나는 릭과 솔직한 관계를 맺었고 일상 세계로 돌아갈 수 있는 가능성을 받아들였다. 그러나 갑자기 나는 폐쇄 병동 쪽으로 보내졌다. 내 옷들, 초록색 줄

무늬가 있는 노란색 셔츠와 초록색 슬랙스는 빼앗겨서 다시는 돌려받지 못했다. 나는 내 옷을 붙잡으려고 했지만 허사였다. 나는 그 옷을 잃으면 내 정체성의 마지막 조각을 잃게 될 것이라고 느꼈다. 낙인찍는 과정과 결합하여 누군가의 옷을 뺏는 것은 시설화라는 강등의식의 일부이다. 어빙 고프먼Irving Goffman이 『수용소Asylums』에서 이를 언급했다.

세라가 떠난 후 몇 년 동안 내 옷은 내가 누구인지를 나타내는 표현이었다. 나는 낮에는 실험실에 나가기 위해 전통적인 옷을 입었지만 밤에는 히피옷을 입었다. 내 히피 의상은 나팔바지와 꽃무늬 셔츠를 입는 것이었다. 내가 살던 장소와 시간에 순응하는 것이지만 전통으로부터의 단절도 상징했다. 나는 또한 밴다나bandana를 두르고 샌들이나 다양한 스타일의 부츠를 신곤 했다. 나는 머리가 길게 자라도록 내버려 두었다. 종종 머리를 뒤로 길게 묶고 다녔다. 또한 최대한 수염을 길렀다. 다음 두 페이지의 그림은 내 삶의 단계를 옷의 관점에서 추적한다. 첫 번째 그림에 다음과 같이 쓰여 있다. "학창 시절, 나만의 감정을 표현할 여지가 거의 없었다. 학교가 너무 엄격했기 때문이다…." 내가 느끼는 것을 표현하고 경험하는 것보다 사실을 배우는 것에 더 중점을 두었다. 나는 그 순서를 머리카락, 관계, 옷, 회복이라고 묘사했다. 주제는 학교와 어머니의 기대를 따르는 나의 초등학교 생활로부터 나만의 목소리를 찾는 것으로 옮겨가는 것에 관한 것이다.

베데스다 해군병원에 입원해서 그들이 내 옷을 빼앗았을 때, 나는 내 정신의 일부가 그 옷들과 함께 떠나가는 것을 느꼈다. 내가 입어야 했던 병원의 환자복은 마치 폭력 같았다. 나는 결코 내 옷을 돌려받지 못했고 지금도 그때의 상실을 느낄 수 있다. 며칠 후 그들은 내 머리카락을 자르겠다고 고집했다. 그들은 그렇게 긴 머리가 해군 규정에 위배된다고 말했다. 나는 말을 할 수 없었다. 그들은 머리카락을 잘랐다. 머리카락이 내 주위에 수북하게

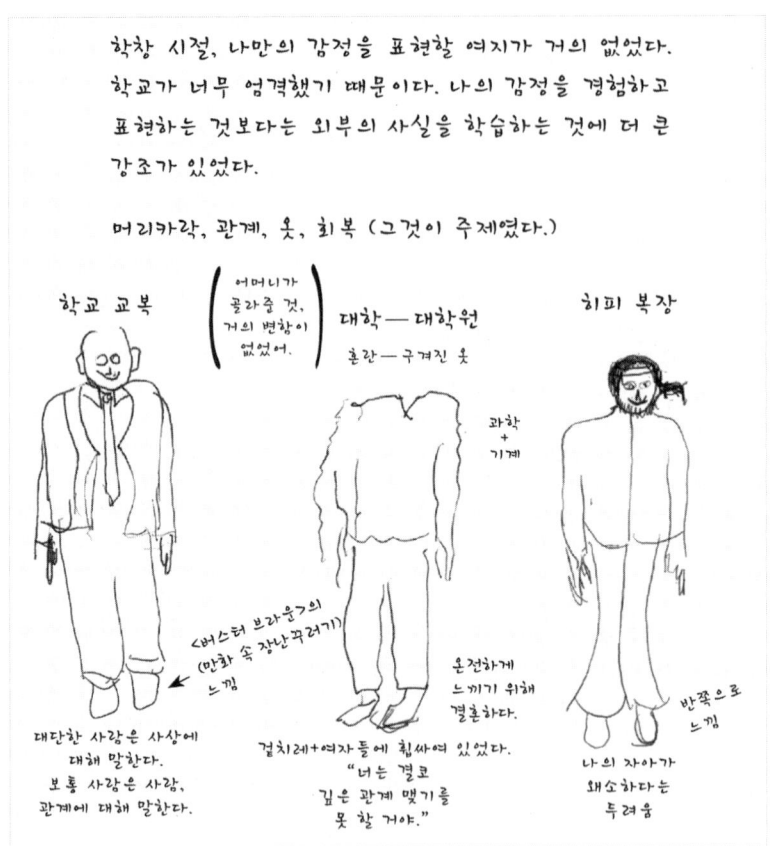

학창 시절, 나만의 감정을 표현할 여지가 거의 없었다.
학교가 너무 엄격했기 때문이다. 나의 감정을 경험하고
표현하는 것보다는 외부의 사실을 학습하는 것에 더 큰
강조가 있었다.

머리카락, 관계, 옷, 회복 (그것이 주제였다.)

학교 교복

어머니가 골라준 것, 거의 변함이 없었어.

대학 — 대학원
혼란 — 구겨진 옷

과학 + 기계

히피 복장

<버스터 브라운>의 (만화 속 장난꾸러기) 느낌

대단한 사람은 사상에 대해 말한다.
보통 사람은 사람, 관계에 대해 말한다.

온전하게 느끼기 위해 결혼하다.

결치레 + 여자들에 휩싸여 있었다.
"너는 결코 깊은 관계 맺기를 못 할 거야."

반쪽으로 느낌

나의 자아가 왜소하다는 두려움

떨어지자 나는 울었다.

우리 운동의 초기 지도자인 레너드 프랭크Leonard Frank가 긴 머리와 수염을 포함한 비트족 생활을 선택했기 때문에 병원에 입원했던 것이 생각난다. 비슷하게도 프랭크의 치료 목표는 머리카락과 수염을 자르는 것이었다. 그들은 결국 그에게 저항할 수 없을 정도로 많은 전기충격 치료ECT를 받도록 했다. 하지만 퇴원 이후로 그는 길고 물 흐르는 듯한 머리털과 눈에 띄는 교수풍의 수염을 길렀다. 그는 전기충격 치료와 싸우는 데 여생을 바쳤다. 그가

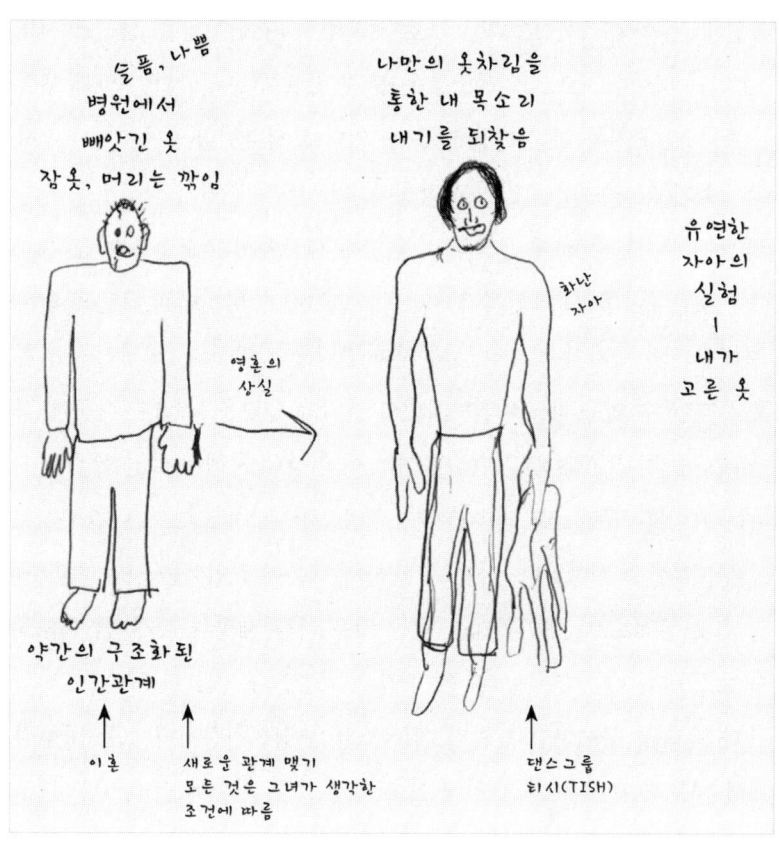

최근에 사망한 것은 우리 운동에 큰 손실이었다. 그렇지만 나는 그를 여전히 가슴속에 품고 있다.

나는 3주 동안 두려움으로 말을 잃은 상태로 있었다. 나는 스스로를 가두었다. 나는 치료사들의 표정을 관찰하고, 그들과 대화할 이유를 알아내려 애썼다. 이 사람들이 누구인지에 대한 단서를 찾기 위해 어떤 친숙한 특성이라도 자꾸 떠올렸다. 나는 비언어적 의사소통에 관한 책을 들고 다녔고 위생병들은 그것을 읽었다.

마침내 존John이라는 또 다른 간호 위생병이 나에게 말을 걸려고 시도했다. 우리는 비언어적으로 의사소통을 할 수 있도록 우리만의 수화를 개발했다. 3주가 지나 점차 나는 그를 믿을 수 있다고 생각했다. 나는 다시 말하는 것이 가치가 있다는 것을 믿기 시작했다. 비언어적 측면의 의사소통은 아마도 세상에 태어난 첫해에 시작되고, 언어적 세상에서의 삶을 살아갈 가치가 있다는 것을 확실하게 확인시켜 주는 데 필요하다. 비언어적 차원의 의사소통은 대부분의 우리의 정서적 삶과 자아 감각을 전달한다. 정서적 차원에서 소통을 잘할 수 있을 때, 우리는 내면의 일치와 활력을 느낀다. 나중에 정서적 심폐소생술eCPR(제8장)을 기술하면서 이 현상을 자세히 설명할 것이다.

나는 그 기간 동안 소라진Thorazine(조현병 진정제인 클로르프로마진의 상표명—옮긴이 주)을 투여받았다. 나는 그 약이 부작용이 있었다는 것만 기억한다. 훨씬 더 근본적으로, 대인관계를 맺는 것은 나를 세상과 다시 연결하게 된 필수 요소였다. 나는 종종 그때 몇 주간을 회상한다. 지금도 나는 그 위생병들이 내 목숨을 구했다고 믿는다. 위생병들은 정신건강팀의 모든 구성원들 중에서 전문적 훈련을 가장 덜 받았고 가장 낮은 지위에 있었지만, 그들은 확실히 필수적인 사람들이었다. 나는 베데스다 해군병원에 입원한 이후 몇 년 동안 비슷한 상황을 여러 번 관찰했다. 최소한의 훈련을 받은 최하위급 구성원들이 가장 큰 도움을 제공한다면 우리의 치료 체계는 매우 잘못된 것이다. 이것은 회복된 우리 대부분이 공유하는 경험이다. 전문적인 훈련과 신분 상승은 위기를 겪고 있는 다른 사람을 돕는 데 가장 필수적인 자질을 숨아내 버리는 경향이 있는 것 같다.

병원에 있는 내 주치의도 내가 인간성에 다시 연결되는 데 큰 도움이 되었다. 캐플런Kaplan 박사는 진정한 돌봄으로 소통할 수 있었다. 그 한 예는 내가 샤워장에서 나올 수 없었던 날에 일어났다. 나는 그냥 샤워기 아래에 앉아 있기만 했고, 일어날 수 있는 어떤 방법도 상상할 수 없었다. 샤워기의 물줄기는 천 개의 '손가락'이 되어 내 등 위를 계속 압박하며 내 고통을 달래고 있었다. 기술 간호사들은 나를 꺼내려고 했다. 그러나 알몸의 성인을 샤워기 아래에서 옮기는 일을 맞닥뜨리자 당황했다. 나는 주치의를 불러오기를 요청했다. 이윽고 하얀 해군 제복을 입은 캐플런 박사가 샤워기 아래 내 옆에 앉아 있었다. 그는 한동안 나를 쳐다보기만 하다가 문 쪽으로 고개를 끄덕였다.

"이건 좀 바보 같고, 난 꽤 젖고 있어. 이제는 여기서 일어날 때가 되지 않았나?"

나는 그를 따라 나갔다. 그의 배려하는 태도는 누가 봐도 바로 알 수 있는 것이었다. 그는 평소의 자기 모습 그대로를 보여주고 인간애를 공유하는 것을 두려워하지 않았다.

입원하는 동안, 나는 내 삶을 변화시킬 필요가 있다고 결심했다. 이번의 극단적인 나의 감정 상태는 가장 최근의 여자친구와 헤어진 것과 마리화나를 피웠기 때문이라고 믿었다. 그러나 더 깊은 차원에서 보면 내가 다른 현실 속으로 들어간 데에는 다른 이유들이 있었다.

나는 곧 그들이 병원에서 내가 하기를 원하는 게임을 하는 방법을 배웠다. NIMH의 길 건너편에 있는 내 실험실을 방문할 수 있는 허가도 받았다. 나는 자유를 맛보는 것에 기뻐했다. 사무실에 다시 가본 느낌에 대해 질문을 받았다. "1에서 10까지를 척도로 한다면, 나는 11 정도로 느꼈어요"라고 나는 대답했다.

직원들은 내가 너무 흥분했다고 판단하고 재빨리 나를 격리실에 가뒀다. 작은 플렉시글라스 창이 달려 있는 무거운 나무문과 과도하게 차폐된 창문을 통해서만 겨우 바깥세상을 엿볼 수 있었다. 나는 겁을 먹었다. 나는 직원들이 나를 그곳에 영원히 남겨둘 것이라고 확신했다. 창문을 통해 관찰할 수 있는 직원들의 무관심 때문에 나의 공포는 더욱 커졌다. 나는 문을 두드렸지만 아무 반응이 없었다. 나는 인간과의 접촉을 갈망했지만, 아무도 없었다. 나는 차가운 대리석 바닥에 털썩 주저앉았고, 나의 영혼이 내게서 빠져나왔다. 내 위에 있는 단 하나의 쇠망으로 둘러쳐진 전구를 올려다보았다.

나는 이 격리실에서 나가면 정신과 의사가 되어 누구도 이런 식으로 치료받지는 않도록 하겠다고 스스로에게 다짐했다. 나는 누군가가 무서운 공포에 사로잡혔을 때, 그들을 벽 안에 가두어놓고 약을 사용하기보다는 돌보는 사람들이 관심을 보이고 연결할 수 있는 방법을 찾을 것이다. 나와 같은 사람을 구하기 위해 일생을 바친 위생병들에게 빚을 갚고 싶었다.

이것이 나의 삶을 바꾸는 꿈이었다. 의미와 목적의식은 마흔여섯 해 동안 내 곁에 머물러 있었다. 그 꿈과 목적의식은 정신과 의사 빅터 프랭클Viktor Frankl 박사가 나치 수용소에 수용되어 있을 때 종잇조각에 생각을 정리했던 것을 설명한 것과 비슷하다. 그는 언젠가 자신의 경험에 관한 책을 쓰겠다는 꿈을 가지면서 계속 견뎌낼 수 있었다고 했다. 경비원들이 매번 그의 원고를 찢을 때마다 그는 조각들을 모아 신발 속에 감추곤 했다.

나는 점점 몽롱해져서, 차단된 창문을 통해 바깥쪽을 갈망하듯 응시했다. 나는 탈출해야 한다고 스스로 다짐했다. 그때 나는 내가 파랑새라고 상상했다. 나 자신이 창문을 통해 날아가는 것을 보았다. 의식이 끊겼다. 의식이 돌아왔을 때, 나는 병동에 있었고 내 꿈을 기억했다. 나는 퇴원하기 위해 필요한 타협을 했다.

그때가 되자 나는 내 인생에서 어떤 변화가 필요한지 알게 되었다. 직장생활에서, 나는 직업을 바꿀 필요가 있다는 것을 깨달았다. 이 깨달음은 엄청난 것이었다! 나는 신경화학자가 되기 위해 많은 것을 투자했었다. 그러한 경력으로부터 떠나려는 생각은 너무나 도전적이었기 때문에 나는 그런 변화를 고려하기 위해 또 다른 현실로 들어가야 했다. 내가 회복하는 동안 친구들이 매우 도움이 되었다. 그들은 내가 상황의 실체를 계속 파악할 수 있도록 도와주었다. 어느 날, 두 명의 하우스메이트가 찾아와서 켄 케시Ken Kesey의 소설『뻐꾸기 둥지 위로 날아간 새』한 권을 가져왔다.

한 친구가 "야, 여긴 미쳤어. 여기서 나가야 해. 우리가 이 책을 가져온 건 네가 이 책의 등장인물인 맥머피와 같기 때문이야. 그들이 맥머피에게 한 것처럼 널 통제하기 전에 여기서 나가야 해"라고 말했다.

나는 그들이 좋은 지적을 했다는 것을 알았다. 그들로부터 외부의 관점을 알게 되어 너무 안심이 되었다. 나는 병원 직원들과 이런 관점을 공유해서는 안 된다는 것도 알고 있었다. 1970년대의 반문화적 관점은 나의 인간성 회복에 필요한 새롭고 더 충만한 삶을 수립하는 데 도움을 주었다.

석 달 후, 나는 할돌(조현병 등 정신병 치료제, 진정제류인 할로페리돌 제재의 상품명 - 옮긴이 주)을 처방받고 퇴원하면서 녹색 종이 한 장을 건네받았다. 페이지 하단에 '조현병'이라는 무서운 단어가 적혀 있었다. 그 단어가 페이지에서 튀어나왔다. 사실일 리가 없어, 난 조현병 환자일 수 없어. 이게 가능할 리 있는가? 내가 NIMH의 록빌 파이크 과정에서 공부했을 때와 똑같은 상황이라는 진단을 받았는가? 의사들은 내가 병원에 있는 동안 내 진단이 무엇인지 말해준 적이 결코 없었다. 나는 낙담했지만 굴복하지는 않았다.

다행히도 내 친구들, 치료사, 그리고 가족들은 마치 내 인생이 끝난 것처럼 나를 대하지 않았다. 나는 매우 운 좋게도 그들의 사랑과 지지를 얻었다. 사소한 언급은 매우 강력할 수 있다. 나는 또한 어머니가 주신 선물, 즉 당시 사자굴에 있는 다니엘(구약성서의 선지자 다니엘 - 옮긴이 주)이 인쇄된 커리어 앤드 이브스Currier and Ives의 판화인쇄물에서 격려를 느꼈다. 나는 정신과 병

원이라는 사자굴에 있다는 점에서 다니엘과 나를 동일시했다.

어느 날 추수감사절 저녁식사 때, 형수님 옆에 앉아 있는 동안 나는 그녀와 형이 서로 얼마나 사랑하는지 감탄했다. 나는 결코 성공적인 인간관계를 맺지 못할 것이라고 생각했다고 그녀에게 말했다. 상냥하고 위안을 주면서, 그리고 성실한 태도로 그녀는 내 팔에 손을 얹으며, "언젠가 댄이 매우 사랑스러운 남편이 될 거라는 것을 알아요"라고 말했다. 그 뒤로 몇 년 동안 나는 가장 훌륭한 보석과 같은 단어들을 고수했고, 결국 그녀의 예언은 실현되었다.

나의 치료사 조지 또한 나를 항상 믿었다. 의대로 돌아가 정신과 의사가 되고 싶다는 꿈을 얘기하자 그는 졸업식에 가겠다고 했다. 정말로 6년 후에, 그는 조지워싱턴 의과대학의 내 졸업식에 왔다. 나는 2011년 조지가 어떻게 나를 도와주었는지 더 잘 이해하기 위해 조지를 인터뷰했다. 슬프게도 그는 2014년에 죽었다.

2011년 조지 셈치신 박사와의 대화

1976년 의과대학 졸업식에서 마지막으로 조지 셈치신을 본 지 35년 후, 나는 이 책을 쓰면서 그를 만났다. 나는 인터넷에서 그를 발견했고 버지니아의 폴스 교회에 있는 그의 복잡한 사무실을 방문했다. 남은 그의 머리카락은 소금과 후추 색깔의 잿빛으로 변해 있었다. 그러나 그의 목소리, 미소, 그리고 태도는 내가 41년 전에 그의 사무실로 처음 걸어 들어갔을 때와 마찬가지로 매혹적이었다.

다음은 조지와의 대화 내용을 요약한 것이다. 나는 대화가 분명히 더 있을 것이고 우리가 친구가 될 것이라고 생각한다.

댄: 제가 회복하는 데 당신이 어떤 도움이 되었다고 생각하세요?

조지: 나는 당신이 빈틈없는 자아를 발전시켰다는 것을 알 수 있어요. 그 자아는 당신 스스로를 더 잘 이해할 수 있게 해주었어요. 자아심리학이 당신이 겪은 일을 내가 이해하는 데 도움이 된다는 것을 알아요.

댄: 당신은 제 내면에서 무엇을 봤나요?

조지: 나는 당신의 건강한 부분을 봤어요. 나는 당신이 스스로를 재구성하고 있다는 것을 알 수 있었어요. 나는 조현병을 여러 단계로 봐요. 당신은 정신병을 겪을 때마다 좋아졌잖아요.

댄: 저나 아니면 다른 조현병 환자가 약물복용 없이도 회복할 수 있다는 생각은 어디서 가지게 되었어요?

조지: 그런 생각은 베트남에서의 경험에서 나온 거예요. 나는 레지던트를 마치고 바로 육군 정신과 의사가 되어 베트남에 주둔했어요. 급성 정신병을 앓는 병사들을 봤죠. 나는 그들에게 항정신병 약물을 주면서, 며칠이 지나면 정신이 맑아질 것이라고 그들을 위안했어요. 그 후 단기간에 누가 전투에 복귀해야 하고 누가 집으로 돌아가야 하는지를 결정해야 했죠.

댄: 내겐 어떤 힘이 있다고 보셨나요?

조지: 당신은 정말 호감이 가는 사람이었어요. 당신은 당신의 회복에 도움이 되는 성격적 요인을 가지고 있었어요.

댄: 제가 다른 현실에 있을 때 어떻게 나와 의사소통을 했어요?

조지: 나는 항상 당신이 말하는 어떤 것에 의미가 있다고 생각했어요. 나도 당신이 있는 곳으로 갔어요. 한번은 당신이 아파트에 너무 갇혀 있는 느낌이라고 말했었는데, 그래서 당신과 함께 듀퐁 서클까지 걸어갔고 오랫동안 우리는 거기서 앉아 있었어요. 대부분은 아무런 말도 없이요.

댄: 제가 무슨 일을 겪고 있다고 느꼈어요?

조지: 나는 당신이 자아를 위해 회귀하는 것을 느꼈어요.

인터뷰가 끝날 때, 나는 조지에게 치료를 받는 동안 그가 무슨 생각을 하고 있는지 전혀 알지 못해 실망했다고 말했다. 나는 그에게 내가 일련의 질문을 하러 왔다고 말했고 우리는 결국 대화를 가졌다는 느낌이 들었다. 그가 웃으면서 말했다. "기억 안 나요? 그게 우리 치료의 본질이었어요. 우리는 대화를 했어요. 그게 당신에게 가장 도움이 되는 접근 방법인 것 같았어요." 여기에 내가 조지와의 관계에서 가장 도움이 되었다고 느낀 몇 가지 요소가 있다.

- 그는 항상 나를 총체적인 사람으로 보았다.
- 그는 내가 스스로 통찰할 수 있는 방법을 볼 수 있도록 도와주었고, 나 자신을 치유할 수 있는 능력을 존중했다.
- 그는 내가 그를 믿을 수 있도록 매우 상냥하고 편안한 방식으로 행동했다.
- 대화를 주요 도구로 활용하는 과정에서 그는 겸손하고 진실하여 대화가 쉽게 흘러갔다.
- 자신의 영향을 계속 의식하면서도 마음에서 자연스럽게 우러나는 자아를 자유롭게 이용하는 것 같았다.
- 그는 항상 나의 회복 능력을 믿고 내 꿈을 지지했다.

2년 동안, 나는 개인 및 집단 동료지지 활동을 하면서 매주 워싱턴 D.C.의 무료 진료소에서 일했다. 나는 내가 도움을 받은 것처럼 사람들을 돕기를 원했다. 괴로움을 겪는 그들을 도와주면서, 나는 나 자신에 대해 더 많이 이해하게 되었다. 종종 정신건강 진단을 받은 사람은 기여할 수 있는 능력이 부정되는 것처럼 느끼지만, 우리 스스로를 공유하는 것을 통해서 우리가 가치 있고 여전히 인류와 연결되어 있다는 것을 느낀다.

베데스다 해군병원에서 퇴원한 지 3년 후, 나는 몇몇 의과대학에 지원했다. 조지워싱턴 대학교 의과대학에 합격을 했다. 그런데 학장이 전화를 걸어 내가 정신과에 입원한 적이 있느냐고 물었다. 나는 두려움에 사로잡혔다. 나는 재빨리 두려움에서 벗어나 물었다. "왜 그런 질문을 하시나요?" 그는 내가 신체검사에서 정상 판정을 받았지만, NIMH의 상사가 내가 여러 번 아팠다고 말했다고 했다. 그래서 나는 진실을 인정했다. 그는 내 담당 정신과 의사가 내가 학교를 다닐 능력이 있다고 적힌 편지를 써준다면 그들이 나를 입학시킬 것이라고 말했다. 다행히 조지가 그 편지를 썼다. 요즘에는 그 어떤 학교도 이런 질문을 했다가는 「1990년 미국장애인법the Americans with Disbilities Act 1990」을 위반하게 된다.

의과대학은 쉽지 않았다. 그러나 노시Nosey라는 고양이의 도움을 받아서 다행이었다. 애완동물은 아마도 새끼를 돌보기 위한 어떤 본능에서 비롯된 것 같은데 사람들이 도움을 필요로 할 때를 느끼는 것 같다. 그들은 스트레스를 받을 때 정서적인 지지를 제공할 수 있었다. 의과대학 1학년 동안 매일 나는 지치고 거의 좌절한 채로 아파트로 돌아오곤 했다. 어느 날 고양이가 아파트에 있었다. 방문이 잠겨 있었음에도, 매우 상냥한 호랑이무늬의 고양이가 우리 집 앞에서 나를 환영해 주었다.

나는 위층 주인이 이사할 때 도망친 녀석이 바로 노시라는 것을 깨달았다. 마음이 복잡해진 나는 다음 날 주인이 노시를 찾도록 밖으로 내보냈다. 이웃사람이 내게 알려주기를 고양이가 창문 밖 좁은 턱을 따라 걸어와서 창문 철망 사이를 비집고 우리 아파트에 들어왔다고 했다. 그래서 나는 노시를 입양했고 노시는 나를 입양했다. 노시는 내가 학교에서 돌아올 때마다 내 무릎에 누워서 갸르릉거렸다. 노시는 우유를 찾는 고양이처럼 나를 필요로 했다. 나의 애착이 커져갔다.

1974년 1월, 나는 내 회복의 다음 단계를 위한 길을 밝혀주는 꿈을 꾸었다. 나는 그것을 '성의 꿈Castle Dream'이라고 부른다. 그것은 나의 개인적인 회복은 물론, 광기를 통해 사람들을 만나고 돕는 새로운 방법에 대한 가장 중요한 비전이 되었다. 임상심리학자 겸 작가인 셸던 콥Sheldon Kopp이 이끄는 집단치료에서 나는 처음으로 그 꿈을 공유했다. 여기 그 꿈이 있다.

어느 성에 가서 보니 대령 한 명이 젊은 병사 두 명을 강제로 지하감옥에 감금하고 있는 것을 발견했다. 젊은이들이 투옥된 것에 대해 불평할 때마다 대령은 그들이 얼마나 미친 사람인가에 대해 강의를 하곤 했다. 그는 노랗게 물든 지도 같은 것에 그려진 가고일the Gagoyle 괴물 그림을 보여주곤 했다(다음 그림을 보라). 그는 그들의 뇌가 기형이고 가고일 괴물처럼 생겼기 때문에 지하감옥을 떠날 수 없다고 말했다. 그러나 대령의 주된 무기는 젊은이들이 처음에 어떻게 해서 수감되었는지를 모르고 있다는 점이었다.

나는 소위가 되어 성의 꿈속에 들어갔다. 정상적으로 보이는 이들 두 젊은이가 감금된 것에 충격을 받았다. 나는(소위의 형태로) 몇 가지 조사를 해보니

몇 년 전에 그들은 실험실에서 연구를 해왔고 현미경을 너무 오래 들여다보았다는 것을 발견했다. 이 때문에 그들의 뇌 안에서 맹점a blind spot이 자라나게 되었다. 이 맹점 때문에 그들은 무서웠고, 미친 행동을 했고, 결국 그들은 성에 갇히게 되었다.

시간이 흐르면서 그들은 성에 더는 갇히지 않았지만, 늙은 대령은 그들을 감시하고 있었다. 대령이 수시로 그들의 광기에 대해 강의를 하는 바람에 그들은 성을 떠날 수 없었다. 대령은 그들에게 그들의 상태는 영구적, 즉 그들은 항상 미쳐 있을 것이라고 장담했다. 나는 사실 오래전에 그 남자들의 맹점이 아무런 흉터 없이 치유되었고 그들은 건강하다는 것을 알았다. 그들은 이제는 미치지 않았다. 그래서 나는 청년들과 함께 대령에게 가서 내가 밝혀낸 증거를 제시했다. 그는 너무 흥분해서 말도 안 되는 소리라고 말했다. 두 사람과 나는 성 밖으로 걸어 나오기 시작했다. 그 늙은이가 우리를 말리려 하자, 우리는 그를 옆으로 밀어버리고 햇빛 속으로 걸어 나갔다.

며칠 후 나는 그 꿈이 다음과 같이 계속되었을지도 모른다고 상상했다.

대령은 바닥에서 몸을 일으켜 젊은이들을 따라잡았다. 그는 젊은이들이 떠난 지금 성안은 매우 춥고 쓸쓸하다고 불평하면서, 그들과 함께할 수 있느냐고 물었다. 소위는 괜찮다고 말했다. 두 젊은이는 그들이 받았던 대로 대령이 고통받기를 원하기 때문에 반대한다고 했다. 세 사람은 상의 끝에 그가 대령복을 벗는다면 대령이 함께 동행하는 것을 허락했다. 두 청년도 소위가 제복을 벗길 바라서, 그렇게 했다. 그러자 네 사람은 행군하고 나서 특별히 할 일이 없어 춤을 추었다. 그들은 서로에 대해, 그리고 자신을 둘러싼 기묘한 새로운 광경에 대해 배울 시간이 충분하다고 느꼈다.

그다음의 집단치료 세션에 대한 설명이다. 거기서 내 꿈을 공유했다.

집단치료 참가를 위해 아파트를 떠나기 10분 전에, 나는 서둘러 셸리Shelly를 위해 그 꿈을 복사했다. 집단치료 세션으로 가기 위해 이동하는 내내 나는 어깨가 꽉 끼는 것을 느꼈다. 그런 조임은 불안 때문이라고 생각했다. 그 조임을 갈등하는 내 내면의 생각이라고 정의하려고 했다. 집단치료에서 보니Bonnie를 대신하려고 노력하는 나 자신을 감지했다. 3년 동안 그녀는 그 집단의 심장이었다. 보니는 자신의 내면 깊숙한 곳의 생각과 감정을 집단과 공유함으로써 그룹에게 에너지를 주었고, 셸리의 책 챕터를 위해 준비한 자료를 그들에게 주었다.

보니가 떠난 지 일주일이 지났다. 나는 보니의 낡은 주차장으로 차를 몰고 들어가는 나 자신을 발견했다. 셸리를 위해 내 꿈을 적어놓은 종이를 든 채. 내가 그 종이를 들고 있다는 것을 아무도 눈치채지 못하도록 나는 몇 번이나 종이를 접었다. 나는 셸리에게 그 꿈을 선물로 주고 싶다고 말했다. 나와 비슷한 문제로 어려움을 겪고 있는 다른 사람들을 도울 수 있는 방법이라고 말했었다. 하지만 나는 또한 그가 내 꿈을 상업화시키면 이용당했다고 느낄 것이라고 말했다. 셸리는 내 꿈을 돈을 벌기 위해 사용할 것이고 사람들을 돕지 않을 것이라고 말했다. 어깨가 몹시 뻐근해지기 시작했다.

나중에 나는 다른 집단 구성원에게 도움을 주려고 했고, 어깨의 통증이 심해지면, 내가 하는 말을 반쯤 삼켰다. 내가 말하고 있는 것의 90%는 투사(즉, 나 자신의 세계 이야기)라는 것을 깨달았다. 얼마 동안 생각이 떠오르면 등에 통증이 오는 것만 인식하면서 묵묵히 앉아 있었다. 그 때문에 긴장이 많이 풀렸다. 나는 흥분해서 말참견을 했다. "나는 이 그룹의 누구도 도울 수 없어요. 난 아무도 도울 수 없고, 아무도 날 도울 수 없을 것 같아."

셸리 콥Shelly Kopp의 눈이 밝아지면서, 그는 "당신은 치유가 되었네요!"라고 소리쳤다. 나는 집단에서 어안이 벙벙해져서 나오면서, 그가 그런 말을 또 하면 나는 떠날지도 모른다고 중얼거렸다. 치료를 통해서는 내 삶에 의미를 부여할 수 없다는 생각은 무섭고 위장에 통증을 준다. 글쎄, 적어도 내 등은 아프다. 나는 약간의 단것들이 위가 덜 외롭도록 도와줄 것이라고 장담한다. 게다가 공포(열정의 녹색 감정)는 분노(행동의 붉은 감정)를 능가한다. 나는 감정을 내 마음속의 색깔에 따라 분류하려고 했다. 치료되었다는 생각이 내게는 두렵다. 왜냐하면 그것은 셸리가 더는 나의 어머니가 될 수 없다는 것을 의미하기 때문이다. 그 때문에 나는 외로워진다. 그녀가 나를 옹호할 수 있도록, 오늘 밤 나는 셸리에게 내가 쓴 글을 보여줄까 생각했다. 나는 그렇게 생각하는 것이 여전히 그녀의 보호를 받으려고 애쓰는 것임을 깨달았다.

이 꿈은 프란츠 카프카Franz Kafka의 『심판The Trial』의 한 장면인 '법정의 문 앞에서Before the Law'를 떠올리게 한다. 이 소설에서 요제프 K.는 교회로 어슬렁거리며 들어가 법정을 보기 위해 시골에서 온 한 남자에 대한 설교를 듣는다. 열린 문이 있지만 사나운 경비원이 성문을 지킨다. 몇 년 동안 그 남자는 경비원이 들어갈 수 있다고 말할 때까지 문에서 기다린다. 마침내 그가 매우 늙었을 때, 그는 경비원에게 왜 아무도 성문에 오지 않았는지 그리고 어떻게 하면 출입을 할 수 있는지를 묻는다. 경비원은 "이 입구는 당신만을 위한 것이었소. 물어봤으면 들어갈 수 있었을 텐데. 그러나 당신은 한 번도 묻지 않았고, 지금 나는 입구를 닫고 있을 뿐이오"라고 대답한다. 그 꿈은 권위 있는 사람들이 허락할 때까지 기다리는 대신 내가 주도권을 행사할 때 내 삶이 나아질 수 있다는 것을 상기시켜 주었다.

소피Sophie와 3년간의 격렬한 관계가 거의 끝나갈 무렵 나는 이런 성에 대한 꿈을 꾸었다. 내가 소피를 점점 싫어하게 된 한 가지 이유는 소피가 사회복지학과 대학원에 다니고 있었고 조현병에 관한 교과서를 읽고 있었기 때문이다. 소피는 그 교과서에서 파괴적인 구절을 인용했다. 예를 들어, 그녀는 읽던 책에서 눈을 들어 말했다. "조현병을 가진 사람들은 결코 회복되지 않는다고 여기 적혀 있어. 나는 네가 회복할 수 있을지 궁금해. 그들은 조현병은 유전이라고 말해. 그럼 우리 아이들에게도 발병할지도 모른다는 뜻인가?"

1974년 2월, 소피와 나는 대체 에너지원의 필요성에 대한 인식을 높이기 위해 공익 과학센터가 후원하는 댄스파티에 갔다(센터는 내 친구 짐이 출범시켰다). 소피는 춤을 추고 싶지 않아 했다. 나는 댄스 플로어를 스캔했고 갈색 터틀넥을 입은 귀여운 젊은 여자를 보았다. 우리는 함께 춤을 추었고, 나는 그녀에 대해 더 알고 싶었다. 그녀는 나에게 자신의 이름이 티시Tish라고 말했지만 나는 빨리 작별인사를 해야 했다. 짐이 진정시키려고 했지만, 플로어를 가로질러 우리를 보며 열받아 하는 소피를 곁눈질로 볼 수 있었기 때문이다. 그 주 후반에 나는 짐에게 참석자 명단에서 티시를 찾아보라고 했지만, 아쉽게도 그녀는 그 명단에서 찾을 수 없었다. 소피와 나의 관계는 그 후 곧 끝났다. 다시 나는 엄청난 외로움을 느꼈다. 나는 방에 고립되어 밤낮으로 글을 쓰기 시작했다.

오랜 고립과 함께 내 상상력은 다시 빛을 발했다. 나는 말 그대로 내가 아는 모든 사람들이 로봇으로 대체되었다고 믿었다. 나는 나만이 남은 인간이라고 의심했다. 나는 우리가 모두 기계라는 것을 확신하게 되었다. 다시, 나는 나의 내면 깊이 들어갔다. 누이 샐리가 나와 함께 있기 위해 왔고, 내 친구 짐과 마찬가지로 나의 관심권 안에 들기 위해 열심히 노력했다. 그러나 나는 고집스럽게 내 세계 안에 머물러 있었다. 나는 유기농 사과 주스만 마서야 하고, 먹는 것이 나의 통찰력을 방해할 것이라고 확신하고 있었다. 그래서 샐리는 내 냉장고를 열고, 사과 주스 10쿼트짜리만 있는 것을 발견했을 때 놀라지 말았어야 했다.

어느 날 샐리와 내가 빌딩 블록을 돌아다니고 있을 때, 그녀는 자신이 달걀 껍데기 위를 걷는 것 같은 느낌을 받았다고 말했다. 나는 다시 한번 온 세상이 죽어가고 있다고 확신했다. 나는 어떤 여자의 목에서 십자가를 뽑아내려고 했었다. 그렇게 하면 여자를 다시 살아나게 할 것이라고 생각했다. 경찰 몇 명이 나를 체포했다. 다행히도, 친구 샌디가 그곳에 있었다. 내가 진정하고 싸우지 않고 경찰차에 타는 것을 도와주었다. 나는 경찰서로 연행되어 말 그대로 땅 위에 누운 채 침묵하고 있었다. 그들은 내가 의대생이라는 것을 알았을 때 나를 경찰차에 태워 정신과 병원으로 보냈다. 샐리가 사려 깊게도 그녀의 검은 코트를 나에게 덮어주었기 때문에 가는 동안은 참을 만했다. 안전한 장소가 필요했다. 그러나 다른 대안이 없었기 때문에 나는 시블리 메모리얼 병원에 입원했다.

나의 기계화된 인생관의 연장선상이기는 하지만, 나의 정서상의 문제들은 내 뇌 기관에 생긴 항구적인 손상 때문이라고 확신했다. 병원에 입원했을 때, 나는 내가 공포의 성으로 돌아오고 있고, 대령의 영향력 아래 놓였다고 믿었다. 나는 회복의 모든 희망을 버릴 준비가 되어 있었다. 다행히 셈치신 박사가 다시 나타나 나의 치유능력을 계속 믿어주고 있었다. 그 어두운 시간에 나는 정신이 혼미해져서 그에게 말했다. "저는 영구적 결함이 있는 것이 틀림없어요. 저는 결코 치유될 수 없는 생물학적 뇌 질환을 가진 것이 틀림없어요. 내가 왜 세 번째로 정신병원에 입원하게 되었는지에 대해서 다른 어떤 설명이 있을 수 있을까요? 이건 세 번의 스트라이크고, 난 아웃이에요."

나는 셈치신 박사에게 무엇이 잘못되었는지 말해달라고 간청했다. "제 남은 여생에서도 저는 이런 식이 될까요?"

셈치신 박사는 매우 침착하고 진심 어린 태도로 대답했다. "아니요, 저는 당신의 문제가 신체조직 때문이라고는 생각하지 않아요. 전 아직도 당신이 치유될 수 있다고 믿어요."

이 간단하면서도 심오한 셈치신 박사의 진술은 해방적이었다. 내 문제들이 주로 인간적인 것이며 신체기관에 기반을 두지 않는다는 개념은 나로서는 어떠한 두려움에도 맞설 수 있는 내 능력에 대한 개인적인 믿음과 신뢰의 원천이 되었다. 이러한 믿음은 내게 투쟁하고, 계속하고, 회복할 수 있는 희망과 용기를 주었다. 나는 나중에 이러한 희망의 출현을 삶에 대해 "긍정적이다Yes"라고 말하는 것으로 묘사한다.

그는 내가 문제에 직면할 수 있는 능력이 있다는 점을 신뢰했기 때문에, 내가 직원들과 완전히 협력하기 전인데도 나를 퇴원시켰다. 그는 내가 희망을 잃지 않도록 도와주었기 때문에, 나는 다시 희망을 가질 수 있었다. 이 희망은 우리 사이에 발전해 온 신뢰 속에서 진화했다.

시블리 병원을 떠나는 것은 매우 중요한 일이었다. 나는 그 병원에서 진짜 내 목소리를 찾는 과정을 시작했다. 어린 시절의 공포로 인해 내 내면의 지하감옥에 갇혀 있다고 느낀 세월을 되돌리기 위해 '성의 꿈Castle Dream'을 만들었어야 했던 것 같았다. 직원들은 내가 집단치료를 받을 준비가 되지 않았다고 믿었지만 나는 준비가 되었다고 생각했다. 그들의 결정을 부정하면서, 나는 집단치료에 참여할 수 있게 지지해 달라는 탄원서를 병동 여기저기에 전달했다. 대부분의 환자들은 탄원서에 서명했다. 그러나 수간호사에게 제시하자 그녀는 내가 집단치료에 참석할 수 없다고 말했다. 나는 화가 나서 목소리를 높이는 치명적인 실수를 저질렀다. 그녀는 나에게 목소리를 낮추라고 주의를 주었다.

"정신병원에서 화를 낼 수 없다면 어디서 화를 낼 수 있겠어요?" 내가 물었다. 그녀는 다섯 명의 힘센 남자들에게 나를 격리실로 데려가도록 명령했다. 그러나 이번에는 4년 전 해군병원에서 그랬던 것처럼 내 영혼을 찢기게 하지는 않을 것이다.

"그는 그렇게 높이 뛰어올랐어…." 두터운 격리실 문 사이로 「보쟁글 씨 Mr. Bojangles」(제리 제프 워커Jerry Jeff Walker의 노래 제목 — 옮긴이 주)의 선율이 들렸다. 나는 4인치의 플렉시글라스 창문을 통해 엿보았다. 또 다른 수감자인 제리가 기타를 치며 "거의 하늘에 닿았다…"라고 노래하고 있었다. 그는 내 시선을 사로잡았고 우리는 서로를 격려하는 시선을 공유했다. 나는 셔츠를 벗었다. 나의 강함을 좀 더 직접적으로 느낄 수 있었다. 나는 내 목소리를 느꼈고, 소리를 지르기 시작했다. 목소리를 계속해서 높이면 그 조용한 방이 아주 시끄러운 방이 될 수 있다는 것을 깨달았다. 이번에는 그들이 내 영혼을 부수고 나를 조용하게 만들도록 하지 않을 것이다. 나는 정신과 의사를 만나자고 했다. 그리고 나서 나는 중심을 확실히 잡기 위해 몇 분 동안 명상을 했다. 나는 문을 쾅쾅 두드리고 명상을 좀 더 했다.

결국 셈치신 박사가 나타났다. 그는 내가 셔츠를 입는다면 나를 풀어주겠다고 약속했다. 비록 나중에 입을 것이라고 말하긴 했지만, 나는 동의했다. 그는 격리실 문을 열어주었고, 나를 병원에서 내보내 주었다. 로비로 갔을 때, 나는 셔츠를 입었다. 몇 년 후 나는 그에게 어떻게 그러한 위험을 감수할 수 있었는지 물어보았다. 그는 나와 함께 연결될 수 있었다고 말했다. 그가 창문 밖을 내다봤을 때 내가 병원에서 걸어 나오면서 셔츠를 입고 걷는 것을 보고, 내가 해낼 것이라는 확신이 들었다고 말했다.

집까지 도보로 4마일 걸어가는 동안 나는 모든 발걸음마다 자유를 음미했다. 나는 4월의 꽃 냄새를 맡을 수 있었고 발밑의 풀을 느꼈다. 아래층 이웃

집 문을 두드렸다. 그녀는 나를 자기 아파트로 데려갔다. 나는 그녀를 잘 알지 못했지만 그녀가 좋은 마음씨를 가졌다는 것을 느꼈다. 그녀는 내 머리를 무릎 위에 얹고 살며시 나를 앞뒤로 흔들었다. 그녀는 나에게 꿀과 허브차를 주었다. 그녀는 무슨 일이 일어났는지 내게 묻지 않았다. 그녀는 그저 따뜻한 자아였다. 그녀의 존재와 보살핌은 나의 상처받은 정신에 대한 연고약과도 같았다.

나는 형이 콜롬비아에서 가져온 거친 오렌지색 판초를 입고 듀퐁 서클의 활기찬 아침 공기를 쐬었다. 분수 주위를 처음에는 걷다가, 이어서 뛰었다. 마치 몇 년 전에는 끊어버렸던 내 몸의 일부분에 피가 되돌아오는 것을 느끼는 것 같았다. 마치 이전에는 내면의 나와는 연결이 끊어졌던 것 같은 기분이었다. 그 당시 나는 마음속에서 아주 중요한 외딴 오지로 여행을 하고 있었다. 이제는 내면의 자아와 다시 연락할 필요가 있었다. 입원을 하기 직전에, 내 아파트가 우주선이고 나는 지구로부터 멀리 떨어져 있는 꿈을 꾸었다. 이것은 내가 얼마나 소외감을 느꼈는지 말해주었다.

나는 대중의 관심을 받고 있는 짐의 과학센터로 걸어갔다. 몇 주 동안 그를 보지 못했고, 무슨 일이 일어났는지 설명하려고 했다. 그러고는 쉬어야 한다고 하고는 바닥에 드러누웠다. 누군가가 "저 사람은 왜 바닥에 누워 있니?"라고 묻는 것을 우연히 들었다.

"그는 짐의 친구야"라고 답하는 것이었다.

그것으로 내 정신이 맑아졌다. 이윽고 나는 하찮은 어떤 일을 요청했고, 누군가 나에게 물건을 담을 봉투를 주었다. 나는 직원 중 한 명과 워싱턴의 모든 전화선을 파괴할 필요성에 대해 이야기를 시작했다. 특공대를 모아 시내로 산개시키면서 동시에 모든 통신선을 끊으면, 사람들이 다시 얼굴을 맞대고 의사소통을 하도록 할 수 있을까 하는 생각이 들었다.

나는 아파트로 돌아와 내가 없는 동안 어떻게 해서든지 2주 동안 살아남은 노시에게 영접을 받았다. 밤이 깊었다. 약이나 '스크립트'도 없이 병원에서 퇴원한 터라 소라진 금단현상으로 내 근육은 경련을 일으키고 있었다. 약복용을 다시 시작할 생각은 없었다. 내 마음 또한 경련을 일으키고 있었다.

나는 잠을 자지 않고 미래를 확신하지 못한 채 고통스럽게 6일을 보냈다. 어느 날 밤 나는 내 삶을 끝내야 한다고 확신했다. 나는 절망에 빠져 욕조에 누워 있었다. '내가 계속 살아가야 할 어떤 이유가 있을까' 하고 혼자 생각했다. 두 가지 생각 때문에 나는 살아 있게 되었다. 먼저, 다음에 어떤 일이 일어날지 궁금했다. 아직도 뭔가 새롭고 뜻밖의 일이 일어날 것 같았다. 이것은 내가 미래가 없다는 확신을 버릴 수 있다는 것을 의미했다. 둘째, 그리고 더욱 열렬하게 혼잣말을 했는데, "나는 자살할 수 없어. 그렇게 되면 누가 노시를 돌볼 것인가?"였다. 다른 사람이 생각나지 않았다. 나는 나를 입양한 고양이를 돌보기 위해 계속 살아야겠다고 결심했다.

나는 스스로에게 "나는 삶에 대해 '긍정적'이라고 말할 것이다"라고 말했다. 내가 그전에는 오랫동안 삶에 대해 '부정적'이라고 말하고 있었던 것이 틀림없다는 것을 나중에 깨달았다. 그래, 인생은 살 가치가 있었다. 내 인간성을 경험하는 많은 부분이 삶에 대해 '긍정적'이라고 말해왔다고 생각한다. 프로이드는 내가 타나토스(죽음의 본능)에서 에로스(사랑의 본능)로 갔다고 말할 것이다. 나는 나를 떠났다가 이제 돌아온 나의 가장 깊은 영혼을 체험하고 있었다. 내 가장 깊은 영혼을 재발견하기 위해서는 가장 본질적인 수준의 나의 삶과 죽음에 도달해야 했던 것 같다. 그 순간 나의 절망의 소용돌이가 희망의 허리케인으로 변한 것 같다. 나는 〈오즈의 마법사〉의 도로시가 그녀의 루비색 빨간 슬리퍼 뒤꿈치를 걸어차고 "집처럼 좋은 곳은 없다"라고 말하는 것 같은 기분이 들었다. 나는 내 내면 속의 집, 즉 내 영혼의 집으로

돌아갈 수 있을 것 같았다. 그때 나는 까마귀 자아에게 작별을 고하고 왜가리 자아에게 인사했다.

어느 잠 못 이루는 밤에, 심장마비가 올까 봐 처남에게 전화를 걸었다. 일반 의대생처럼 나는 심장박동수를 재고 있었다. 평균 140이었다. 척Chuck은 위기를 겪고 있는 나와 두 시간 동안 위로하는 대화를 해주었다. 우선 그는 나의 의학적 관심사를 이야기했다. 내가 그에게 내 심박수를 말했을 때, 그는 걱정할 필요가 없다고 말했다. 왜냐하면 사람들은 섹스를 할 때에도 심장박동수가 그 이상으로 규칙적으로 상승하기 때문이다. 그러고는 그저 일상적인 일에 대한 일련의 질문을 하기 시작했다. 삼촌은 어디 계셨지요? 어머니는 어떻게 지내셨지요? 어느 순간 나는 그가 왜 그렇게 뻔한 질문을 하는지 물었다. 그는 누군가가 심각한 곤경에 처했을 때 이것이 도움이 된다는 것을 배웠다고 말했다. 그날 밤 그와의 대화는 생명줄이었다. 소라진을 복용하지 않은 채 6일 밤을 지내고, 6일 밤을 잠을 못 잔 채 지낸 후, 나는 마침내 약물에 관한 척의 충고를 따랐다. 그는 한 알만 먹고 하룻밤 자고 아침에 전화하라고 했다. 나는 할돌 한 알을 먹고, 하룻밤을 잔 뒤에 그 이상의 약은 필요 없었다.

제**3**장

다른 사람들과 조화롭게 내 삶을 살기

왜가리 단계heron phase라고 부른 내 인생의 마지막 단계에서, 나는 내 삶이 날고 있다는 것을 느낀다. 나는 이 단계를 다성음polyphony으로 사는 단계라고 부른다. 러시아 철학자 바흐친Bakhtin에 따르면, 다성음이란 다양한 관점이 있음을 수용함으로써 현재의 삶을 사는 것을 배우는 것을 말한다. 정신의학 분야에서 흔히 하듯이, 내 감정적 도전을 설명하는 방식을 나는 완전하게 믿은 적이 없었다. 그리고 그것에 대해 나처럼 회의적으로 생각하는 사람들에 둘러싸여 있는 것이 다행이었다. 세 번째 입원 후에 나는 내 문제가 평생 가는 것이 아님을 알게 되었다. 나는 나, 혹은 나처럼 정신질환 진단을 받은 사람 누구나 뇌의 장애가 주된 원인이라고 보는 생각을 거부했다. '정신질환mental illness'으로 묘사되는 문제들은 사실 대인관계나 감정적 발달에 방해가 되는 트라우마 때문이라고 이해하는 것이 오히려 더 이치에 맞는다. 나는 마지막 입원 이후 7년 동안 다음과 같은 꿈을 꾸었고 그것에 대해 명상했다. 그것은 나의 트라우마와 극단적 감정 상태 사이의 관련성을 이해하는 데 도움이 되었다.

나는 길먼 학교에 돌아왔고, 예전의 많은 선생님들이 거기에 그대로 있었다. 그들은 모두 머리가 희었고, 다양한 자세이지만 모두 몸이 구부정했다. 파인 Pine 씨는 쓰레기통 위에 몸을 기대고 토하려고 한다. 그는 물을 좀 달라고 했지만 분필가루에 너무 많이 덮여 있어 나는 그에게 물을 주지 않는다.

꿈에서 깨어났을 때, 나는 그 장면이 나의 '성의 꿈Castle Dream'과 너무 비슷해 놀랐다. 성의 꿈은 지하감옥이 있는 길먼 학교와 나를 연결시켜 주는 꿈이었다. 나는 꿈속의 그 지하감옥에 갇혀 있다고 느꼈다. 사실 선생님들은 모두 정신이 나간 상태에서 시설에 수용되어 있는 사람들처럼 보였다. 마치 나의 초기 꿈에 등장했던 늙은 대령처럼. 이어서 6학년 때 선생님이 나를 상병이라고 불렀던 것이 기억났다. 내가 상병 줄무늬가 그려진 셔츠를 입었기 때문에 선생님은 나를 그렇게 불렀다. 선생님은 나에게 상당한 영향을 끼쳤다. 종이 값이 싸서 선생님은 내가 실수를 하면 항상 새 종이에 다시 쓰라고 말했다. 선생님은 우리 아버지의 친구였다. 두 사람 모두 아버지가 두려워했던 무서운 모로Morrow 씨에게서 수학을 배웠다. 반 친구 중 한 명이 숙제를 빨리 끝내고 수학 기호 QED quod erat demenstrandum(수학에서 증명을 마칠 때 쓰는 기호 – 옮긴이 주)를 찍었는데, 아버지는 그것은 그 학생이 수학 문제를 "가장 먼저 풀었다"라는 의미를 자랑스럽게 말하는 것이라고 하셨다. 그러나 모로 씨는 즉시 종이를 찢으며 "가장 빨리 망쳤어!"라고 말했다. 길먼은 자신의 분수를 아는 것을 배우는 것이 중요한 학교였다.

몇 년 후, 나는 이 놀라운 '성의 꿈'에 대해 명상하면서 내 정신질환의 경험을 과거의 트라우마와 연결 지었다. 명상을 할 때, 나는 가고일 그림에 초점

을 맞추었다. 종이는 낡고 노랬으며 그림 가장자리는 닳아 있었다. 나는 이전에 그 종이를 본 적이 있다는 것을 알았다. 나는 위협적인 가고일 모습 뒤에 있는 희미한 지도 모양을 볼 수 있었다. 갑자기, 길먼 학교 5학년 교실에 걸려 있던 지도에 가고일이 겹쳐 있었다는 생각이 났다. 그것은 낡고 누런 세계지도였다. 그때, 나는 5학년 때 선생님으로부터 성적 학대를 당했다는 기억이 떠올랐다. 사실은 선생님이 나와 다른 아이들을 데리고 갔던 지하실을 '지하감옥the dungeon'이라고 불렀다. 그리고 내가 지하실로 끌려갈 때 소매에 상병 줄무늬가 수놓인 카키 셔츠를 입곤 했던 것이 기억났다. 그 경험들이 내 영혼에 새겨놓은 두려움은 나의 좌절, 돌파, 꿈, 명상으로 해방되기까지 계속 불타고 있었다. 나는 '성의 꿈'에서 깨지지 않고, 완전했다. 그 꿈은 내가 지난 20년 동안 살아온 공포의 지하감옥에서 벗어날 수 있는 길을 그려 보는 데 도움이 되었다. 하지만 진정으로 자유롭게 날아오르는 왜가리가 되기 위해서는, 나를 세 번째 입원을 하게 만든 극단적인 감정에서 깨어서 걸어 다니는 삶을 살면서 그 꿈을 이겨내야만 할 것 같았다.

세 번째 입원 이후 몇 달 동안, 나는 내가 만든 자조 프로그램을 시작했다.

내 내면에 결핍된 무언가를 채우기 위해 많은 시간 동안 낭만적인 관계를 찾고 있었다는 것을 깨달았다. 나는 정서적 자아emotional self의 완성을 찾고 있었다. 그러나 결코 나 스스로 찾을 수는 없을 것이라고 생각했다. 세라를 만났을 때, 나는 '그녀는 스스로 감정을 표현할 수 있어. 그러니까 나까지 그럴 필요는 없어'라고 생각했던 것이 기억난다. 나는 모성애를 찾고 있었다. 이것은 사용하기에 너무 위험한 방법이었다. 세라가 내 곁을 떠났을 때, 왜 나 자신을 반쪽짜리 사람이라고 느꼈는지 설명해 주는 것이기도 하다. 또 내가 여성들과 함께할 때 왜 항상 통제되고 있다고 느끼는지도 설명해 주었다. 만약 그녀들을 잃으면 나도 없어질 것이라고 생각했다. 그래서 나는 여성 동반자에게 덜 의존하기로 결심했다. 나는 나 스스로를 보살필 필요가 있었다. 그래서 요리에 집중했다. 만약 내가 더 나은 요리사가 될 수 있었다면, 말 그대로나 비유적으로나, 나는 나 스스로를 먹일 수 있었을 것이다.

친구들은 나의 회복에 중요한 역할을 했다. 의대에서 어두운 시간을 보내는 동안, 친구들의 지지와 재미있는 활동 모두 내 인생에 필요하다는 것을 깨달았다. 나는 스퀘어댄스 그룹을 찾았고, 소중한 친구들을 사귀었다. 그중 몇몇은 40년이 지난 지금도 친하게 지내고 있다. 나는 원래 수줍음이 많았는데 춤 리듬 덕분에 친구 만나는 것이 조금은 수월했다. 동료의 지지도 중요하지만, 우정과 사랑의 관계는 더욱 가치가 있다.

몇 달 후, 리언과 나는 우리가 좋아했던 레스토랑을 나와 집으로 가고 있었다. 다른 편에서 젊은 여성 둘이 걸어오며 대화에 열중하고 있었다. 그중 한 명이 낯익어 보였다. 나는 미소를 지었고 그녀도 내게 미소를 보내왔다. 우리는 서로 지나쳤지만, 나는 돌아서서 "잠깐만, 나 당신 알아요"라고 말했다. 곧이어 우리는 대체에너지 댄스파티에서 만났고 그녀의 이름이 티시라는 것도 알아냈다. 나는 내 친구에게 파티 참석자 명단에서 그녀의 이름을 찾아달라고 부탁했었다고 실토했다. 그녀는 참석자 명단에 자신의 정식 이름인 러티샤Letitia로 사인을 했기 때문에 티시라는 이름은 찾지 못했을 것이라고 했다. 그녀는 친구와 아파트를 구하고 있다고 했다. 나는 그녀에게 아파트 하나를 알고 있다고 했다(실제로는 빈 곳이 아니었는데, 나는 진짜 빈 아파트가 있다고 생각했었다. 지금까지도 그녀는 내가 아파트를 꼼수로 이용한 것이 틀림없다고 말한다). 그녀는 내게 전화번호를 주면서, "아파트가 있으면 전화 주세요. 그게 아니어도, 어쨌든 전화 주세요"라고 말했다. 그녀는 이전에 거의 알지 못하는 남자에게 자기 전화번호를 알려준 적이 없었기 때문에, 내 내면의 무언가를 본 것이었다. 우리는 데이트를 했고, 더 깊은 사이가 되었다.

몇 번의 데이트 후, 나는 저녁식사를 위해 티시를 아파트로 초대했다. 나는 스플릿피Split-pea(두 조각으로 쪼개서 말린 완두콩 — 옮긴이 주) 수프, 파스타와 소스, 그리고 샐러드를 만들 생각이었다. 불행히도 요리시간이 맞지 않았다. 수프와 파스타를 너무 익혔다. 그러나 티시는 내가 노력했다는 것에 감동했다. 그리고 그녀는 내가 책 선반을 만들고 있는 것에 감명받았다 — 그것은 내가 하는 일 중 거의 유일하게 건설적인 것이었다. 몇 해가 지나 집 안에 고칠 것을 발견할 때마다, 그녀는 그 선반을 만들던 것으로 내가 그녀를 속였다고 말하곤 했다. "우리 아버지처럼 당신도 손재주가 있는 줄 알았어요." 그렇게 잽을 날리는 것은 재미있었고, 그녀의 아일랜드식 유머 표현이었다. 그런 유머로 지금도 내 허점을 찌르곤 한다.

1년 후, 티시와 나는 메인Maine 숲으로 카누 여행을 갔다. 마지막 날 밤에, 우리는 호수 댐을 관리하며 혼자 사는, 으스스한 한 남자를 만났다. 날이 어두워지고 있어서 우리는 그에게 근처에 야영지가 있는지 물었다. 그는 가까운 섬을 가리키며 아주 좋은 곳이라고 말했다. 그러고는 으스스한 말투로 덧붙였다. "거기는 완벽하게 안전할 거예요. 아무도 당신들을 괴롭히지 않을 겁니다." 그날 밤 늦게, 바람이 텐트막을 때리자, 우리는 점점 무서워졌다. 그 남자가 우리에게 안전할 거라고 말한 것이 우리를 해치려는 것은 아닌지 걱정스러웠다. 우리는 서로 꼭 붙들고 있었지만 거의 잠을 자지 못했다. 오랜 시간 운전하며 돌아오는 길 마지막 즈음에, 나는 두려워지기 시작했고 예전의 편집증 느낌이 되살아났다.

나는 의과대학에 다니려고 노력했다. 하지만 어리석게도 나는 수업시간에 관악기, 녹음기를 꺼내 몇 마디 음을 연주했다. 나는 둘 다 안전하지 않기 때문에 움직이지도 않고 말하지도 않는, 익숙한 상태로 빠져드는 것을 느꼈다. 나는 한참 동안 천장을 응시하며 내가 또렷하게 표현하지 못하는 질문들을 이해하려고 애썼다. 티시는 그런 상태에 있는 내 모습을 본 적이 없었기 때문에 많이 걱정했다. 그녀에게 가장 도움이 되었던 것은 NIMH 연구원 시절 친구였던 톰Tom의 지지였다. 톰은 이전에도 내가 두 번의 정신질환을 겪는 것을 봤다. 지난 4년 동안 톰과 나는 캠프와 카누를 함께 했었다. 내가 이렇게 달라진 상태에서 티시와 나는 톰을 방문했다. 톰은 우리에게 블루베리와 크림을 주었다. 나는 그것을 꼬챙이로 하나씩 하나씩 먹으려 노력했다. 티시는 그녀가 걱정하는 것을 톰과 나누었다. 티시는 내가 이 시기를 잘 이겨낼 수 있을지 궁금해했다.

톰은 "걱정 말아요. 저 친구가 전에도 이런 상황을 이겨낸 것을 봐왔어요. 그리고 언제나 그전보다 더 강해졌어요"라고 티시에게 장담했다.

티시는 3일 밤낮을 내 곁에 붙어 있었다. 나는 이겨냈다 ─ 그리고 나는 톰이 옳았다고 믿는다. 나는 더욱 강해진 것을 느꼈다. 나는 할돌 단 한 알을 복용하면서 이 상황을 이겨냈다. 나는 친구들로부터 많은 도움을 받으며 내 악마들과 직면함으로써 두려움을 받아들일 수 있었다. 나는 지금까지도 그런 엄청난 정신질환psychiatric episode을 경험해 본 적이 없다.

또 다른 비슷한 느낌이 3개월 후에 나타났다. 1975년 겨울이었다. 아동정신과 순환근무를 위해 티시와 나는 한 달간 샌프란시스코에서 지내고 있었다. 나는 로버트 하인라인Robert Heinlein의 소설 『사랑하기에 충분한 시간Time Enough for Love』을 읽고 있었다. 소설의 어느 부분에 이르자 주인공의 컴퓨터가 질투 같은 인간의 감정을 드러내기 시작했다. 다시 한번, 인간과 기계의 경계가 모호해진 것이 나를 너무나 괴롭힌다는 것을 깨달았다. 티시와 나는 그것에 대해 오랫동안 이야기를 나누었다. 나는 할돌 1mg을 복용했다. 그때가 내가 항정신병 약물을 복용한 마지막이었다. 나는 완전한 회복을 위해 모든 약을 끊어야 한다고 생각하지는 않는다. 하지만 우리 중 많은 사람들이 조현병에서 회복이 되고 또한 어떤 약물도 더는 필요로 하지 않는다는 사실은 조현병이 영구적인 생물학적 뇌질환이 아니라는 것을 보여주는 증거이다. 내가 티시와 함께 정신병을 이겨냄으로써 우리 관계는 더 굳건해졌다고 생각한다. 나의 정신병이 가장 심했던 상태에서도 그녀가 내 곁에 있을 수 있다는 것을 알게 됨으로써, 티시를 더욱 신뢰할 수 있게 된 것을 알았다.

5년을 같이 살았지만, 우리는 둘 다 결혼을 조심스럽게 생각했다. 그래서 우리는 결혼에 대해 반대로 접근했다. 먼저 함께 집을 산 뒤 남태평양으로 신혼여행을 떠났다. 우리는 그 모든 경험을 함께하며 더욱 깊이 사랑할 수 있다는 것을 알게 되었다. 1979년 마침내 우리는 결혼했다. 최근에 나는 티시에게 내가 그렇게 극단적인 감정 상태를 겪었는데도 왜 나와 함께 사느냐고 물어보았다. 티시는 항상 나를 믿어왔고 내가 성장하고 강해질 능력이 있다고 믿었다고 말했다. 그녀는 내가 결함이 있거나 아프다고 생각해 본 적이 한 번도 없었다. 나에게 희망이 없을 때, 그녀는 희망 양동이를 들고 나타났다. 그녀 역시 나에게 의지했기 때문에, 우리는 서로를 지지하고 있었다.

정신과 레지던트 과정을 통과하기 위해서는 티시와의 관계뿐만 아니라,

회복 경험이 있는 사람들의 지원이 필요하다는 것을 나는 본능적으로 알고 있었다. 의과대학 과정이 끝나갈 무렵, 나는 동료 지원 단체 근처에 집을 구했다. 다행히 나는 케임브리지 병원의 정신과 레지던트 프로그램에 합격했다. 케임브리지 병원은 매사추세츠주 케임브리지에 있는 하버드대 부속병원이다. 나는 회복 경험이 있는 사람들이 발행하는 ≪매드니스 네트워크 뉴스Madness Network News≫를 읽고서 옹호단체인 정신질환자 해방전선Mental Patient's Liberation Front: MPLF이 케임브리지에 있다는 것을 알았다. 그래서 나는 케임브리지에 도착하기 전에 MPLF에 서신을 보내, 내가 이전 환자ex-patient(당시에는 그렇게 불렀다)이며 몇 달 안에 정신과 레지던트로 일하게 될 것이라고 전했다. 그 단체에서 곧 회신 엽서를 보내왔다. 그 엽서에는 "귀하는 이전 환자로는 우리 모임에 참석할 수 있지만 정신과 레지던트로는 우리 모임에 참석할 수 없습니다"라고 적혀 있었다. 그 엽서는 오랜 시간 내 책상 위에 그대로 있었다. 나는 그 엽서를 응시하며, 나 자신의 절반인 자격으로 어떻게 하면 그 모임에 갈 수 있을지 생각했다.

마침내, MPLF의 리더들이 나처럼 이중역할을 하는 사람을 위한 새로운 모임을 만들었다는 것을 알게 되었다. 그들은 그 모임을 'MPLF의 친구들'이라고 불렀다. 그 모임은 '정신질환'이라는 딱지가 있으면서, 다른 사람에게 그 딱지를 붙이는 것을 배우는 정체불명의 사람이라는 위험한 항해 길을 헤쳐나가는 나의 투쟁에서 나를 지지해 주는 무한히 가치 있는 존재였다. 또한 회복자로서 아이를 가지기 위해 노력하며 살아가는 사람들을 만난 것도 이 모임을 통해서였다. 그들의 사례는 나도 언젠가 내 아이를 가질 수 있다는 희망을 갖게 했다. 그리고 레지던트를 하기 위해 보스턴으로 이사했을 때, 나는 급진적 치료 네트워크를 통해 제프Jeff라는 훌륭한 치료자를 만났다.

MPLF로 가는 또 다른 가교는 내가 진료하던 한 여성이 나에게 어떤 양식

서를 건네며 한번 보라고 말했던 그날 만들어졌다. 거기서 나는 "우리의 힘으로On Our Own"라는 제목의 책 광고를 보았다. 그녀는 "작가가 내 친구인데 당신을 만나고 싶어 해요"라고 말했다. 지은이는 주디 체임벌린Judi Chamberlin이었다. 1978년 그해, 그녀는 내 인생을 완전히 바꿔놓았다. 주디는 MPLF의 리더 중 한 명이었다. 자신의 체험을 통해 구축한 해방운동liberation에 대한 그녀의 열정은 이후 33년 동안 나와 세계 도처의 옹호자들의 길을 밝혀주었다. 지금도 여전히 그렇다.

강제로 정신병원 격리실에 있던 때로부터 2년 만에 다른 환자를 위한 처방전을 작성하는 정신과 의사로의 변모는 헤쳐나가기 어려운 것이었다. 이미 말했듯이, 케임브리지 MPLF 회원들은 나를 받아들일 준비가 되어 있지 않았다. 그들은 정신과 의사 과정을 거쳤다는 이유로 나를 신뢰하지 않았다. 같은 시기, 나는 케임브리지 병원의 연수 프로그램에서 내 정신질환 전력을 털어놓지 않았다. 비록 그들이 내가 고군분투하고 있다는 것을 종종 알 수 있었다고 생각하지만 말이다.

나는 중력과 바람을 이겨내며 우아하게 날아가는 푸른 왜가리 같은 내 모습을 마음속에 그릴 수 있다. 그래서 나는 분노를 열정과 활력으로 전환시키며 이겨내야만 했다. 정신과 시스템에서 느낀 분노로부터 출발했다. 그러나 나는 그 시스템에서 일하는 억압자 중 하나로 여전히 그 안에 있었다. 그것이 나에 대한 비판의 초점이었다. 게다가 내가 회복하면서 배운 중요한 교훈이 정신과 병원의 일상적인 치료방식과 배치된다는 사실을 깨닫고 나서 나는 화가 났다. 예를 들면, 나는 정서적 고통이 아무리 극심해도 언제나 자기 내면에 도달할 수 있는 사람이 있다는 것을 나만의 강력한 개인적 경험을 통해 배웠다. 그 사람은 겉으로는 말을 못 하는 것처럼 보일 수 있지만 속으로는 다 보고 있으며, 주변 사람들이 하는 모든 말과 말투를 듣고 있다. 특히 그는 주변 사람들의 감정적인 어조에 조율되어 있다. 그 사람의 내면에 다가서기 위해서는 신뢰를 쌓는 것이 매우 중요하다. 그 사람의 개인 의지에 반하여 약물을 강요하는 것은 그 신뢰감을 깨뜨릴 뿐이다.

정신질환 경험자, 크로즈비Crosby 씨와 함께한 경험은 내가 회복 과정에서 배운 교훈과 레지던트 시절에 들었던 것 사이의 균형을 맞출 수 있는 능력을 엄격히 시험했다. 레지던트 1년 차에 응급실에서 일하고 있었는데, 크로즈비 씨가 집 창문을 통해 텔레비전을 던졌다는 전화가 걸려 왔다. 위기관리팀은 그녀가 입원해야 한다고 말했다. 나는 앰뷸런스를 타고 그녀의 집으로 갔다. 크로즈비 씨가 이전에 입원했을 때 내가 그녀의 주치의였기 때문에 그녀에게 말을 건넬 수 있을 것이라고 생각했다. 그녀는 수송용 의자에 묶인 채 구급차로 들려 왔다. 그녀는 말을 하지 않았지만, 나는 그녀의 눈에서 분명히 공포를 볼 수 있었다. 그러나 나는 그녀 안에 숨어 있는 또 다른 그녀를 감지할 수 있었다. 나는 그녀를 진정시키려고 노력했고 그녀를 돕기 위해 우리가 할 수 있는 모든 것을 말해주었다.

나는 그녀에게 그 과정이 어떻게 되는지를 천천히 설명했다. 우리가 응급실에 도착했을 때, 그녀는 말을 하지 않았고 약물복용도 거부했다. 그래서 직원들은 그녀를 주립병원으로 이송하려고 했다. 나는 말을 하지 못했던 나의 과거 상태를 상기하고서, 그녀에게 단지 '네' 혹은 '아니요'로 고개만 끄덕여만 달라고 부탁하며 의사소통을 할 수 있었다. 나는 그녀에게 자신이나 다른 사람을 해치지 않겠다고 약속할 수 있는지 물었다. 그녀는 그 말에 동의하며 고개를 끄덕였다. 나는 그녀에게 일반병원 내 자의병실에 입원시켜 주겠다고 말했다.

그녀를 병실에 입원시켰을 때, 직원들은 섬뜩해했다. 직원들은 왜 내가 긴장성 정신질환catatonic psychosis(오래 움직이지 못하는 증상으로서 운동장애의 특징을 보임─옮긴이 주) 상태에 있는 사람을 자의병실에 입원시켰는지, 그리고 왜 그녀가 자신이나 다른 사람을 해치지 않을 것이라는 데 동의한다면 강제로 약을 먹이지 않겠다고 그녀에게 약속했는지 이해하지 못했다. 직원들은 너무 겁을 먹어서 그녀에게 식사를 가져다주지도 채혈을 하지도 못했다. 그래서 내가 그 일을 해야 했다. 내 슈퍼바이저가 그녀에게 약을 먹이라고 지시를 내렸다. 아침 회진을 도는 동안 나는 몇 번이고 슈퍼바이저와 대립했다.

"왜 이 환자한테 투약을 안 하는 거야?" 그가 물었다. 나는 신뢰를 쌓고 있는 중이라고 대답했다.

그는 비웃었고, 나머지 직원들도 따라 웃었다. "피서 박사가 정신병 환자와 신뢰를 쌓고 있다! 그건 말도 안 돼. 선택 치료로 소라진 400mg 투약해."

며칠이 지나자 말을 하지 못하는 그녀와 비언어적 의사소통을 통해 소통을 하는 데 큰 진전을 이루었다. 하지만 닷새째 되는 날 슈퍼바이저가 진저리를 치며 부원장에게 전화를 했다. 나는 훈련 프로그램을 그만두게 될 수도 있을 것 같아 한 발 물러섰다. 그래서 크로즈비 씨는 강제 약물 치료를 받았다. 그녀는 퇴원하자마자, 약을 먹기 전에 내가 그녀와 소통하며 신뢰를 쌓고자 보냈던 며칠의 시간에 대해 감사해 했다. 그 후 그녀는 거의 입원하지 않았다.

내가 레지던트 과정을 통과한 것은 놀랍다. 정신질환 경험자들에 대한 나의 관점과 정신과 과장의 관점 사이에 엄청난 철학적 견해차가 있었다. 나는 사람들의 차트를 읽는 것을 싫어했다. 그것은 모욕적이고 비인간적이다. 대신, 나는 차트를 읽기 전에 그 사람에 대해 직접 아는 것을 더 좋아했다. 그리고 회진에서 프레젠테이션을 할 때, 나는 내가 관찰한 것에 기반하여 그 사람에 대한 인상을 전인적인 한 사람으로 묘사하곤 했다. 어느 날, 나는 치료를 받으러 온 사람과 몇 번 인터뷰를 하기 전에는 차트를 읽지 않는다고 직원들에게 실토했다. 그때 과장은 내가 무책임한 행동을 하고 있다고 말했다. 우리는 일대일로 열띤 설전을 벌였고, 나는 다시 훈련 프로그램에서 쫓겨날 뻔했다는 것을 알았다. 그래서 나는 몇 가지를 양보했다.

나는 정신과 의사로 일하는 동안, 다른 사람이나 내가 감정적 고통을 겪으며 말을 못 하는 상태에서도 소통할 수 있는 언어를 발견해 나갈 수 있었다. 아무리 화가 많이 났더라도 각 사람의 내면에는 강력한 힘의 중심이 숨어 있다고 생각해 왔다. 나는 그 강하고 강력한 핵심을 그 사람의 참된 자아true Self라고 부른다. 나는 사람이 아무리 고통스러울지라도 강력하고 핵심적인 참된 자아가 늘 그들 안에 있다는 것을 기억하는 것이 중요하다는 것을 깨달았다. 위기에 처한 누군가를 도울 때, 나는 그들 자신 안에 숨겨진 힘을 끌어낼 수 있다는 자신감을 전하는 방법을 활용하며 항상 그와 함께하려고 노력한다. 이러한 관점은 정서적 심폐소생술eCPR에 대한 내 일에도 크게 도움이 되었다. 정서적 심폐소생술은 제8장에 설명되어 있다.

나는 종종 내 지식의 근원이 나의 경험에서 나온다는 것을 밝히고 싶었다. 그러나 내가 레지던트를 하는 동안에는 그렇게 하는 것이 안전하지 않을 수 있다는 것을 깨달았다. 레지던트를 마치고 몇 달 후, 나는 보스턴의 한 텔레비전 토크쇼인 〈사람들이 말한다People are Talking〉에서 강제치료 이슈로 토론을 해달라는 출연 요청을 받았다. 주디 체임벌린도 이 프로그램에 출연할 예정이었다. 방송에 '강제치료 찬성pro-coercion'의 관점을 대변할 정신과 의사를 참여시켜도 되겠느냐는 질문을 받았다. 그들 중 한 사람이 내가 잘 아는 그 정신과 과장이었다. 방송 준비를 하고 있을 때, 나는 그에게 내가 레지던트를 하기 전에 여러 번 정신병원에 입원한 적이 있음을 공개할 것이라고 말했다. 그는 "이제는 입원하는 게 유행이 됐어"라고 말했다. 나는 그의 말과 무시하는 태도에 격분하여 내가 레지던트를 하는 동안 담아두었던 모든 원망을 그에게 퍼부어 주고 싶었다. 하지만 그 대신, 나는 정신건강 상태에 딱지가 붙은 모든 사람의 권리 증진에 더 큰 대의가 있다고 생각했고, 내 분노를 열정으로 바꾸어 옹호와 그 쇼를 계속 진행했다.

내가 정신과 의사가 될 수 있고, 또 인간성을 유지할 수도 있다는 것을 스스로 점점 받아들였다. 일을 넘어선 나의 삶과 자아감sense of Self을 채워나감으로써 내가 그것을 수용할 수 있게 되었다고 생각한다. 나에게 가족과 친구가 있다는 것은 내가 한 인간으로, 다양한 차원을 가지고 있을 뿐 아니라 정신과 직무를 수행하고 있다는 것을 의미한다.

내 인생에서 가장 중요한 과업은 우리 아이들이 건강한 성인으로 성장할 수 있도록 아내를 돕는 것이었다. 1982년 큰딸 케이틀린Caitlin이 태어난 순간부터 지금 이 순간까지, 우리의 가장 중요한 관심사는 언제나 두 아이의 성장과 발전에 있었다. 아이들과 너무 밀착되어 있어서 나는 아이들이 꿈을 이루기 위해 떠나는 것을 지켜보기가 어려웠다. 케이틀린은 대학을 졸업하고, 프로 축구선수의 꿈을 이루기 위해 브라질의 작은 마을로 여행 가기로 결심했다. 나는 10년 전 멕시코에서 찍었던 흰 왜가리 사진 한 장을 케이틀린에게 주었다. 뿌리가 물 위로 드러난 맹그로브(강가, 늪지에서 뿌리가 지수면 밖으로 나오게 자라는 열대 나무 ─ 옮긴이 주) 숲 앞에서 왜가리가 날고 있는 사진이었다. 나는 케이틀린에게 우리가 그런 여행에 필요한 날개와 뿌리를 너에게 줄 수 있으면 좋겠다고 말했다. 케이틀린은 우리가 그랬다고 했다. 나는 눈물을 흘린 것에 대해 사과했고, 케이틀린은 나를 껴안고 "완벽해요"라고 말했다. 그녀는 브라질에서 1년 반 동안 매우 만족스러운 시간을 보냈다.

몇 년 전, 나는 둘째 딸 로런Lauren을 양육했던 시기를 회고했다. 로런은 아버지날에 나와 점심을 먹으러 왔었다. 우리는 함께 뒷마당을 바라보고 있었다. 우리는 그곳에서 생일축하를 많이 했었다. 나는 로런에게 너희들이 행복하고 충만한 사람으로 자라도록 우리는 항상 최선을 다해왔다고 말했다. 로런은 내 손을 잡고 우리가 자기들에게 어떤 부모도 줄 수 없는 최고의 선물을 준 것으로 느껴왔다고 말했다. 로런은 우리가 자신이 되고자 했던 자아Self를 가질 수 있게 도와주었다고 했다. 비록 두 딸 모두 파격적인 길을 택하기는 했지만, 꿈을 좇고 있고, 그렇게 하는 것이 행복해 보인다. 아이들은 큰 돈을 벌거나 권력과 명망 있는 자리에 오르지 않겠지만, 나는 아이들을 믿고, 아이들 역시 자신 스스로를 믿고 있다.

내 인생의 또 다른 과업은 24년 전, 주디 체임벌린, 팻 디건Pat Deegan, 로리 어헌Laurie Ahern과 함께 설립한 '전국역량강화센터the National Empowerment Center: NEC'에서 일하는 것이다. 그 일을 통해 나는 '대통령 정신건강 신자유위원회 the President's New Freedom Commission for Mental Health' 위원으로 선발되었다. 위원회에서 맡은 역할을 통해, 나는 정신건강에 관한 국가 논의에서 '회복'의 개념을 거론할 수 있게 했다. 나는 소비자consumer, 생존자survivor 운동의 세계와 전통적 정신건강 시스템의 세계, 두 세계 사이의 가교 역할을 하는 것이 위원회에서 내가 해야 할 역할이라고 생각했다. 나는 두 영역의 세계에서 모두 신뢰를 받고 있었기 때문에 그들이 서로를 이해하도록 도울 수 있었다.

내가 '조현병'에서 회복된 것은, 내 가족을 치료하는 것이 나의 소명이었던 순종적이고 의무감에 충실한 아들에서, 자아를 인식하고 자아가 지시하는 대로 사는 성인으로 변모하는 영적 진화 과정이었다. 나는 돌파구를 찾기 위해 부수고 나와야 했다. 내가 사람들을 알아가고, 또 사람들이 나를 알아가는 것에 대한 두려움을 극복해야만 했다. 정서적·영적 차원에서 다른 사람들과 연결되는 것은 내 영적 진화에 필수적인 측면이었다. 내 영혼이 더욱 강해지고, 나의 감정과 열정, 그리고 좋아하는 것과 싫어하는 것을 더 쉽게 표현할 수 있다고 느낀다. 그러한 선호를 통해 나는 내가 누구인지 그리고 나에게 가장 중요한 것이 무엇인지 이해한다. 나를 이해하고 받아들이면서, 존재 이유를 나에게 제공하는 의미를 찾았다. 나 스스로에 대해 더 편안함을 느낄수록, 다른 사람들이 그들 자신인 것에 대해 더 편안해진다. 나는 더 깊게 들을 수 있으며, 타인들 속에서 나를 잊어버릴 수 있다는 것에 두려움을 느끼지 않는다. 나는 그들이 나처럼 바뀌어야 할 필요성을 느끼지도 않는다. "자유롭게 … 너와 내가 되자" 같은 동요처럼.

2011년 5월, 나는 아이슬란드 텔레비전에서 인터뷰를 했다. 아래 인터뷰 녹취록은 나의 회복 경험에 대한 생각을 간단하게 요약한 것이다.

문(인터뷰 질문): 어떻게 회복하셨나요?
답(나의 답변): 내 주위에는 항상 나를 믿는 사람들이 있었습니다. 나는 전국역량강화센터를 운영하고 있습니다. 우리 센터의 주요 임무는 사람들에게 희망을 주는 것입니다. 내 주위에는 항상 내가 회복할 수 있다고 믿는 사람들이 있었습니다. 가족, 친구, 그리고 치료자가 그들입니다. 1970년대 초반에는 역경에 대해 낙관주의가 있었습니다. 사람들은 권리가 있다고 생각했습니다. 그래서 내가 비록 병원에 입원했더라도, 나의 가족과 친구들은 모두 나에게 권리가 있다고 생각했습니다.
제 꿈은 정신과 의사가 되는 것이었습니다. 열쇠를 들고 모든 사람들이 정신병원을 나가게 하고 그들이 회복하도록 돕는 의사 말입니다. 다행히도, "그래요. 당신은 할 수 있을 거라 믿어요"라고 말해주는 치료자가 있었습니다.
문: 하지만 조현병은 회복되지 않는다는 공감대가 있잖아요.

답: 그런 일반적인 믿음이 있지요. 그러나 사실에 근거한 믿음은 아닙니다. 증거가 없습니다. 우리처럼 회복된 사람들, 바로 우리가 회복될 수 있다는 증거입니다. 그러나 회복된 많은 사람들이 회복되고 나면 사회로 되돌아갑니다. 사회에는 여전히 스티그마와 차별이 있기 때문에 그 사람들은 그 사실을 말하고 싶어 하지 않습니다.

문: 박사님은 편견에 맞서 싸우셨네요?

답: 나는 당신의 문제가 아무리 심각하더라도, 깊은 내면에는 건강한 사람이 있고, 그 사람이 당신의 회복을 안내해 줄 수 있다는 것을 세상이 알았으면 좋겠습니다. 당신의 주변 사람들과 당신 자신의 내면 안에 있는 그 사람을 불러내기만 하면 가능한 일입니다.

문: 그것을 위한 핵심은 무엇인가요?

답: 핵심은 내면의 건강한 중심을 찾는 것입니다. 자신의 내면, 그리고 타인에게서 그것을 발견하는 것입니다. 저는 제가 남을 언제 도와야 하는지를 압니다. 그들 눈의 반짝임, 미소, 활력이 되살아나는 것을 보면서 저는 그들의 중심부와 가까워지는 시기를 알게 됩니다. 우리는 이것을 인간의 핵심부person's vital center, 또는 자아감sense of Self이라고 부릅니다. 사실 우리는 정서적 심폐소생술emotional Connect, emPower, Revitalize: eCPR (정서적 연결, 역량강화, 재활력)이라고 부르는 프로그램을 개발했습니다.

문: 역량을 강화한다는 것은 그 사람의 강점을 활용해서 강점이 발전할 수 있도록 돕는다는 것을 의미하나요?

답: 사람들은 자신의 목소리를 가지고, 자기의 중심에서 소리를 낼 수 있어야 합니다. 그렇게 할 때, 그만큼 외부의 목소리에 괴로워하지 않습니다. 조현병의 전형적인 특징 중 하나는 이상한 생각이 들거나 이상한 소

리가 들리는 것입니다. 나도 골치 아픈 생각이 있었지만, 나의 목소리를 가지게 된 이후로는 그런 생각이 사라졌습니다. 예술가의 목소리처럼, 그것은 당신을 유일무이하게 합니다.

문: 시스템이 바뀌어야 한다는 것에 대해 어떻게 생각하십니까?

답: 지금 시스템은 생물학과 약물에 너무 고착되어 있습니다. 저는 원래 생화학자였습니다. NIMH에서 세로토닌과 도파민을 연구했어요. 우리는 서로 화학반응을 합니다. 당신과 내가 대화를 나눌 때, 거기서 화학반응이 일어납니다. 특히 스파크가 일어나면, 그것이 바로 연결이 이루어지는 것입니다. 하지만 그것은 우리가 누구인가 하는 것에 비하면 부차적인 것입니다. 약물은 일시적으로 도움이 될 수 있습니다. 나는 약물치료에 반대하지는 않습니다. 하지만 그것이 지나치게 강조되고 약으로 그들을 치료할 수 있다고 믿게 되면, 그들은 그냥 약만 먹고 다른 것은 아무것도 하지 않을 것입니다. 언젠가 내 내담자 중 한 사람이 말한 것처럼, "약물치료는 나에게 기틀을 제공해 주지만, 나는 집을 짓습니다". 우리 삶을 위한 집. 당신은 당신 인생의 화가가 되어야 합니다. 우리 모두는 우리 마음의 예술가이므로 우리의 집을 짓습니다.

우리가 바라보는 회복은 모든 이들을 위한 미래, 그리고 비전입니다. 우리는 그것을 하나의 목표로, 희망으로, 그리고 신념으로 정해놓았습니다. 만약 이것이 받아들여진다면, 우리의 정책은 지금처럼 단지 증상을 줄이고 유지하는 것으로부터, 꿈을 찾고, 의미 있는 관계를 만들며, 의미 있는 일을 하면서 사회에서 진짜 충만한 삶을 사는 것으로 바뀔 것입니다. 그것이 바로 우리가 원하는 것입니다.

문: 박사님은 희망의 역할을 강조합니다.

답: 나는 잘못된 절망감을 주는 것보다 희망을 주는 것이 낫다고 봅니다. 지금 우리의 시스템이 그런 잘못된 절망감을 주고 있습니다. 젊은 사람들이 정신질환에 걸리게 되면, 흔히 "제한된 범위에서 생활해라. 너의 삶에 너무 많은 기대를 하지 마라"라는 말을 듣습니다. 이것은 사람을 자살하게 만드는 것과 같습니다. 왜냐하면 사람들에게는 희망이 필요하기 때문입니다.

내 어머니는 몇 년 전, 아흔여덟의 나이로 돌아가셨다. 어머니는 내가 나의 삶과 회복에 관한 책을 쓰기를 늘 바라셨다. 어머니는 말의 힘을 믿는 사람이었다. 사실, 나는 어머니의 일기장을 많이 가지고 있다. 어머니의 죽음은 나에게 매우 내밀한 관계의 시기였다. 어머니가 내가 태어났을 때 그곳에 있었던 것처럼, 나는 어머니의 마지막 날에 내가 거기에 함께 있어야 한다고 생각했다. 우리가 이 생에서 빠져나가는 길은 우리가 그 생으로 들어오는 길과 비슷한 것 같다. 이런 절정의 경험 속에서 수수께끼에 덮여 있던 삶이 조금씩 그 모습을 드러낸다.

어머니는 몇 년 동안 실수를 하기도 했지만, 강한 영성을 유지하셨다. 매일 아침 항상 머리를 매만지고 화장을 한 후, 주방으로 내려가셨다. 어머니는 종종 아래층에서 밤 열 시까지 머물며 오래된 수천 장의 사진을 분류해서 어머니의 변함없는 친구인 페미Femi와 헤더Heather에게 보여주곤 했다. 30년 동안 어머니의 비서였던, 아니 그 이상이었던 제이Jay는 일주일에 3일씩 어머니 집에 왔다. 제이는 점점 건강이 나빠지고 있었지만, 어머니의 곁을 절대 떠나지 않았다.

어머니가 아흔 초반이 되어 주택재건축사업에서 은퇴한 후에 제이와 어머니의 관계가 조금씩 변화되어 갔다. 제이는 어머니의 거래계산서를 관리하던 일에서 어머니의 개인적 돌봄을 조력하는 일을 했다. 제이는 힘들어하지 않고 역할 변화를 받아들였다. 지난 30년간 변하지 않는 한 가지는 두 사람이 끊임없이 말다툼을 했다는 것이다. 두 사람이 말싸움을 하는 아이처럼 보일 때면, 내가 싸움을 말리곤 했다. 어머니는 정기적으로 제이를 해고하곤 했고, 해고되었던 제이는 다시 돌아오곤 했다. 때로, 제이는 어머니를 편안하게 하려고 너무 가까이 서 있곤 했다. 그때 어머니는 단호하게 "너는 너무 가까이 있어, 저리 가"라고 말하곤 했다. 그러면 제이는 사무실로 돌아가 조용히, 그리고 참을성 있게 어머니의 호출을 기다렸다. "제이, 제이, 어디 있어?" 하면서 어머니는 곧 전화를 걸곤 했다. 그렇기에 제이가 어머니를 마지막으로 돌보던 날, 어머니가 제이에게 작별인사를 하지 않는 것에 대해 내가 놀라지 말았어야 했다. 나는 어머니에게 제이와 인사하도록 부탁했지만, 어머니는 단호하게 눈길을 돌렸다. 어머니는 제이가 심장이 나쁘다는 것을 알고 있었지만, 어머니는 제이가 작별인사를 하고 떠나는 것에 화가 많이 나 있는 것으로 보였다.

그다음 주가 되었는데, 어머니도 제이도 서로에게 전화를 하지 않았다. 나는 어머니에게 제이에게 전화를 하는 것이 어떻겠냐고 말했다. 하지만 어머니는 제이에게 전화하지 않았다. 제이에게 전화를 하면 어머니께 도움이 될 거라고 했지만, 어머니는 "제이에게 도움이 되는 거겠지. 나한테 도움 되는 게 아니야"라고 대답했다. 결국은, 어머니의 친한 동료인 페미가 전화로 두 사람의 만남을 주선할 수 있었다. 하지만 우리는 제이가 여든아홉 살을 얼마 앞두고 갑자기 세상을 떠났다는 소식을 듣게 되었고 모두 슬픔에 빠졌다. 제이의 아들은 말하기를, 제이가 어머니를 돌보는 일을 그만두고 인생의 목표를 상실한 것처럼 느꼈다고 했다. 어느 날, 예전에 어머니와 함께 타운슨에 세웠던 교회로 제이는 차를 몰고 가 정성들여 추도식을 올렸다. 그리고 그날 저녁 집에서 사망했다.

어머니를 돌보던 우리 모두는 제이가 죽은 후 어머니가 침대에 더 오랫동안 누워 계신다는 것을 알아차렸다. 어느 날 아침, 어머니가 아래층으로 전혀 내려오지 않았다. 어머니는 침대에서 일어나기 위해 점점 더 많은 도움이 필요했고 종종 일찍 자고 싶어 했다. 어머니는 살아가는 데 흥미를 잃은 것 같았다. 10월 초순의 어느 날, 어머니는 너무 쇠약해져 침대에서 일어날 수 없었다. 미열이 있는 것 같아서 의사가 어머니를 동네 병원에 입원시켰다. 열과 충혈을 제외하고, 어머니의 신체검사 결과 모든 것이 정상이었다.

제이의 추도식이 있던 날, 누이 샐리와 나는 어머니 병원에 방문했다. 어머니는 무서워하는 것 같았고 침대 옆을 너무 꽉 붙잡고 있었다. 어머니는 다리를 움직일 수 없지만 우리가 부축하면 움직일 수 있고 심지어 걸을 수도 있다고 말했다. 병원에서는 재활을 위해 어머니가 계속 입원해 있기를 바랐다. 하지만 어머니는 우리에게 퇴원하고 싶다는 뜻을 분명히 했다. 어머니는 반복해서 집에 머물고 싶다고 말했다. 이후 며칠 동안 내가 전화를 걸 때마다 어머니는 음식에 대해 불평하며 집에 가야 한다고 말하곤 했다. 그래서 나는 어머니를 집으로 모셔왔고, 어머니는 돌아와서 기뻐했다. 어머니는 밤에 일어나 내 방으로 왔다. 어머니는 혼란스러워 보였다. 나는 어머니에게 내가 누군지 알아보겠냐고 물었다.

어머니는 "가까운 친척 중 한 명이지"라고 장난스럽게 대답했다. "사실, 당신은 내 어머니예요." 나는 어머니가 정신을 차리도록 애썼다. 하지만 어머니는 "당신이 내 엄마예요"라며 되받아쳤다.

어머니가 옳았다. 그 마지막 날들에 나는 어머니의 엄마가 되었다. 아마도, 그 역할을 떠맡음으로써, 나는 어머니가 이 생을 빠져나갈 수 있도록 도운 것 같다. 어쩌면 나는 어머니가 그녀의 인생 주기를 완성하고 이 세상에 들어온 것처럼 그렇게 떠나는 것을 돕고 있었는지도 모른다. 어머니는 우리가 세상에 들어온 순간의 경험을 다시 경험할 수 있었을 것이다. 지금 이 순간에 있음으로써, 어머니는 삶에 대한 집착을 놓기가 좀 더 쉬웠을지도 모른다.

※

그다음 2주 동안 어머니는 걷기를 시도하면서 일시적으로 나아졌다. 하지만 어머니는 또 다시 침대에 머물기 시작했다. 나는 정신건강에 문제가 있는 청년의 부모들에게 연설을 하기 위해 텍사스에 간 적이 있다. 그곳에서 어머니에게 전화를 걸었다. 어머니는 내가 그 청년들에게 작은 희망을 주고 있다는 말을 듣고 기뻐하셨다. 그리고 연설장에 얼마나 많은 사람들이 모여 있는지 물으셨다. 어머니는 항상 내가 많은 사람들과 함께하기를 원하셨기 때문이다. 할로윈에 어머니 친구 한 분이 전화를 했다. 그녀는 어머니가 음식이나 음료를 손에서 내려놓지 못하는 것을 매우 걱정했다. 의사가 어머니를 방문해 혈액 검사를 했다. 다음 날 저녁, 나는 의사와 이야기를 나누었다. 그는 어머니의 신장이 기능을 멈췄다고 알려주었다. 의사는 어머니가 이삼일밖에 살지 못할 것이라고 말했다.

나는 볼티모어로 날아갔고 어머니가 위독한 상태임을 알 수 있었다. 어머니는 여전히 음료를 삼킬 수 없었고 의식이 왔다 갔다 했다. 나는 재빨리 형제, 아내, 딸, 조카들에게 알렸다. 곧 가족들이 도착했고, 그날 오후는 마법과도 같았다. 어머니는 항상 젊은 가족, 친척들에게 둘러싸여 있을 때 신명나게 좋아했고, 그날도 예외는 아니었다. 어머니는 깨어나서 내 딸들에게 예쁘다고 말했다. 로런은 나무에 올라가곤 해서 손에 상처가 나 있었다. 어머니는 로런에게 손이 왜 그러냐고 물으셨다. 로런은 나무에 오르고 있었다고 말했다. 어머니는 로런에게 정상에 올랐느냐고 물었고 로런이 그랬다고 하자 몹시 열성적으로 "그게 가야 할 길이야!"라고 말했다. 어머니는 케이틀린에게 어디에 살고 있는지 물었다. 케이틀린이 (잠시) 보스턴에 있다고 말하자 기뻐했다. 케이틀린이 여행했던 여러 장소에 대해 듣는 것에도 신명 나는 것 같았지만 말이다. 과거에도 늘 그랬듯이, 어머니는 아이들을 격려하기 위해 최후의 힘을 부어주었다. 아이들은 여전히 자기 안에서 할머니의 영혼을 강하게 느끼고 있다. 지난 30년간 내 딸들이 어머니를 알고 지낸 것이 나는 너무나 기쁘다.

그날 저녁 길크레스트Gilcrest 호스피스에서 평가 간호사가 왔다. 그녀는 매우 든든했다. 그녀는 우리가 어머니에게 위로와 보살핌을 제공하는 것을 보고 특별한 처치를 하지 않으려는 어머니의 뜻을 따르고 있음을 이해했다.

그날 밤 나는 어머니 옆에서 잘 수 있도록 어머니 방으로 매트리스 하나를 끌어왔다. 나는 어머니가 인생의 밤길을 여행하는 동안 혼자 그 밤을 여행하도록 내버려 두고 싶지 않았다. 나는 종종 그날 밤이 어머니가 가장 좋아했던 딜런 토머스Dylan Thomas의 시 「그 좋은 밤으로 점잖 빼고 가지 마라Do Not Go Gentle Into That Good Night」의 그 밤이었다는 생각을 했다.

어머니는 밤중에 몇 번이나 깨어났다. 우리 아이들이 아기였을 때 내가 했던 것처럼, 나는 어머니와 함께 깨어났다. 한번은 어머니가 침대에 똑바로 앉아 있다가 몸을 돌려 나를 몹시 걱정스럽게 바라보았다. 그리고 나를 보고 웃으며 "아, 거기 있구나"라고 말하고는 고요하게 다시 누웠다. 때로 케이틀린과 로런이 아기였을 때 그랬던 것처럼 나는 어머니를 달래고 노래를 불러주기도 했다.

어머니가 이 지구상에서 마지막 날을 보내는 동안, 어머니는 매우 무겁고

가파르게 숨을 쉬면서 혼수상태에 빠졌다. 티시는 어머니와 함께 시간을 보냈다. 나는 티시에게 어머니가 쓴 책인 『나비 그리고 돌The Butterfly and the Stone』을 읽어드리라고 말했다. 혼수상태에 빠진 사람들도 계속 들을 수 있다고 들었다. 티시는 나중에 나비가 날아가는 통로에 다다랐을 때 나에게 책을 그만 읽어야 한다고 말했다. 어머니가 떠나는 시간이 너무 가까이 다가왔기 때문이었다. 그날 저녁, 어머니가 마지막 숨을 거두었을 때 우리는 클래식 음악을 들으며 어머니와 함께했다.

분명히, 어머니를 떠나보내는 것은 힘들었다. 딸 로런이 만든 사랑스러운 푸른 항아리에 어머니의 재를 넣고 있을 때 그런 생각이 들었다. 나는 그냥 작은 재를 항아리에 담고 싶었다. 로런은 "할머니와 작별을 하는 게 힘들어 보여요"라고 말했다. 사실, 그것은 사실이었고 지금도 그렇다.

비록 어머니가 조금만 더 살아 계셨으면 하고 바라기도 했지만, 어머니가 더는 고통이 없기도 바랐다. 어머니의 멋진(물론 때로는 정말 짜증나는) 목소리도 그립고, 어머니의 크고 활기찬 웃음소리도 그립다. 음식을 치워라, 우편물 가져와라, 제이를 해고해라, 내가 거기 있는 것을 안다, 하면서 내 이름을 부르는 어머니의 목소리를 더는 들을 수 없다. 하지만 나는 여전히 내 안에서 어머니가 부르는 소리를 들을 수 있다.

제2부
역량강화를 통한 인생의 회복

인간관계가 결정적이다. 희망, 신뢰, 이해, 연결 맺기, 깊게 연결 맺기, 타인에 대한 믿음 등은 삶의 회복에 매우 중요하다. 이는 가슴 깊은 어떤 곳에서부터 관계 맺기를 하는 것인데, 과거 나의 상호 작용에서는 대체로 이런 관계 맺기가 결여되어 있었다. 우리가 정말로 좋은 친구 또는 연인과 함께 있는 방식이 이것이다. 당신이 같은 파장에 있다는 것을 느낀다. 거기에는 화학반응이 있다. 당신은 공명한다. 우리는 대부분 그런 순간들을 기억할 수 있다. 당신은 최초의 '사랑'을 기억하는가? 당신이 아기였을 때 당신 어머니와 맺은 바로 그 최초의 '사랑'을. 또는 당신의 아이를 돌봤던 때 그런 순간이 만들어졌을까? 나는 내 아이들, 내 아내, 친구 또는 다른 가족구성원의 눈을 들여다보면, 그들의 세상을 느낀다. 나는 그들의 감정 그리고 나의 감정을 경험할 수 있다. 그런 인간관계를 통해 나는 점차 더 의식화되어 간다. 거기에 서로 사랑하는 관계가 있다.

철학자 마르틴 부버Martin Buber는 자신의 책 『나와 너I and Thou』에서 '내면으로 관계 맺기'의 중요성을 웅변적으로 포착했다. 그는 나와 너의 관계를 나와 그것의 관계와 대조시켰다. 부버에 따르면, 나와 그것의 접촉은 인간관계가 아니다. 그 접촉은 사람과 기계, 또는 기계와 서로를 객체로 보는 사람 사이에 생긴다. 첫 20년의 나의 삶 동안, 나의 세계는 점차 나와 그것이 접촉한 세계로 변했다(나와 나 자신의 접촉을 포함해서). 나의 회복은 나와 그것의 접촉에서 나와 너의 관계 맺기로 전이하는 과정이었다. 나 스스로 이 책을 써 내려가면서, 나는 나와 너의 내면의 관계 맺기에 확신을 느껴야 했다.

이 책을 처음 쓰려고 시도했던 몇 년 전만 해도, 나는 내 이야기를 해나가는 과정에서 나의 새로운 자아가 나의 낡은 자아를 인수해서 제거해 버릴 것 같아 두려웠다. 나의 낡은 자아는 나의 새로운 자아를 두려워했다. 나의 새로운 자아를 두려워하는 것 때문에 내가 (그리고 조현병이라고 딱지가 붙은 다른 사람이) 과거에 발목 잡힐 수도 있었다. 그 대신 나는 나의 낡은 자아에게 이렇게 말했다. "너는 나의 일부야. 내가 단어를 쓸 때마다 나는 너의 일부야." 우리가 진정으로 다른 사람과 연결되면 거의 대부분 우리 자신이 변형되는 이 같은 마법이 생긴다. 깊은 인간관계를 맺으면 독립적인 듯이 보이는 다양한 나의 자아가 함께 모여 자아 공동체로 변하게 한다. 내가 말하는 바로 나의 자아Self로.

20년 전 나는 그것을 이렇게 썼다.

내 내면에 어떤 자아Self가 있다. 점차 타인과 나를 점차 더 많이 의식하는 어떤 영혼이 그 자아이다. 그 자아는 나의 안내자가 되고 있다. 그것은 현재 나 자신의 모든 것을 감싸 안는다. 나의 자아는 나를 구성하는 화학성분, 나의 배경, 나의 트라우마를 포함한다. 아니, 그 이상이다. 내가 타인과 접촉할 때의 창조적 불확실성의 바로 그 순간 나의 관계 맺기에서 내가 되고자 추구하는 바로 그 나이다. 우리 모두 곤경에 저항하며 "좋아Yes"라고 말하는 바로 그 순간, 우리의 삶은 다음 순간 우리가 어떻게 살지와 무관하게 계속 앞으로 나아갈 것이다. 우리는 매 순간 우리의 삶을 창조하고 있다.

나는 지금 거기에 다음과 같이 덧붙인다.

우리는 진정 서로 그리고 나의 자아와 깊은 연결 맺기가 필요하다. 이를 통해 매 순간 우리의 삶을 창조할 수 있다. 이런 관계 맺기를 통해 다음 순간과 다리로 연결되고, 우리가 불확실성 속에서 살아갈 수 있게 된다. 그래야 새로운 어떤 것, 예기치 않은 어떤 것이 우리의 가장 깊은 내면의 자아로부터 등장할 수 있게 된다. 그러한 관계 맺기가 없을 때 우리는 똑같은 사고와 이념을 영원히 반복하도록 저주받게 된다. 그 사고와 이념이 그리고 거기에 발목 잡힌 사상가들이 시대의 현실로부터 분리될 것이다.

❋

나와 공명하는 글을 쓴 다른 철학자는 러시아의 철학자이자 문학비평가인 미하일 바흐친Mikhail Bakhtin이다. 그는 부버의 전통을 이으면서, 대화의 정수를 더 정교히 했다. 그는 이렇게 말했다. "대화는 삶이다. 사는 것은 대화 속에 있다. 대화 속에 있는 것은 인간이 되는 것이다." 인간성의 회복은 나와 너의 대화를 통해 가장 잘 달성될 수 있다고 내가 믿는 이유가 바로 이것이다. 나와 너의 관계는 현재의 순간에 가장 잘 살아 있다. 과거에 집착하거나 현재를 희생하고 미래에 초점을 맞추면 그 관계는 사라진다. 과거나 미래에 대한 과도한 집중은 정신병을 유발할 수 있다. 오픈 다이얼로그는 그 사람과 그의 관계망을 함께 현재로 되돌려 놓기 때문에 성공적이었을 것이다.

정신건강 회복률이 한때 높았던 시기와 장소가 미국에 있었다. 1987년 코트니 하딩Courtney Harding은 1955년부터 1960년 사이 버몬트Vermont 주립정신병원에서 퇴원한, 조현병 그리고 다른 정신질환을 가진 269명을 추적한 연구 결과를 발표했다. 그녀의 연구는 퇴원 환자의 68%가 완전히 또는 현저하게 회복했음을 보여주었다. 같은 기간 메인Main주의 회복률을 비교했을 때 같은 결과치는 49%였다. 그녀의 결론에 따르면, 두 주의 회복률에서의 결정적 차이는 버몬트주에서는 사람들이 회복할 것이라는 기대가 있었고, 이 전제하에 프로그램이 만들어졌던 것에 있다고 한다. 반대로 메인주에서는 회복에 대한 기대가 훨씬 낮았다. 치료의 주된 초점은 관리에 있었다는 것이다.

제4장
내 삶을 회복하는 동안 배운 것

정신병원에 세 번 입원한 이후 수십 년 동안, 나는 스스로에게 물었다. "나에게 무슨 일이 일어났을까? 왜 이런 일이 일어났을까? 어떻게 하면 다시는 그런 일이 일어나지 않게 할까?" 나의 내면 깊은 곳에서 등장하기를 갈망하는 어떤 나 자신이 있다는 것을 깨달았다. 젊었을 때 나는 나 자신이 등장하는 것을 봉쇄했다. 단지 연구실에서 위대한 발견을 하려고 했을 뿐이다. 삶의 다른 모든 측면들은 부차적인 것처럼 보였다.

지금은 내가 내 삶과 자발성을 질식시키고 있었음을 인식하고 있다. 나의 합리성과 야망은 내가 맺고 있는 인간관계를 독살하고 내면의 자아 성장을 박탈하고 있었다. 내면의 자아는 굶주리고 있었다. 그 깊숙한 내면의 나는 이런 삶의 방식을 따르기를 거부하고 반란을 일으켰다. 나는 그것을 읽어내는 대신 직접 세상을 경험할 수 있는 방법을 추구했다. 나는 단지 만족감이 결여되었다는 것만을 알았다. 나는 현대무용, 다른 종류의 치료법, 많은 인간관계, 그리고 마약을 시도했다. 돌파구를 찾으면서 시도한 나의 합리성에 대한 이런 무모한 공격으로 정신질환이 발병했다. 치료, 친구, 저널 검색을 통해 서서히, 나는 깊은 내면의 나에 관해 배우기 시작했다. 내가 가장 갈구했던 것은 깊은 차원에서 맺는 진정한 인간관계라는 것을 배웠다. 사실, 나는 이제 연결 맺기가 자아 성장, 따라서 삶의 회복에 중요하고 필수적인 요소라고 믿는다. 활력 있는 인간관계를 통해 보다 깊은 내면의 자아 성장을 일깨우는 것이 사랑의 본질이다. 사랑하는 친구가 루이스 에벌리Louis Éverly의 명상을 보내왔다.

사람을 사랑하는 것은 소환하는 것을 말한다
　가장 큰 소리로 가장 고집스러운 목소리로.
그것은 그들 안에 있는 어떤 것을 휘젓는 것이다
　침묵하고, 숨어 있는 존재를
　　우리 목소리를 듣고 깨어나지 않을 수 없는 존재 —
　아주 새로운 존재
　　　그를 갖고 있는 사람조차
　　　그를 몰랐지만
　　　그리고 너무나 솔직해서
　　　그를 알아보지 않을 수 없는
일단 그를 알아보게 되면 …
　누군가를 사랑하는 것은 그들에게 살아가도록 요청하는 것이고
　　　　성장하도록 초청하는 것이다.
사람은 성숙해질 용기가 없기 때문에
　　　누군가 그들을 신뢰하지 않는다면,
　　　우리가 만나는 그들에게 우리는 다가가야 한다

그들이 성장을 멈춘 단계에서

희망 없다고 그들을 포기한 곳에서,

그리고 단절되어

스스로에게 고립되고

은밀하게

두꺼운 껍데기로 뒤집어씌우기 시작한 곳에서

그들이 혼자라고 생각하기 때문에

그리고 누구도 신경 쓰지 않기 때문에.

그들은 사랑받고 있다고 느껴야 한다. 매우 깊이,

그리고 매우 대담하게

그러면 그들은 대담하게 느끼기 시작할 것이다. 겸손하고, 친절하며,

애착심 있고, 진지하며,

취약하다는 것을.

이 책은 위의 사랑스러운 명상에서 제기된 주제에 관한 것이다. 사랑과 우정의 중요성에 관한 것이다. 나는 회복된 지 오랜 후에 이러한 결론에 도달했다. 나는 사랑과 우정을 찾음으로써 회복되었지만 내가 어떻게 그렇게 했는지 재구성하는 데는 수년이 걸렸다. 위 아름다운 작품 구절의 정서가 내 안에서 깊이 울려 퍼진다. 나는 그 작가와 특별한 유대감을 느낀다. 우리 각자는 연인과 친구의 목소리를 듣고 깨어나기를 기다리는 침묵의 존재를 우리 내면에 갖고 있다. 우리는 다른 사람을 통해서만 내면의 존재를 알 수 있다. 그 사람이 돌봄, 이해, 사랑으로 그 존재를 소환한다. 우리 속에 있는 그 존재를 끌어내는 사람들과 연결 맺음으로써, 우리 자신을 그렇게 사랑하는 것을 배움으로써 우리는 내면의 그 존재가 등장할 수 있게 영양을 공급한다.

우리가 우리 내면에 영양분을 공급하지 않는다면, 그 내면은 스스로 성장해서 외부에 드러날 수 있는 다른 방법을 찾을 것이다.

내 내면의 침묵의 존재가 떠오르면서, 나는 그것이 깊은 내면의 나라는 것을 깨달았다. 나는 그 침묵의 존재를 경험함으로써 정말로 깊은 내면의 자아 self를 경험하고 있었다. 처음에는 그렇게 격렬하게 사는 것은 힘들었다. 사실, 내면의 침묵의 존재를 실제로 처음 경험한 것은 내가 침묵했던 시기 동안이었다. 그 시기는 '정신병'이라고 부르는 각각의 강렬한 감정 상태와 함께 왔다. 그 시절 나는 그 침묵의 존재로 변했다. 내 내면의 침묵의 존재가 피상적이고 경직되었던 나를 통제했다. 내면의 침묵의 존재는 자신이 보통의, 일상생활에서 말하고 지내는 나와 마찬가지로 내 삶에 참여할 동등한 권리가 있다고 인정했을 때 비로소 내 삶에 대한 통제력을 포기할 것임을 알았다. 이윽고, 매 순간을 소중히 여겨야만 내가 느끼는 존재, 침묵하는 존재, 그리고 이성적이고 말하는 존재가 될 수 있다는 사실을 이해하고 감사하게 되었다. 나는 지금까지 줄곧 내 내면에 있었던 침묵하는 이전의 내가 출현함으로써 나 자신과 주위의 세상을 보는 시각이 달라진 것을 이제 이해한다. 내 내면의 침묵의 존재가 출현함으로써 내가 세상을 경험하는 흐름을 바꾸었음을 느낀다. 이러한 돌파구가 마련되기 전에, 나는 행동하기 전에 항상 뒤로 물러서서 계획을 세우고 반성하곤 했다. 불교의 묘사를 빌리자면, 나는 심장 없는 정신heartless mind의 상태에 있었다. 그 뒤 나는 순수한 행동, 즉 정신 없는 심장mindless heart 상태를 실천했다. 그것도 만족스럽지 않았다. 나는 지금 동시에 느끼고 또 생각한다. 우리는 이런 상태를 '심장에서 우러나는 정신heartfull mind'이라고 부를 수 있을 것이다. 내가 경험하는 순간들이 더 오래 지속되기 때문에 이것이 가능했던 것 같다. 나는 나 자신을 더 잘 통제하고 더 진솔한 방식으로 공감할 수 있다고 느낀다. 생각하고 느끼는 것 모두가 내가 하는 모든 일에 더 큰 생명을 준다.

나는 중요한 이야기를 약간 다르게 변형해서 반복하는 것이 이해를 심화시키는 필수적인 방법이라고 믿는다. 최근 나는 꿈속에서 이런 현상을 엿보았다. 꿈속에서 나는 건널 수 없는 힘든 길을 계속 되돌아오곤 했다. 그 길은 바닷속으로 사라지는 것 같았다. 내 옆에는 가파른 절벽이 있었다. 해안 아래쪽에 내가 가고 싶은 곳으로 갈 길이 없어 보였다. 계절이 바뀌고 썰물이 되면서 길이 조금 더 드러났다. 나는 내 발자국을 되짚어갔다. 잠시 멈추어, 지나가던 사람에게 다른 길이 있는지 물었다. 그는 조금 더 높은 지대를 가리켰다. 다른 길이 보였다. 길을 찾을 수 있다는 안도감에 잠에서 깨어났다. 그리고 같은 문제에 조금씩 다른 각도에서 반복적으로 접근하는 것의 중요성도 느꼈다. 나 자신에게만 의존하기보다는 다른 사람의 의견을 구하는 것도 중요하다는 것을 알았다.

회복의 중심에는 자기 변화와 '솔직한 대화'를 맺는 인간관계를 통한 인간성의 회복이 자리 잡고 있다. 이 문제는 아래에서 더 상세하게 언급할 것이다. 내 인간성을 회복했던 나의 실제 경험은 다른 사람들을 돕는 일에 중추적인 역할을 했다. 몇 년 전에 누군가가 내게 어떻게 해서 정신과 의사가 되는 길로 접어들게 되었냐고 물었다. 내 대답은 다음과 같다.

나의 회복의 여정이 정신과 의사가 된 이유 중 매우 중요한 부분을 차지합니다. 내가 정신질환을 경험했을 때 그 현장에 있었으면 하고 바라던 것을 실현하고 싶었습니다. 두 번째 입원했을 때, 나는 '내게 말을 거는 사람들이 지금 내가 있는 곳에 있기만 하면, 그들은 나와 소통하는 방법을 알 거야. 그러면 내가 내 주위 세계의 일부라는 것을 다시 한번 느낄 거야'라고 생각했던 것을 아주 분명히 기억합니다. 나는 또한 세 번이나 겪었지만, 강제 입원이 있기 전에 내가 도움을 받을 방법이 있었다는 것도 기대했습니다.

솔직한 대화를 나누는 인간관계는 우리의 인간성 회복에 자양분을 준다. 회복은 우리의 정신건강 시스템, 우리의 사회, 우리의 삶을 변화시키는 데 소비자/생존자 운동이 독특하게 기여한 것 중 하나이다. 회복은 매우 개인적인 것이며 개인의 변화와 인간관계에서의 변화를 요구한다. 회복의 관점에서 보면, 정서적 스트레스는 사랑과 희망적 인간관계의 도움을 받아 자기를 변화할 수 있는 성장의 기회이기도 하다. 사랑과 희망의 인간관계는 그 사람이 공동체에서 자신이 선택한 충만하고, 의미 있고, 감사하는 삶을 살아갈 수 있게 만든다.

회복은 단지 삶의 변화를 경험하기 이전의 지점으로 되돌아가는 것을 의미하지는 않는다. 회복은 그 이상이다. 스페인어로 회복이라는 단어는 말 그대로 recuperación으로, 영어 단어인 '만회recuperation'에 가깝다. 그러나 소비자/생존자 운동에서 회복은 감기나 부러진 팔에서 회복되는 것을 암시하는 만회보다 훨씬 더 많은 것을 의미한다. 우리는 회복을 그렇게 좁은 의학적 관점으로 보지 않으며, 회복을 완치와 같은 것으로 보지도 않는다. 소비자/생존자의 경우 회복이 '리코브라 라 비다recobrar la vida', 즉 '삶을 되찾다'로 번역되는 것이 좋다. 나는 내 진짜 목소리를 찾아냄으로써 내 삶을 회복했다. 그것은 내가 지역사회의 적극적인 일원으로서 충분히 살 수 있게 해주었다.

'회복'이라는 단어는 2003년 '대통령 정신건강 신자유위원회' 보고서의 핵심이었다. 그 보고서의 비전을 설명한 부분에서 "우리는 정신질환을 가진 모든 사람이 회복할 수 있는 미래를 본다"라고 적혀 있다. 나는 신자유위원회의 위원 중 심각한 정신건강 상태로부터 회복한 실제 경험을 가진 유일한 사람이었다. 나는 위원회의 권고를 하나로 묶기 위해 회복의 비전이 있어야 한다고 주장했다. 신자유위원회의 비전은 전 세계적으로 소비자/생존자와 옹호자들에게 영감을 주어 개인과 집단의 성장을 통해 우리의 인간성 회복을 강화하는 문화를 만들어냈다. 변화와 성장의 상호성을 강조하기 위해 "인간성의 회복"이라는 문구에 "우리"라는 표현을 추가했다. 우리는 질환자와 건강한 사람, 공급자와 소비자를 구분하는 세상을 넘어설 필요가 있다. 그 대신 우리는 권력의 평등, 존경과 존엄성의 평등의 세계를 제안한다. 결국, 어느 누군가의 인간성이 줄어들면 나의 인간성도 줄어든다.

※

대다수의 서비스 공급자들은 회복을 증상으로부터의 회복이라고 좁게 정의한다. 그런 사고방식은 회복에 방해가 되어왔다. 현재, 대부분의 실무가들과 일반 대중들은 여전히 심각한 심리적 문제들의 주된 원인이 뇌의 화학적 불균형 때문이라고 배우고 있다. 그 문제들은 정신질환의 형태로 딱지 붙여진다. 그중 가장 심각한 정신질환이 조현병이라고 간주된다.

　나는 수백 번에 걸쳐 조현병으로부터 회복한 과정을 설명했다. 전문가들은 '진짜 조현병'을 가진 사람들은 회복되지 않기 때문에 나의 경우 오진이었음이 분명하다고 종종 말하곤 한다. 자신의 회복에 관해 말하는 우리 운동에 참여하는 많은 사람들도 마찬가지로 무시된다. 이런 딜레마는 최근 극단에 달했다. 내 친구 중 한 명이 정신병리학psychopathology 석사 과정을 밟고 있었다. 교수는 수업에서 심각한 어조로 조현병 환자는 절대 회복되지 않는다고 말했다. 내 친구는 "조현병 진단을 받고 회복한 친구가 있습니다"라고 소리쳤다. 그 교수는 아주 확신에 차서, "글쎄, 잘못 진단한 게 틀림없어"라고 답했다. 그 친구가 내게 전화해서 내가 정말 조현병을 앓았는지 물었다[주목할

점은 그녀가 '정신분열증 환자ᵃ schizophrenic'(이 용어는 원래 낙인효과가 있는 표현이다. 이 책 다른 곳에서는 조현병이라고 번역한다 — 옮긴이 주)라는 인간모멸적인 문구를 사용하지 않은 것이다].

나는 특정 시점에서의 정신건강 상태를 진단하는 공식 참고자료인 DSM II(진단 및 통계 매뉴얼)에 따라 조현병 진단을 받았었다. DSM II는 1968년에 출간되었다. 이런 질문이 이전에 제기된 이래, 우리는 좀 더 최근의 DSM IV (2013년 DSM V가 출간되었다 — 옮긴이 주)에 따라 내가 조현병의 기준에 맞는지 알아보기로 결정했다. 나의 두 번째 발병이 DSM IV의 조현병 기준에 맞는다는 것을 발견했다.

- 나는 6개월 이상 일하지 않거나, 사교하지 않고, 수용 가능한 방식으로 일상 활동을 할 수 없었다.
- 나는 거의 한 달 이상 편집증이었고, 정신병적 긴장 상태를 경험했다.
- 나는 관계망상이 있었고(TV가 내게 얘기를 한다고 생각했다), 여러 목소리를 들었다. 그리고 간호사를 실제로는 몇 년 전에 살해당한 누이의 친구라고 생각했다.

친구가 우리의 증거를 교수에게 제시하자, 그는 심각하게 걱정하는 표정을 지으며, "이제 우리는 장애인 정신과 의사를 갖게 되었다"라고 말했다. 이러한 반응은 정신질환을 가진 사람이 회복할 수 없다는 믿음이 우리의 집단 정신에 깊이 스며들어 있다는 것을 보여주었다. 심지어 반대 증거가 있어도 그 믿음을 흔들 수 없다. 기존 이론에 반하는 증거를 받아들이지 못하는 것은 정신의학이 증거 기반 치료가 아니라는 것의 한 예이다. 정신의학 분야의 신념이 사람들이 극도의 정신건강 상태에서 회복한다는 증거에 기초하지 않는 한 진정한 증거 기반 정신의학이 될 수 없다. 그렇기 때문에 우리 운동의 표현 중 하나는 "우리가 정신질환자들이 회복한다는 증거이다"라는 것이다. 그 대신 주류 정신의학을 신앙에 기초한 치료라고 부르는 것이 더 정확하다. 실제로 정신과 의사 로버트 콜스Robert Coles와 다른 많은 사람들이 오늘날의 정신의학이 과학보다는 종교에 가깝다고 결론지었다.

나는 사람들에게 회복되었다는 것을 증명할 수 있는 기준을 제시해 달라는 요청을 여러 번 받았다. 그래서 나와 전국역량강화센터NEC의 팀은 심각한 정신건강 상태로부터 완전히 회복된 사람의 일곱 가지 특징 목록을 개발했다.

회복한 사람은,

- 정신건강 시스템 외부에서 지원하는 다른 사람과 협력하여 스스로 의사결정을 하고,
- 정신건강 전문가 이외에 친구들과도 의미 있고 만족스러운 관계망을 갖고 있으며,
- 소비자(학생, 부모, 근로자 등)가 아닌 다른 중요한 사회적 역할과 정체성을 갖고 있고,
- 일상생활을 돕기 위해 자신이 자유롭게 선택한 많은 도구 중 하나로 약물을 사용하고 있고(만성질환이 있지만, 보통 사람이 약을 사용하듯이 복용)
- 증상이라는 딱지를 붙이지 않고서도, 사회적 역할을 수행하는 것을 방해받지 않으면서도, 심각한 정서적 스트레스에 대응할 수 있을 정도로 감정을 표현하고 이해할 수 있고,
- 전반적 기능평가 척도Global Assessment of Functioning Scale 점수가 62점 이상이며(이것은 그들이 상당히 기능이 좋고, 대인관계가 상당히 좋으며, '대부

분의 비전문가가 그를 아프다고 인식하지 않는 것'을 의미한다),

- 삶의 경험과 동료와의 상호 작용을 통해 자기 스스로 자아를 정의하는 감각
  이 있다.

회복할 수 있는 또 다른 방법은, 건강한 정신 상태가 있다는 생각을 완전히 거부하는 것이다. 우리 운동에는 이런 관점을 채택하는 사람들이 있고 나는 그들을 존경한다. 나는 현재 건강한 정신 상태라는 함정에 깊이 빠진 사람들과 그들의 가족들에게 거기서 벗어날 수 있는 길을 제시할 필요가 있다고 생각한다.

40년 이상 정신질환으로부터 회복의 삶, 정신과 의사로서의 임상활동, 옹호자로서의 삶을 살아오면서, 나는 회복에 관한 수많은 교훈을 발견했다. 게다가 패트리샤 디건과 나는 질적 회복 연구를 수행했다. 그 연구와 이 분야의 경험으로부터, 나는 다음과 같은 일련의 회복 가치를 찾았다.

회복의 가치

✚ 회복은 '증상'이라 부르는 심한 스트레스에서 시작하는 경우가 흔하다

처음에 나는 다른 현실로의 여행이 조현병의 증상이라고 생각했다. 정신건강 문제에 대한 이런 개념이 진실을 뒤집어 놓은 것임을 깨닫는 데는 시간이 걸렸다. 사실, 다른 현실로의 여행이 나의 개인적인 성장과 회복에 필요했다는 것을 나는 지금 알게 되었다. 정서적 스트레스가 질병의 단순한 증상이라

기보다는 막다른 길에서 벗어나 성장할 수 있는 방법을 보여주는 단서를 제공할 수 있다는 것을 이제는 이해한다.

나는 소비자/생존운동의 창시자인 샐리 진먼Sally Zinman과의 인터뷰에서 이 아이디어를 처음 이해했다. 나는 다른 많은 사람들에게 물어본 것처럼 그녀에게 물었다. "당신은 회복이 언제 시작되었습니까?" 그녀는 자신의 회복이 정신질환 증상으로 묘사되는 어떤 증상을 겪었을 때 처음 시작되었다고 내게 말했다. 그녀의 특별한 증상은 그녀 자신이 샐리 진먼이 아니고, 그녀 부모님도 진짜 부모님이 아니라는 것을 확신한 것이었다. 그녀의 이런 확신 때문에 그녀 부모는 그녀를 망상이라고 판단했고, 그녀는 2년 동안 사설 거주시설 프로그램에 갇혀 지냈다. 이 기간 중 몇 달 동안 그녀는 지하실에 감금된 채 속옷만 입고 있었다. 차츰 그녀는 자유를 되찾기 위해서는 자신이 누구인지에 대한 사회의 설명에 따라야 한다는 것을 깨달았다. 그녀는 2년 만에 풀려났지만 그녀의 실제 회복은 자신이 모든 사람들이 생각하는 그녀가 아닌 다른 사람이라고 확신한 시점에서부터 시작되었다. 그녀는 사회 개혁가로서의 새로운 정체성을 강화하는 새로운 일과 새로운 인간관계를 찾아냄으로써 자아 발견으로의 여정을 계속하는 것을 배웠다.

1973년, 융 학파 정신과 의사인 존 위어 페리John Weir Perry는 의학계의 많은 사람들이 정신병의 징후와 증상으로 정의하는 특이한 생각과 행동이, 사실은 건강의 징후라고 말했다. 페리 박사는 정신병을 그 사람의 가장 깊은 내면의 정신이 보다 조화롭게 재통합되려는 시도라고 보았다. 페리 박사는 만약 질병이 있다면 그것은 정신병에 선행한다고 말했다. 정신병은 심각한 감정 상태로, 트라우마와 상실이 그 사람의 통합된 자아감에 미친 방해를 극복하는 시도라는 것이다. 또한 선구적인 오스트리아의 심리치료사 알프레드 아들러Alfred Adler는 우리가 증상이라고 부르는 것이 실제로는 내적 문제를 해결하려는 시도라고 했다.

앵무새로서의 나의 어린 시절은 정서적 성장이 억제된 시기였다. 조심스러웠고, 감정을 무디게 했고, 새로운 경험과 인간관계에도 닫혀 있었다. 첫번째 아내가 떠났을 때, 나는 내가 정말로 내 삶을 살고 있지 않다는 현실을 깨달았다. 나는 다른 사람들을 위해 살고 있었다. 그래서 나는 나 스스로 선택한 새로운 경험에 흠뻑 젖어들었다. 춤, 예술, 치료, 정치, 사랑, 그리고 의식을 확장시키는 마약을 흡입했던 것이다. 이전에는 닫혀 있었던 문을 활짝 열고, 기괴한 방으로 들어가 어두운 창문을 열어 이전에는 경험하기 두려워했던 햇빛과 공간에 나를 노출시켰다. 밤마다 이런 다양한 새로운 경험들을 겪고 있는 동안 나는 감정, 꿈, 기억들에 대한 좁은 화학적 설명에 따라 해답을 찾으려고 시도하면서, 여전히 낮에는 국립정신건강연구소NIMH에서 일하고 있었다. 내가 앉아 있는 과학이라는 의자는 내가 되고 싶은 사람 그리고 나의 세계가 되고 있는 것이 자리하기에는 너무 좁다는 것을 받아들이기가 매우 어려웠다. 내가 메스칼린을 복용했을 때 비로소 이런 깨달음이 아주 명료해졌다. 그때에도 깨달음은, 처음에는, 전통적인 정신의학계에서는 망상이라고 부르는 꿈꾸는 듯한 상태로 나타났다. 세상의 모든 사람이 로봇이라는 나의 확신이야말로, 내가 지난 24년간 살아온 기계적이고 로봇 같은 삶의 결정체였다. 기계화된 이런 삶이 나를 위한 것이 아니라는 것을 인정하는 데 6년이 걸리지 않았더라면 좋았을 텐데. 이것을 깨닫기 위해 치료와 삶에서 많은 과정을 거쳐야 했었던 것 같다.

내가 워싱턴 D.C.의 듀퐁 서클에 살고 있는 동안, 나는 창조적인 변화의 기회를 주는 문화적·사회적·정치적 격변의 영역에 있었다. 나의 개인적인 진화는 그 당시 시대로부터 큰 도움을 받았다. 그 시기 다수의 낡은 사회적 전통에 대해 집단적인 의문이 제기되었다. 나는 유색인종, 여성, 동성애자,

정신질환자로 딱지 붙여진 사람들의 시민권을 옹호하는 운동이 출현하는 것을 목격했다.

✚ 솔직한 인간관계는
우리의 인간성 회복에 매우 중요하다

어떻게 하면 우리의 자아를 선순환적 삶에 연결 짓게 할 수 있는가? 돌봄, 지원, 사랑의 인간관계가 중요하다. 나 자신이 회복되는 경험을 함으로써 조현병에 대한 이해를 쌓기 시작했지만, 나는 존 던^{John Donne}의 매우 오래된 지혜, 즉 "아무도 섬이 아니다"라는 것을 긍정하고 싶다. 우리 중 한 명에게 영향을 미치는 것은 우리 모두에게 영향을 미친다. 조현병에서 회복된 것은 내 인간성의 회복이었다. 그러나 내 주변의 세계도 인간성을 경험할 때 비로소 나의 인간성도 경험할 수 있다. 무엇보다도, 회복은 우리의 공유된 인간성의 회복이다. 반대로 정신질환으로 묘사되는 것은 인간성의 상실이다.

서로에게 정신적 충격을 주고, 두려움을 주고, 고립시킬 때 우리는 인간성을 상실한다. 사실 트라우마의 가장 근본적인 측면은 사람의 인간성을 경험할 수 있는 능력을 방해하는 어떤 사건이다. 이것은 우리가 서로를 존중하지 않을 때 발생한다. 이것은 우리의 차이를 외형적으로 교정되어야 할 불완전한 것으로 인식할 때 발생한다. 이것은 우리가 다른 사람의 생명, 자유, 평등에 대한 기본적 인권을 차별하고 무시할 때 발생한다.

최근 수년 동안 나와 함께 일했던 한 소비자가 매우 고통스러워하면서 내 사무실로 왔다. 그는 자신의 감정과 접촉하면서 꾸준한 진전을 보였지만, 다시 아프기 시작했다고 확신했다. 그는 앉을 수 없다며 바닥을 서성거리면서 나를 쳐다보는 것을 자꾸 피했다. 나는 그의 주의를 끌기 위해 그를 직접 쳐다보았다. 나는 내 경험을 바탕으로 확실하게 그가 지금 경험하고 있는 감정을 직시할 수 있다고 말했다. 그는 놀란 표정이었지만 흥미를 느낀 것처럼 보였다. "그러나 나는 이런 감정을 이전에는 가져본 적이 없어요"라고 그가 불평했다. "새로운 약이 필요한 것 같아요." 나는 그가 복용하는 약이 적정 수준이라면서 그를 안심시켰다. 나는 그가 존경하는 다른 동료가 최근 약물 복용의 역할을 회복의 집을 건축하는 데 필요한 기초 다지기라고 묘사했다는 점을 알려주었다. 나는 그가 자신을 더 깊이 이해하기 위해 적극적인 노력을 해야 한다고 제안했다. 살아갈 때 누구나 느끼는 불안감을 그가 이제 막 느끼기 시작했을 뿐이라고 말해주었다. 그는 마음을 가라앉히고 호기심이 생겨 직접 대화에 임했다. 그가 회복의 길을 계속 갈 수 있는 능력이 있다고 나는 믿는다고 했다. 그는 자신감이 쌓여갔고, 계속 나를 방문했다. 자신이 겪고 있는 것이 자신의 병의 일부가 아니라 실제로 회복의 일부라는 것을 그에게 상기시켜 줄 필요가 있었다. 만약 내가 그가 느끼는 감정을 부정하면서, 문제는 화학물질에 있고, 약물을 좀 더 많이 복용하거나 새로운 약물을 복용해야 한다고 말했다면, 그는 인간성에 고유한 이런 요소를 경험하지 못했을 것이다. 그렇게 하는 것은 자신은 기본적으로 화학 기계일 뿐 인간적 존재가 아니라는 그의 확신을 강화시켰을 것이다.

여러 해 동안, 내가 스트레스를 겪던 시기에 사람들이 정신질환 딱지가 붙지 않은 사람에게 하듯이 나에게 말을 걸었을 때, 나를 완전한 인간으로 대했을 때 ― 비록 내가 그들과 완전히 함께 있는 것처럼 보이지는 않았지만 ― 가장 기분이 좋았다는 것을 기억하려고 노력해 왔다. 나는 이러한 태도와 접근방식이 낙인과 차별을 극복하는 데 매우 중요하다고 생각한다. 더 깊은 차원에서 그것은 '정신질환'이라는 딱지에 담겨 있는 불신감과 무가치감을 극복하는 데 도움이 된다.

우리의 정신건강 시스템의 근본적인 문제는 정신질환이 있는 사람에게 딱지를 붙여서 이미 트라우마를 경험하고 거부당한 사람들을 더욱더 소외시키게 된다는 점이다. 그것은 그런 딱지가 붙은 누군가를 다른 부류의 인간과 분리하는 것이고, 우리 자신의 인간성과 분리하는 것이다. 미국 헌법이 부여한 기본적 인권을 실제로는 우리에게서 빼앗는 것이다. 문자 그대로 우리는 시민권을 상실한다. 회복이란 법적 프레임으로서의 시민권을 훨씬 뛰어넘는 의미에서 시민권 회복을 의미한다. 회복 및 지역사회 건강을 위한 예일대 프로그램의 공동 책임자인 마이클 로Michael Rowe는 시민권 프레임을 통해 회복을 본다. 그는 회복은 전문가와 함께하는 개인의 일일 뿐 아니라 공동체와의 관계에서 그 사람의 일이기도 하다고 믿는다.

우리가 심각한 감정 상태로부터 회복함으로써 다른 사람과 내가 배운 교훈을 통해 세상에서 삶을 살아가려고 노력하는 사람들의 가슴속에 희망과 목적의 불꽃을 불러일으킬 수 있다고 나는 믿는다. 이런 생각들은 '정신질환'으로부터의 회복이라는 뜨거운 강철로 주조된 것이지만, 미국 전역과 전 세계에 울려 퍼진다. 왜냐하면 우리 모두는 우리의 인간적 경험과 인간적 필요성을 통해 연결되어 있기 때문이다. 일본의 한 친구가 도쿄의 기차역에서 나에게 작별인사를 할 때, "나는 너와 통하고 있어"라고 말한 것에서도 알 수 있다.

솔직한 나의 목소리를 표현함으로써 내가 실제의 삶을 살아갈 수 있을 때, 나는 강하고, 용기 있고, 사랑스럽다. 그때의 인생은 내 인생이고 내가 그것에 자부심을 가지기 때문에 의미가 있다. 나는 그 의미를 내 심장과 정맥에 대한 더 강한 박동으로 느낄 수 있다. 딜런 토머스Dylan Thomas는 "그린 퓨즈를 통해 꽃을 몰고 가는 힘은 내 녹색 시대를 몰고 간다"라고 썼다. 이런 생명의 힘이 정서적 심폐소생술을 통해 우리가 가져오려고 하는 재활력revitalization이다.

어린 시절 내내, 나는 다른 사람들을 위해 살았다. 거짓 목소리로, 거짓된 삶을 사는 것 같았다. 내 목소리는 내 목구멍을 통해서만 나왔을 뿐이지, 내 가슴에서 나온 것이 아니었다. 그 목소리는 진짜 나와 공명하지 않았기 때문이다. 나의 거짓된 자아의 마지막 흔적은 최근 샌타바버라에서 열린 발표에서 사라졌다. 처음에 그것은 새로운 회복 리더 그룹을 대상으로 한 일상적인 발표처럼 보였다. 그러나 그것은 '자기 목소리 찾기'(제7장 참조)라고 이름 붙인 내가 만들어온 새로운 워크숍이었다. 원의 한가운데로 들어서면서, 나는 내 내면에 조화와 평화의 새로운 느낌이 이는 것을 감지하면서 말했다. 나의 말은 나의 깊은 확신에서 나왔다. 그룹이 공감하는 것을 감지하면서 나는 전에 경험하지 못했던 감정적 명료함을 느꼈다. 내 말이 내 존재와 공감을 일으켰고 나는 진심으로 내 목소리를 찾고 있다고 느꼈다. 나는 각 사람의 얼굴에서 이것을 인지하는 불빛 같은 것을 볼 수 있었다. 나는 진정으로 그들의 존재의 깊은 내면에 도달하고 있음을 느꼈다. 나는 그동안 잠자고 있었지만 그들의 삶에서 적극적인 역할을 하기를 열망하던 그들 존재의 어느 한 부분에 도달하고 있음을 느꼈다. 나는 그들이 살아나고 있음을 알 수 있다고 느꼈다. 그들이 살아나면서 나 역시 더 깊은 차원에서 살아나고 있었다. 이러한 인식의 춤, 상호 긍정의 춤이 정서적 대화의 핵심인 것 같다. 이것이 우리의 더 깊은 내면의 자아Self의 회복과 발전을 촉진한다고 나는 믿는다. 제9장에서는 정서적 심폐소생술을 통해 정서적 대화를 개선하는 방법에 대해 논할 것이다.

솔직한 것의 중요성은 또 다른 행사에서 다시 찾아왔다. 나는 로스앤젤레스에서 회복의 메시지를 전파하기 위해 비영리 단체를 설립하는 친구를 위한 모금 행사에서 연설을 했다. 어떤 요소가 나의 회복에 가장 중요한 역할을 하느냐고 한 여자가 물었다. 나는 내 치료사 셈치신 박사를 인용했다. 나는 그가 '진짜'이기를 원한다고 강조했다. 후에 댄 도먼Dan Dorman 박사는 '왜 진짜 존재가 효과적인가'를 주제로 강연을 하자고 제안했다. 토론을 하는 동안 도먼 박사는 도움을 주는 사람이 솔직한 사람이고 진짜일 때, 스트레스 상황에 빠진 진짜 자아Self에 있는 사람이 나타난다고 설명했다. 그는 알아야 한다. 도먼 박사는 자신의 저서 『단테의 치료Dante's Cure』에서 설명한 것처럼 3년 동안 한 여성을 도와 약물복용 없는 치료를 통해 신경성 정신병 상태에서 자아가 등장하도록 했다.

✚ 더 깊은 현실이 무엇인지 배우기

미친다는 것은 현실과 동떨어진 것이기 때문에, 나는 청중에게 "무엇이 현실입니까?"라고 묻는 것을 좋아한다. 가장 명쾌한 대답은 "현실은 집단이 느끼는 직감"이라는 것이었다. 그러나 나는 우리의 가장 깊은 내면의 자아가 인정하는 더 깊은 현실이 있다고 생각한다. 이것이 우리의 존재에 가장 필수적인 수준의 현실이다. 그것은 진짜인 것이 도달할 수 있는 수준이다. 아마도 우리는 이것을 진정한 자아라고 부를 수 있을 것이다. 우리는 거기에 영양을 공급해야 한다. 그렇지 않으면 죽는 것이다. 영양분을 공급하는 것 이상으로, 이 진정한 자아는 다시 태어날 필요가 있을지 모른다.

명상을 할 때, 나는 진짜 자아에 더 가깝게 다가감을 느낀다. 내 진짜 자아는 솔직한 나의 목소리의 원천이다. 역설적으로 나는 진짜 자아Self를 느끼고 표현할 수 있을 때 비로소 다른 사람들과 깊이 연결되고 그 경험 속에서 나 자신을 잃어버릴 수 있다. 그렇게 함으로써 나의 진짜 자아는 다른 사람들의 진짜 자아와 공명한다. 아프리카인의 우분투ubuntu(남아프리카 공동체 정신 — 옮긴이 주) 개념과 마찬가지로, 나는 다른 사람들과 인간성의 수준에서 연결해야만 나의 더 깊은 인간성을 경험할 수 있다. 내 생각에 우리의 진짜 자아는 먹거리가 필요한 굶주림 상태에 있다. 우리가 그 욕구에 귀 기울이지 않을 때, 우리의 내면은 쪼그라든다. 우리는 언제 이런 일이 일어나고 있는지 알고 있다. 우리의 진짜 자아에 영양을 공급할 깊은 욕구를 충족시키는 것만큼 중요한 것은 없다. 나의 경우, 내뱉는 모든 말이 그 의미를 상실했다. 말은 더 깊은 욕구를 방해하는 것처럼 보였다. 그래서 나는 말을 멈췄다. 상당한 이유가 있어야 다시 말을 할 것 같았다. 그러나 우선 내 존재가 누군가에게 중요하다는 것을 검증받을 필요가 있었다. 그래서 나는 내 가슴으로 그 사람의 진정성과 솔직성을 확인해야 했다. 그래야 이어서 내 생각과 말이 뒤따르게 될 것이다. 이처럼 솔직한 대화를 갈망하는 생생한 예가 베데스다 해군병원 응급실에 있던 위생병과의 접촉에서 있었다. 정신병이라는 딱지가 붙은 것이 사고에서의 결함이 아니라 삶의 가장 본질적인 문제에 강력하게 집중하기 때문에 생긴 것이라고 지금 나는 믿는다. 일상생활에서 필수적인 것은 "나는 누구인가?", "내가 왜 이 땅 위에 있는 거지?", "무엇이 내 인생에 의미와 목적을 줄까?"와 같은 더 깊은 질문들과 비교해 볼 때 사소한 것처럼 보인다.

✚ 희망은 회복에 필수적이다

정서적 트라우마는 오랜 기간 지속되는 과거, 현재, 그리고 미래를 통해 우리의 존재감을 단절시킨다. 반면 존재하는 것은 단지 떠도는 덧없는 순간들의 연속인 것만 같다. 이 때문에 우리는 절망하게 된다. 때때로 우리는 다른 사람으로부터 희망을 빌려서 존재감을 흡수할 필요가 있다. 이것은 희망의 양동이를 실어 나르는 것 같다. 희망의 양동이가 거의 비어 있을 때, 누군가의 가득 찬 양동이에서 그것을 채울 필요가 있다.

희망의 양동이에 대한 생각은 최근 한 동료 지원 그룹에서 남편이 자살한 어떤 여성이 던진 질문에서 나왔다. 그녀는 누군가에게 희망을 주기 위해 최선을 다하지만 그것이 충분하지 않을 때 무엇을 하느냐고 물었다. 나는 되도록 많은 희망을 나로부터 흡수해서 그 희망을 자신이 가르치는 간호학과 학생들에게 나누고 싶다고 말한 일본의 간호사 이야기를 전했다. 나는 그녀의 심장을 희망의 양동이라는 이미지로 인식했다. 그 후 다른 그룹 참가자 중 한 명이 자기에게 희망적이었던 것 중 남은 것을 모아 쏟아부을 수 있는 양동이를 다른 사람에게 주고 싶다고 말했다. 그 때문에 이 이미지는 어느 정도 힘을 갖고 있는 것 같았다. 솔직한 인간관계를 맺음으로써 사람은 미래가 있다는 희망을 빌릴 수 있다. 이런 맥락에서, 선의의 많은 정신건강 사회복지사들이 그토록 암울한 미래를 덧칠하는 것은 비극이다. 정확히 그 반대가 절실히 필요하다. 그런 암울함은 자살로 이어질 수 있다. 결국 절망은 자살의 가장 큰 위험 요인이다. 나로서는 정신질환을 겪는 사람들 중 산업사회에서 자살하는 비율이 증가하는 것이 정신건강 서비스 공급자들이 우리에게서 희망을 빼앗기 때문이라고 생각한다. 최근에 스물여덟 살짜리 여자의 어머니가 나를 찾아왔다. 그녀는 딸이 유명한 대학병원에서 조현병 진단을 받았다는 사실 때문에 매우 괴로워했다. 그녀의 젊은 딸은 앞으로 취직하지도 못할 것이고, 결혼도 못 할 것이며, 운전도 못 하게 될 것이라는 말을 어머니와 딸이 들었다. 나는 나 자신의 회복에 대해 말함으로써 희망을 회복하는 것을 도왔다.

희망의 중요성은 나 자신의 회복에 관한 강연에 참석한 한 어린 소년의 이야기에서도 잘 드러난다. 점심시간에 나는 그의 어머니를 만났다. 그녀는 내가 자기 아이의 목숨을 구했는지도 모른다고 말했다. 아들은 열 살 때 조울증 진단을 받았고, 다시는 회복하지 못할 것이라는 말을 들었다고 그녀가 말했다. 그런 진단을 받은 결과 아들은 자살 충동을 느꼈고, 그런 상태가 계속되던 중 내 이야기를 듣게 되었다. 내가 회복했고, 다른 많은 사람들이 회복했다는 이야기를 듣고서, 아들은 3년 만에 처음으로 더는 자살을 시도하지 않았다.

✚ 우리는 우리의 심장을 통해
사랑이 진짜 현실임을 안다

나는 두려움에서 분노, 그리고 사랑에 이르는 나의 여정을 나누고 있다. 이 이야기는 나를 자유롭게 하고 다른 사람이 나를 공포와 어둠으로부터 자유롭게 만드는 내용이다. 어둠의 심장에서 시작해서 나는 밝은 심장으로 여행했다. 다음 그림에 있는 두 개의 심장 이미지가 나에게 말을 건넨다. 이 그림은 덴마크에서 회복을 경험한 어떤 사람이 그린 것이다. 젊었을 때, 내 심장은 세상을 향해 딱딱하게 굳어 있었다. 나는 누구도 너무 내 가까이 오지 못하게 하겠다고 말했다. 그건 너무 위험해. 선생님에게서 트라우마를 겪었을 때 그랬던 것처럼 나는 다시는 상처받고 싶지 않았다. 나는 내 주변의 모든 것에 대해서도 똑같이 느꼈다. 나는 사람들을 너무 가까이서 보거나, 이야기하는 것을 듣고 싶지 않았다. 사람들은 나를 두렵게 했다. 나는 책과 과학에 집중했다. 그곳은 안전한 지역이었다. 그곳이 내가 안심할 수 있는 지역이었다. 그곳이 내가 통제할 수 있다고 느꼈던 지역이었다. 나는 내 심장을 까맣게 그을렸다.

이것 때문에 나는 다른 사람들 그리고 나 자신으로부터 분리되었다. 나는 다른 사람들에게 다가갈 수 없다고 느꼈고, 그것 때문에 내 심장은 공허해졌다. 고등학교 때 나는 한 번 사랑을 시도했다. 한 소녀에게 온 마음을 다 바

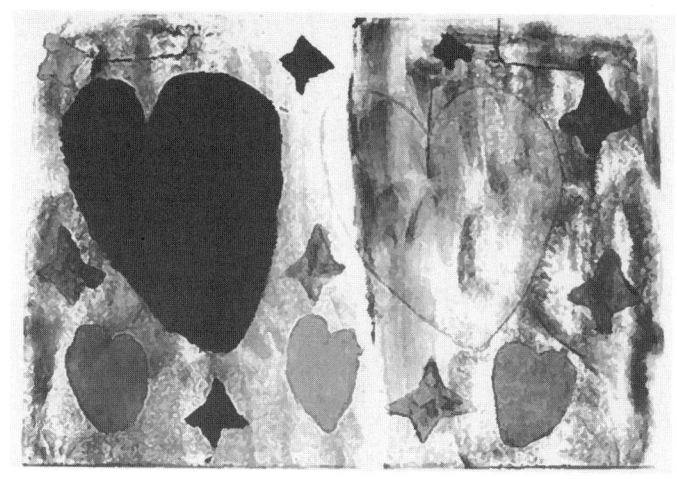

쳤다. 하지만 그녀는 나를 거절했고 나는 가슴이 아팠다. 나는 걷잡을 수 없이 울어서 그녀는 나를 매우 걱정했었다.

그 후 내 심장은 냉담해졌고, 감정을 참게 되었다. 나는 내 몸을 매우 경직되게 했고 나의 과학에서 엄격한 틀을 고수했다. 나는 분자로 세상을 설명하고 싶었다. 모든 해답은 내 밖에서 찾아야 하는 고정적 세계였다. 나는 나의 내면에 내가 있다고 느끼지 않았다.

그러나 나의 정신은 사랑 없는 이런 상태를 더는 지탱할 수 없었을 것이다. 나는 내 발을 통해 이 지구상의 다른 모든 사람들과 연결되어 있다고 느꼈을 때 메스칼린을 복용하면서 처음으로 다른 세계를 엿보았다. 그 이후로 나는 뒤돌아보지 않았다. 내 마음은 열렸고 나는 인간성을 사랑한다. 나는 세상을 좀 더 사랑스런 곳으로 만들고 싶다. 사람들이 서로 성장하고 돌보고 믿을 수 있는 곳으로. 앙투안 드 생텍쥐페리의 『어린 왕자』에서 여우가 말했듯이, 눈을 통해서가 아니라 심장을 통해서 우리는 진리를 본다. "이것이 나의 비밀이야. 그것은 너무 단순해. 심장으로 잘 볼 수 있어. 본질은 눈으로는 볼 수 없어Voici mon secret. Il est très simple: on ne voit bien qu'avec le coeur. L'essentiel est invisible pour les yeux."

동일한 본질적 진리는 마저리 윌리엄스Margery Williams의 고전 아동도서인 『벨벳 토끼 인형The Velveteen Rabbit』에서도 찾을 수 있다. 즉, 당신이 사랑을 받고 있을 때야말로 당신은 진솔한 자아, 즉 진짜가 된다. 토끼는 박제말Skin Horse에게 어떻게 박제동물이 진짜가 될 수 있는지 물었다.

박제말은 "이건 한꺼번에 일어나지는 않아"라고 답했다. "너도 진짜가 돼. 그것은 오랜 시간이 걸려. 그것이 쉽게 부서지고 뾰족한 가장자리가 있는 사람, 또는 조심해서 관리되어야 하는 사람에게는 거의 일어나지 않는 이유야. 그러나 일단 네가 진짜가 될 때에는 너는 머리카락이 뽑히고, 눈도 뽑히고, 관절은 부러져서 흐물흐물해져. 그러나 이런 건 전혀 중요하지 않아. 네가 진짜가 되면, 너는 못생겨질 수 없어. 너를 이해하지 못하는 사람들을 제외하고는."

내 생애 첫 24년 동안 나는 피상적으로만 다른 사람과 연결했다. 이것은 내 감정으로부터 안전한 거리, 그리고 다른 모든 사람들로부터 안전한 거리에 나를 있게 했고, 그것은 결국 나를 매우 외롭게 느끼게 했다. 이 거리 둠 때문에 나는 겁에 질렸다. 그리고 무너져 내렸다. 나를 보호하기 위해 쌓아왔던 껍데기를 부수기 위해 그렇게 해야 했다. 나는 사람들과 거리를 두기 위해 세워두었던 장벽을 깨고 나갔다.

이제 나는 더 깊은 인간관계를 추구한다. 나는 사랑의 경험을 추구한다. 사랑을 통해서만 내가 꿈꾸는 사람이 될 수 있기 때문이다. 사랑을 통해서만 나는 진정으로 태어날 수 있고 또 내 의식의 표면 아래에 침묵한 채 자리 잡은 자발적인 존재가 될 수 있다.

우리는 우리 심장에 서로를 담고 지낸다. 몇 년 전, 나는 어머니가 가장 좋아하는 버터 피칸 아이스크림을 사기 위해 어머니의 동네 24시간 가게에 들렀다. 아흔네 살 된 어머니를 위한 것이라고 말하자 가게 여자가 관심을 보였다.

그녀는 "어머니는 좀 어떠세요?"라고 물었다. "어머니는 걱정스럽죠."

나는 분명히 그녀의 관심을 듣고 볼 수 있었다. 그녀의 반응은 내 마음을 따뜻하게 해주었고, 걸어 나가면서 나는 한 지역사회의 심장이 어떻게 주민 각자의 심장에 자리 잡고 있는지를 생각했다. 우리가 서로 신경을 쓸 때 그것은 우리 모두에게 엄청나게 도움이 된다.

루이지애나주에서 열린 주 전체 소비자 컨퍼런스에서 내가 소비자 그룹과 회복에 관해 토론하고 있을 때 또 다른 계몽의 계기가 찾아왔다. 그들은 솔직한 사람이 되는 것이 필수적이라는 데 동의했다. 또한 내가 회복은 "자신의 진짜 자아와 접촉하는 것"을 의미한다고 말한 일본에 있는 한 남자를 인용했을 때, 그들은 동의했다.

그러자 아침 시간 대부분 조용하게 있던 젊은이가 "진짜 자아를 체험하는 지를 어떻게 알죠?"라고 물었다.

이 질문은 그룹의 다른 사람만이 아니라 나를 매료시켰다. 한 여성은 자신이 이해할 수 있는 글을 읽을 때 자신이 자기 자아에 가까워진다는 것을 알게 된다고 말했다. 다른 누군가는 그것은 다른 사람들의 반응에 있다고 말했다. 다른 사람들이 우리보다 먼저 우리의 진짜 자아를 볼 수 있다고 했다. 또 다른 이는 그것이 꿈을 좇는 데서 나온다고 했다. 그 후, 그 젊은이는 자신이 조현병 진단을 받았다고 내게 말하면서, 자신이 과연 회복될 수 있을지 궁금해했다. 나는 희망의 양동이에서 희망의 일부를 그에게 나누려고 했다. "회복의 희망은 아까와 같은 질문을 한 데서 시작한다"라고 내가 말하자 그의 눈은 조금 더 밝게 빛났다.

앞서 언급했던 샐리 진먼은 자신의 내면의 존재에 영양을 공급할 수 없었던 사람의 극적인 예이다. 그녀는 자신이 그런 사람이 되는 것을 거부했을 때 회복이 시작되었다고 말했다. 그녀의 이야기는 그녀가 회복되기 위해서는 그녀 부모님이 만들어준 이미지를 버려야 한다는 것을 암시한다. 그녀는 새로운 샐리를 창조해야 했다. 그녀는 청소년기가 아니라 서른두 살 때 자신의 정체성 탐구를 거쳤다. 이것이 왜 그녀가 그렇게 극적으로 그 과정을 거쳤어야 했는지를 설명해 줄 것이다. 그녀는 덧씌워진 거짓된 자아를 힘차게 벗어던져야 했다. 부모와 다른 권위 있는 사람들에 의해 만들어진 거짓된 자아를 분쇄하는 것은 로널드 D. 랭R. D. Laing이 묘사해 유명해진 분열된 자아의 묘사와 매우 흡사하다.

2006년 영화 〈소설보다 더 낯선 이방인Stranger than Fiction〉(국내에서는 〈스트레인저 댄 픽션〉으로 개봉 – 옮긴이 주)의 주인공의 여정에서도 비슷한 과정이 묘사되어 있다. 사랑은 그의 내면의 존재의 출현에 중요한 역할을 한다. 일단 그 내면의 존재가 드러나면, 그 존재는 말 그대로 그의 생명을 구한다. 시나리오 작가 자크 헬름은 주인공에게 타인에 대한 작은 친절이 무엇보다도 중요하다는 것을 깨닫게 해주었다. 이와 비슷한 주제를 담은 또 다른 영화는 〈날 무시해Reign Over Me〉(국내에서는 〈레인 오버 미〉로 개봉 – 옮긴이 주)이다. 2007년의 이 영화에서 주인공은 자기만의 현실에서 살고 있으며 일을 포기한 적이 있을 정도로 심각한 외상 후 스트레스 장애PTSD를 겪고 있다. 하지만 한 대학 친구와의 별 볼일 없는 만남으로 인해 그의 치유 과정이 시작된다. 아카데미상을 받은 영화 〈솔로이스트The Soloist〉는 회복 과정에서 중요한 요소는 자기 내면의 삶에 고립되어 있는 그 사람에게 손길을 뻗치는 다른 사람의 돌봄, 사랑하는 관계임을 보여준다.

✚ 당신을 믿는 사람을 찾는 것이
당신 자신을 믿는 데 도움이 된다

한 사람이 고립과 절망을 느끼는 다른 사람을 도와 새로운 가능성과 지평을 향해 문을 열 수 있게 도움으로써 놀라운 영향을 미칠 수 있다. 회복 그룹의 많은 사람들은 그들에게 미쳤던 이런 효과의 힘에 대한 생각을 나누었다. 많은 사람들이 이런 효과를 직접 겪었을 때 놀랐다고 고백했다.

아내는 나에게 그런 영향을 끼쳤다. 그녀는 내가 할 수 있다고 생각하기도 전에, 내가 많은 일을 할 수 있다고 항상 믿어왔다. 정신과 레지던트 첫날, 그녀는 내가 수련을 받는 병원까지 나와 함께 다섯 블록을 걸어가겠다고 제안했다. 나는 공포에 가까운 상태인데도 그녀의 도움은 필요 없다고 용감하게 말했다. 다행히도 그녀는 계속 고집하면서, 그 두려운 날에 나의 자신감을 크게 북돋아 주었다.

워싱턴의 한 친구가 레지던트 수련을 위해 워싱턴 D. C.에서 보스턴으로 내가 이사 가는 무렵에 이런 식으로 나를 도왔던 것을 기억한다. 나는 워싱턴을 떠나는 것을 꺼려 했다. 그곳은 8년 동안 내가 살던 곳이었다. 하지만 나는 케임브리지 병원에서 훈련도 받고 싶었다. 그러자 내 친구는 내가 보스턴으로 이사 온 것을 모험으로 생각하자고 간단하게 제안했다. 그것은 과거의 연줄과 역사를 잃어버리는 대신 앞으로의 흥분을 바라볼 수 있게 해주었다. 그의 말이 도움이 되었지만, 그렇게 말하면서 그가 보여준 태도도 도움이 되었다. 그는 내가 그것을 할 수 있다고 믿었음이 분명했다. 그는 나를 믿었다(또한 나는 그가 진행형 신경 질환으로 다리를 사용할 수 없었지만 자신의 삶을 향상시키기 위해 계속 일했기 때문에 그를 매우 존경했다).

전국역량강화센터NEC에서의 회복에 대한 질적 연구에서, 인터뷰 대상자

30명 중 대다수는 자신들의 회복 과정에 '나를 믿는 사람'과 함께 있는 것이 필수적인 중요 요소라고 언급했다. 이러한 자세를 전달하기 위해서, 회복 중인 누군가를 돕는 사람은 직접적이고 개방적이며 자발적인 의사소통 방식을 사용할 필요가 있다(유감스럽게도 그것은 대다수의 전문가에게는 없고, 비전문가 집단에서 훈련된 것 같다). 거의 모든 소비자들은, 병원에서 임상적으로 가장 덜 교육받은 직원에게 받은 도움이 최고의 도움이었다고 말한다. 각자 독립적인 기회에 있었던 인터뷰의 참가자들은 이런 사람이 적어도 한 명은 있었다고 언급했다. 종종 주거시설 또는 재활시설 직원이 이런 수준의 믿음을 전달할 수 있었고, 어려움에 처한 사람의 가장 깊은 내면에 도달할 수 있었다. 한 인터뷰 대상자는 자신을 이해하는 사람들로부터 '믿음 신호'를 감지할 수 있었다고 말했다. 그들은 견딜 수 있고, 책임을 질 수 있으며, 변화할 수 있는 능력을 믿는 사람들이었다.

스트레스 상황에 있는 사람의 회복 잠재력을 믿는 어떤 사람이 있다는 것은 독백에 갇혀 있는 그들을 자유롭게 하는 데 본질적 요소가 된다고 생각한다. 독백에 갇히게 된 중요한 요소는 아마도 미래가 없다는 것, 성장하여 더 충만한 삶을 살 수 있는 잠재력이 없다고 확신하기 때문이다. 막다른 골목에 처했다는 이런 느낌은 사람의 정신과 자아를 죽음의 소용돌이 안쪽으로 내몰 수 있다. 밥 딜런이 노래했듯이, "바삐 태어나지 않는 사람은 바삐 죽는다".

나의 치료사는 나를 믿었던 사람의 좋은 예였다. 그는 언제나 단절된 것처럼 보이는 나의 생각에서 의미를 찾았다. 그는 자신에게서 나온 것 같은 통찰력이 내게 있다고 칭찬해 주었다. 예를 들어, 어느 날 그는 내가 직장이나 학교에서 최고가 되기 위해 경쟁하는 것과 같은 수직적 요소들에 중점을 두는 대신, 재미와 레크리에이션과 같은 내 삶의 수평적 요소를 충족시키는 데 더 많은 에너지를 쏟는 것을 보았다고 말했다. 셈치신 박사에게 나는 그 말 속의 통찰이 훌륭하다고 말했다. 그러나 그는 그 통찰이 자신에게서 나온 것이 아니라 나한테서 비롯된 것이라고 진지하게 말했다. 자신의 역할은 나 자신의 통찰력을 되돌아볼 수 있게 해서 내가 새로운 방식으로 그 통찰력을 들을 수 있게 하는 것이라고 했다. 그래서 그는 나를 자유롭게 하는 데 필요한 생각을 낼 수 있는 나의 능력을 믿는 것 외에도 나 자신의 생각을 좀 더 명확하게 이해할 수 있는 형태로 응축할 수 있게 해주었다. 그렇게 하면서 그는 내가 자아를 이해할 수 있게 도움을 주었다.

✚ 당신이 사랑하고 당신을 충족시키는 일련의 일을 찾으라

나는 또한 무료 진료소에서 심각한 정서적 고통을 겪던 사람들에게 동료 지도자로 일함으로써 회복에 도움을 받았다. 내가 그들의 스트레스를 이겨내는 데 도움을 주었을 때, 나 자신에 대해 더 많이 이해하게 되었다. 정신질환 진단을 받으면, 사람들은 무엇인가에 기여하는 자신의 능력이 부정되는 것처럼 느낀다. 그러나 우리 자신을 공유하는 바로 그 행위를 통해서 우리는 가치 있고, 다른 인류와도 연결되어 있다고 느낀다.

나 자신의 경험 덕분에 나는 다양한 방식으로 매우 심한 스트레스를 받는 사람들에게 접근할 수 있었다. 아무리 심하게 화가 나 있는 사람이라도, 그 사람 내면에 숨어 있는 힘의 중심이 있다고 항상 믿어왔다. 비법은 항상 내면에 자리 잡고 있는 힘을 기억하는 것, 자신감을 전달하면서 그 사람과 함께하는 것이다. 그러면 그들은 그들 자신의 숨겨진 힘을 끌어낼 수 있다. 어려운 처지에 있는 사람에게 자신감을 촉진하고 희망을 심어주기 위해서는

도움을 주는 사람이 솔직한 사람이어야 한다. 이것은 나중에 정서적 심폐소
생술에 관한 장에서 더 자세히 설명한다.

지난 30년 동안 나는 병원과 진료소의 수많은 정신건강 소비자들을 대상
으로 정신과 치료를 해왔다. 이 기간 동안 나는 소비자 운동의 일부로 참여
했다. 정신건강 시스템 내에 있으면서 반대편을 관찰하고 사는 것은 약간의
긴장감의 원천이 되었다. 그러나 여러 감정이 상충되어 있음에도, 개인적으
로는 보람이 있었다. 서비스 공급자, 가족, 소비자와 더불어 치열하게 일하
면서, 나는 양쪽의 번역자 또는 전달자의 역할을 하면서, 이들 세계를 연결하
는 법을 배웠다. 나는 공통의 토대가 회복이라는 것을 알았다. 그것은 소비
자, 가족, 서비스 공급자들이 모두 합의할 수 있는 이상적인 모습이다. 그 합
의는 새로운 발전이다. 이런 공통의 토대에 도달하기 위해서는, 병이 없어지
는 것이 모두가 바라는 최선이라고 확신하는 것을 서비스 공급자가 중단해야
했다. 가족들은 자신의 자녀가 더 많은 자율성을 가지는 것이 중요하다는 것
을 이해할 필요가 있었다. 소비자/생존자 리더는 심각한 스트레스에 처한 사
람들이 임상적인 도움을 필요로 하는 경우가 있다는 것을 받아들여야 했다.

정신건강 신자유위원회에서의 활동을 통해, 나는 이 세 세계를 연결하기
위해 그 그룹들이 공통의 회복 비전을 합의하도록 했다. 그 비전은 수백만
명의 소비자/생존자와 그 가족들에게 희망을 준다. 우리는 정신건강 시스템
을 관리와 증상감소 시스템에서 소비자 및 가족 중심의 회복 지향의 돌봄의
접근으로 전환하는 것을 주요 목표로 설정했다. 위원회는 소비자와 가족들
이 교육, 정책 개발, 서비스 평가, 서비스 공급에 충분히 참여할 것을 권고했
다. 그 보고서는 이 나라 전역과 전 세계의 소비자와 가족들에게 꿈을 심어
준다. 또한 나는 위원회와 협력하여 격리와 강제의 사용을 대폭 줄일 것을
권고했다. 내가 위원회에서 유일한 소비자/생존자였음에도 어떻게 해서 그

렇게 중요한 영향을 미칠 수 있었느냐는 질문을 수없이 받았다. 이 질문들에 영감을 받아 나는 '자기 목소리 찾기'라고 부르는, 옹호자들을 위한 훈련 프로그램을 만들었다.

✚ 다른 사람들을 돕는 것이
너 자신을 돕는 것이다

"다른 사람을 돕는 것을 통해 우리는 스스로를 돕는다"라는 것은 동료활동의 원칙이다. 그것은 또한 '익명의 알코올중독자들Alcoholics Anonymous'(알코올중독자의 자조 모임 명칭 – 옮긴이 주)의 12번째 단계이기도 하다. 정신건강 분야에서 이 원칙은 자신이 받은 만큼 돌려주거나 받지 못한 것을 제공하고 싶어하는 많은 사람들이 선언한 원칙이다. 정신과 의사가 되고 싶었던 나의 소망은 이 두 가지 동기에서 비롯되었다.

스트레스로 자신만의 깊은 내면에 매몰된 사람에게 다가서는 도전을 통해 우리 자신의 인간성에 다가선다고 나는 믿는다. 스트레스 상황에 처한 사람에게 다가서는 아마도 유일한 방법이 자신의 가장 깊은 내면의 자아와 깊게 조화를 이룰 수 있을 때에만 가능하기 때문이다.

트라우마를 당하면 우리는 각자 두꺼운 보호막 껍데기를 키우게 된다. 내 여동생은 자기 거북이들을 사랑했다. 그들과 유대감과 공감을 느꼈다. 그녀는 그들처럼 자신을 세상으로부터 보호하기 위해 보호막을 키워갔다. 나는 동생에게 다가설 수 있기를 바랐다. 나 역시 껍데기를 키웠다. 그러나 다행히 사랑하는 치료사, 친구, 가족의 도움으로 그것을 깨뜨렸다. 자기의 껍데기 속에 있는 사람에게 다가서는 데 본질적인 측면은 그 사람의 가능성을 믿는 것이다. 심지어 다른 사람들이 그들이 인격체가 되는 것이 이제 불가능해졌다고 믿는 순간조차. 그 믿음의 가장 중요한 표현은 상대방에게 자발성을 표현하는 것이다. 내가 가장 큰 스트레스를 받았을 때, 다른 사람이 자신의 본질적인 내면의 자아를 가장 솔직하게 표현하는 것만이 나에게 접근할 수 있는 방법이었다. 이러한 표현들은 종종 비언어적이고 정서적인 것이다. 이런 표현이 가장 인간적인 것이다. 위생병 릭은 내가 경험하거나 표현하기 두려워했던 내 내면의 나를 실제로 보았다. 그는 자기 심장으로 내 내면의 동료가 되었다. 그는 자기 심장으로 내가 여전히 거기 머물고 있음을 보았다. 그러자 나는 내 심장으로 그를 볼 수 있었다. 내가 가장 심하게 내 내면에 고립되어 있었을 때, 나는 매우 고집스럽게 말하기를 거부했다. 그러자 내가 말하고 싶을 때에도 더는 말할 수 없게 되었다. 나는 나 자신에게 "내 주변 사람들이 있는 세상이 안전할 때만 나올 거야. 내 주변 사람들을 진정으로 믿을 수 있을 때만 나올 거야"라고 말했다. 내 주변 사람들이 정말 나를 신경 쓰는지 시험해 보고 있었다.

✚ 스스로와 다른 사람들을 믿는 것

심리학자 에릭 에릭슨Eric Erikson은 『아동기와 사회Childhood and Society』에서 자신과 다른 사람들을 신뢰하는 것이 인생의 발달단계에서 근본적인 첫 단계라고 주장했다. 에릭슨은 이런 유형의 신뢰를 '기본적 신뢰'라고 불렀다. 그 이유는 신뢰가 가장 깊은 내면에서 확립될 필요가 있기 때문이다. 심한 정서적 스트레스를 겪는 기간 동안, 많은 사람들은 정서적으로 주변 사람들로부터 물러나 자기 내면에 고립된다. 이것은 또한 자신의 자아로부터 물러나는 것이기도 하다. 이런 내면으로의 고립은 보존-고립이라는 원시적 생존 메커니즘의 일부라고 생각된다. 그것은 동물을 마비 상태에 빠지도록 하는 공포로 구성되어 있다. 내면으로의 고립을 방치하게 되면 인간관계를 해치고 편집증으로 발전할 수 있다. 신뢰는 일관되고, 돌보며, 공감하는 사람들을 통해 시간을 두고 재확립되는 것이다. 그것은 인간관계를 연결하는 아교이다. 감정은 말보다 비언어적으로 더 잘 이해할 수 있기 때문에 신뢰를 쌓기 위해서는 때로는 얼굴을 마주 대고 하는 상호 작용이 매우 중요하다.

✚ 자기결정의 가치

자기결정은 거의 한결같이 회복에 필수적이라고 말한다. 이것은 자신의 삶을 자신이 살아가는 것과 다른 사람에 의지해서 삶을 관리하는 것의 차이이다. 불행히도, 정신적 스트레스 상황에 있는 사람들이 나쁜 결정을 할 때, 사회에서는 정신건강 시스템이 대신 결정을 할 수 있게 한다. 이런 가부장적 관계는 위기의 시기에 중요하지만, 그 사람이 다시 자기결정을 할 수 있는 때에도 지속된다. 이것은 결국 개인적인 신뢰와 자아의식의 건설적인 발전을 방해한다.

✚ 깊은 정서적·인간적 수준에서 연결하기

어떤 동료는 자신의 치료사를 신이 아니라 인간이고, 잘못할 수도 있으며, 잘못을 고치는 것에 개방적인 사람으로 묘사했다. 돌봄 제공자는 "내가 그를 보았을 때 나를 웃게 하곤 했어요. … 그가 나를 웃게 했어요"라고 했다. 그 점이 매우 중요했다.

✚ 광기 있는 사람에게도 다가갈 수 있는 방법이 있다

누군가가 미쳤다고 말할 때 우리는 보통 그들의 말이 이해가 되지 않고, 그들의 행동과 말이 비합리적이라는 것을 의미한다. 하지만 사실, 광기로 간주되는 어떤 것에도 언제나 다가갈 방법이 있기 마련이다. 여기에 결여되어 있는 것은 외형적 광기의 이면에 있는 의미를 이해하는 것이다. 버트럼 캐런Bertram Karon 박사는 조현병 진단을 받은 한 남자의 치료 과정을 묘사하면서 좋은 예를 제공했다. 비합리적으로 보이는 그 남자의 행동 중 하나는 자주 고개 숙여 인사를 하는 것이었다.

캐런 박사가 그 남자에게 왜 고개 숙여 인사를 하느냐고 물었을 때, 그 남자는 인사하는 것이 아니라고 대답했다.

캐런 박사가 고개 숙여 인사하면서, "하지만 당신은 이렇게 하고 있어요. 이것은 고개 숙여 인사하는 것이에요"라고 말했다.

"나는 인사하는 게 아니에요"라고 그 남자가 답했다.

"그럼 뭐하는 거예요?" 캐런 박사가 물었다.

"균형을 잡고 있어요."

"무슨 균형을 잡고 있지요?" 캐런 박사가 물었다.

"감정의 균형요"라고 남자가 답했다.

"어떤 감정?"

"두려움과 외로움." 남자의 대답이었다.

그 남자는 외로워 누군가에게 다가가고 싶을 때, 몸을 앞으로 기울였다. 그러나 몸을 앞으로 기울여 사람에게 너무 가까워져 두려움을 느끼면, 그는 다시 몸을 곧추 세웠다. 비이성적으로 보이는 것이 실제로는 복잡한 내면의 갈등이 복잡한 육체적 표현으로 나타난 것이었다. 캐런 박사가 그런 몸동작을 이해하면서, 그 남자는 정신질환에서 회복되었다.

✚ 자기 자신의 목소리 갖기

사람들이 자기 목소리와 자아감이 없을 때, 그들은 심각한 정서적 스트레스를 경험하기 쉽다. 나는 자기 일에 대한 걱정을 상사에게 대놓고 말할 수 있게 되자 자기 망상이 사라졌다고 말한 어떤 여자를 안다. 내면에 숨어 있는 환청의 목소리보다 자신이 더 강하다고 느낄 때 그 환청에 대처하는 방법을 알게 된다는 것을 보여주는 또 다른 연구가 있다. 사회에서 자신의 목소리를 더 많이 낼 수 있고, 자신이 듣는 여러 목소리(내면에서 말하라고 요구하는 목소리 – 옮긴이 주)에 관해 다른 사람과 더 적극적으로 토론할 수 있으면, 그들의 정서적 스트레스는 감소된다. 이것은 더 큰 자아를 설명한 것이다. 더 큰 자아는 더 작은 자아들을 관찰해서 그들에게 지시할 수 있다. 목소리 듣는 네트워크Hearing Voices Network는 자조 모임에서 자신들의 목소리와 더불어 살 수 있게 도와주고 있다.

✚ 모든 감정과 생각을 인정하기

내가 가장 심하게 스트레스를 받던 시기 중 어느 날, 내 친구가 나와 함께 하루를 보내면서 나의 생각과 감정을 들어줌으로써 매우 특별하게 나를 지지해 주었다. 그날의 경험은 놀라운 것이었다. 그녀는 나를 판단하지 않으면서 나와 함께 있어줄 수 있었다. 나중에 그녀는 스트레스를 받는 동안 내가 한 말 중 말도 안 되는 것도 있었지만, 나는 좋은 친구였고 나와 함께 있는 것이 중요하다고 느꼈다고 말했다. 그녀는 나를 신뢰했고, 지금도 그러하다.

✚ 당신의 꿈을 따르는 것

개인적인 목표를 추구하면 회복 과정을 매우 쉽게 할 수 있다. 나는 이전에 빈번하게 정신병원에 입원했던 한 여성을 안다. 그녀는 다른 사람들을 돕겠다는 꿈을 추구하는 것이 그녀 삶의 모든 것을 변화시켰다고 말했다. 그 꿈때문에 그녀는 아침에 일어나야 할 이유가 생겼다고 느꼈다. 다시 한번 그녀는 자신의 삶에 목적이 있다는 것을 느꼈다. 그녀는 정신장애인 거주시설 상담사가 되었고 몇 년 동안 정신병원에 입원하지 않았다.

✚ 존엄, 존경, 평등한 관계 맺기

회복 중인 어떤 사람은 "나의 회복의 여정의 핵심 요소는 존엄성과 존중을 갖고 나를 대하는 것, 멘토가 있었던 것, 그리고 내 상황을 진정으로 이해하고 마찬가지의 상황에 있는 사람들로부터의 동료 지원"이었다고 회상했다. 또 다른 사람은 자신에게 큰 의미를 지닌 한 의사에 대해 말했다. "그는 누구든 간에 모든 사람을 존중했어요."

사회적 지위에 상관없이 내가 모든 사람을 존중하는 것처럼, 나 역시 그들로부터 똑같은 대우를 기대한다. 그들이 아무리 고귀한 지위에 있다 하더라도 말이다. 결국 밥 딜런의 말처럼 "미국 대통령이라도 때로는 알몸으로 서야 할 때가 있다". 평등의 중요성에 대한 또 다른 예시가 내 꿈속에서 나타났다. 꿈속에서 내 친구 윌과 나는 귀족 묘지에서 비문을 보고 있다. 우리는 유명한 가문의 한 사람이 치즈버거를 너무 많이 먹어서 죽었다는 것을 읽으면서 웃기 시작한다. 우리가 배꼽을 잡으며 웃고 있을 때, 어떤 여경과 노신사가 엄한 표정으로 우리에게 다가오고 있음을 나는 알아차린다. 윌은 그들을 보자 자신은 귀족 가문에 속한 게 아니라고 말하면서 달아난다. 나 또한 귀족 가문에 속하지 않았지만, 그 두 사람과 마주한다. 그들이 왜 웃냐고 내게 묻는다. 나는 비석의 비문을 가리킨다. 그러자 노신사는 그 비문은 우스운 게 아니라고 말한다. "여기는 내 할아버지의 무덤이고, 당신은 여기 가문이 아니잖아요"라고 말한다. 나는 그의 눈을 똑바로 쳐다보며, 확신에 차서 말한다. "나도 이런 가문에 속해요. 결국 당신 집안과 마찬가지로 우리 집안도 수 대에 걸쳐 내려왔어요!" 그 당시 나는 자기 존중감을 느끼면서 깨어났다. 물론 좀 더 공손한 태도로 말할 수도 있었다는 것도 깨달았다.

✚ 너의 고통으로부터 배우라

몇 년 동안 무감각한 상태에서 벗어나면서 나는 수년 동안 억눌렀던 정신적 고통을 격렬하고 심각한 요통으로 경험했다. 어느 날 갑자기 너무 심한 요통 때문에 걸을 수 없다는 것을 알았다. 나는 페르코셋Percocet, 침술, 열치료 등 상상할 수 있는 모든 신체요법을 시도했다. 그러나 어느 것도 도움이 되지 않았다. 존 사노John Sarno 박사의 책인 『통증혁명Healing Back Pain』을 친구가 빌려주었다. 내 생각으로는 그 고통이 신체적 원인에 있는데도, 그 책이 도움이 될 것이라고 친구가 생각한 것에 화가 났다. 그래도 자포자기하는 심정으로 나는 이 책에 나오는 문구들을 반복하기 시작했다.

사노 박사의 기억해야 할 사항 열두 가지

① 통증은 긴장성 근육통 증후군Tension Myositis Syndrome: TMS으로 인한 것이며, 신체구조상의 이상이 아니다.

② 통증의 직접적인 원인은 산소 결핍이다.

③ 긴장성 근육통 증후군은 나의 억압된 감정 때문에 생기는 무해한 질환이다.

④ 주된 감정은 억압된 분노이다.

⑤ 긴장성 근육통 증후군은 감정으로부터 주의를 분산시키기 위해서만 존재한다.

⑥ 나의 등은 기본적으로 정상이기 때문에 두려워할 것이 없다.

⑦ 그러므로 신체활동은 위험하지 않다.

⑧ 그리고 정상적인 신체활동을 재개해야 한다.

⑨ 나는 그 고통에 대해 걱정하거나 겁먹지 않을 것이다.

⑩ 나는 나의 관심을 고통에서 감정적인 문제로 옮기겠다.

⑪ 무의식의 생각이 나를 통제하는 것이 아니라, 내가 나를 통제할 것이다.

⑫ 나는 항상 육체적으로가 아니라 심리적으로 생각해야 한다.

나는 약간 안도감을 느꼈지만, 내가 주선한 행사에 참석하기 위해서는 여전히 휠체어가 필요했다. 그 행사에서 강연을 하고 나자 허리 통증이 사라졌다. 그때 나는 행사를 조직해야 한다는 압박감 때문에 지기 어려운 짐짝이 내 등에 있었던 것 같았음을 알게 되었다. 그 이후로 요통이 또 생긴다고 느낄 때 나는 이 문구들을 다시 생각해 보곤 한다. 특히 나 자신에게 이렇게 물어보는 것이 중요하다. "요통의 근원인 어떤 감정을 내가 지금 경험하고 있는가?"

사노의 구절은 스트레스를 주는 생각을 재구조화하기 위한 목적으로 고쳐 써서 적용할 수 있을 것 같다. 정신적 스트레스는 일반적으로 뇌의 화학적 불균형에서 비롯된 정신질환 증상으로 정의된다. 그래서 우리의 생각을 순수한 육체적인 설명에서 심리적인 것으로 바꾸기 위해 다음 목록을 고려해 보자.

정신적 고통에 대해 기억해야 할 사항 열한 가지

① TV가 내게 말을 거는 것 같은 이상한 현실은 '생각의 경련Thought Spasm: TS' 때문이다.

(TS—일종의 한 가지 주제에 몰두한 생각 또는 독백)

② TS의 직접적인 이유는 나를 내 내면으로 고립시키는, 설명할 수 없는 어떤 것에 대한 두려움이다.

③ TS는 심리적으로 무해한 것이다.

④ TS는 내 트라우마와 분열된 자아를 온전한 자아로 통합시킬 필요가 있다는 것을 알리기 위한 것이다.

⑤ 내 뇌는 기본적으로 건강하기 때문에 두려워할 것이 없다.

⑥ 그러므로 어떤 것을 계속해서 생각하는 것이 위험한 것은 아니다.

⑦ 나는 다른 사람들과 계속 연결되어 있을 필요가 있고, 다른 사람들이 제공하는 새로운 생각에 개방되어 있어야 한다.

⑧ 나는 TS에 놀라지 않을 것이다.

⑨ 나의 관심을 공포가 아니라 자아감을 재통합하는 것으로 돌려야 한다.

⑩ 나는 내 삶을 다시 통제할 것이다.

⑪ 내 뇌의 화학적 불균형이라는 관점보다는 심리적 통합과 사회적 연결 맺기의 관점에서 생각해야 한다.

제5장
당신의 삶을 회복시키는 역량강화 방법

나는 회복을 1970년대에 등장한 소비자, 생존자, 이전 환자ex-patient 운동에 기반하여 이해하고 있다. 이 운동은 1960~1970년대에 미국을 변화시킨 사회 분야의 시민권 운동의 일환이다. 내가 처음 공식적으로 이 운동을 접한 것은 ≪정신의학의 공격에 반대하는 네트워킹 뉴스레터Network Against Psychiatric Assault Newsletter≫에서였다. 편집자인 레너드 프랭크Leonard Frank와 웨이드 허드슨Wade Hudson은 샌프란시스코 지역에 기반을 둔, 당시 이전 환자 운동으로 알려진 분야의 선구자였다.

용어에 관한 언급. 우리 운동은 우리 자신을 어떻게 표현하는가에 많은 관심을 가져왔다. 현재 정신건강 서비스를 받는 사람은 '소비자'로, 정신건강 시스템에서 벗어난 사람들은 자신을 '정신과 생존자'로 부른다. 대체로 다른 사람들과 마찬가지로, 우리는 자신을 사람이라고 부르는 것을 선호한다. 우리 중

> 몇몇은 이제 스스로를 '회복을 경험한 사람들'이라고 부른다. 우리 스스로를 어떻게 표현하느냐에 대한 힘겨운 싸움은 정치적·실존적 갈등으로부터 시작된다. 우리의 경험을 우리의 용어로 정의하길 원한다. 사실, 우리가 느끼는 우리의 경험을 설명하는 것은 우리의 존재와 집단의 발전에 필수적이다.

레너드와 웨이드는 정신의학의 학대에 대해 의문의 목소리를 제기한 초기 사람들이다. 그들의 메시지는 나에게 공감을 불러일으켰다. 그들과 다른 초기의 지도자들 — 주디 체임벌린Judi Chamberlin, 샐리 진먼Sally Zinman, 하위 더 하프Howie the Harp, 레이 언지커Rae Unzicker, 테드 차바신스키Ted Chabasinski, 파울 도르프너Paul Dorfner — 은 정신질환이라는 딱지가 우리를 대상화하며, 권리를 박탈시킨다고 믿었다. 1975년, 그들은 정신보건국Department of Mental Health을 상대로 로저스 대 오킨Rogers vs. Okin 소송을 시작했다. 거기서 정신질환자의 강제치료가 시민권을 침해하는 것이라고 주장했다. 매사추세츠 지방법원은 원고 승소 판결을 내렸다. 그러나 주 정부는 이어서 소비자에게 약 복용을 강제하기 위해 특별후견제도a special guardianship를 도입함으로써 이 판결을 우회했다(역설적이게도, 로저스 대 오킨 소송의 원고 이름을 따서 이를 로저스 후견제도라고 부른다).

초기의 지도자들은 나의 영웅이다. 특히 주디 체임벌린은 옹호자로서 나의 성장에 중요한 멘토 역할을 했다. 그 초창기 동안, 주디는 이전에 정신질환이라는 딱지가 붙은 사람들이 함께 모여 자신의 목소리로 말할 필요가 있다고 보았다. 그녀는 『우리의 힘으로On Our Own』라는 책을 발간했다. 부제는 '정신건강 시스템에 대한 이전 환자가 주도하는 대안Ex-patient Controlled Alternatives to the Mental Health System'이라고 붙였다. 그녀는 우리가 자신의 삶과 우리를 돕는 프로그램을 책임져야 한다는 점을 이해했다. 그녀의 책이 출판되고 그다음 해에 그녀는 위스콘신주 매디슨에서 열린 정신질환전국연합NAMI의 창립 회의에 참석했다. 회의가 끝난 다음 주 그녀는 국립정신건강연구소NIMH 국장 허버트 파데스Herbert Pardes 박사에게 편지를 썼다. 그녀는 부모가 옹호 단체를 갖는 것이 도움이 되지만, "그러나 그들은 이전 환자들을 대변하지 않아요. 우리는 우리 자신을 옹호할 필요가 있어요"라고 그에게 경고했다. 실제로, 우리 운동의 시급하고 지속적인 주제는 남아프리카의 반인종차별 운동에서 사용한 슬로건 "우리 없이는 우리에 관한 어떤 것도 있어서는 안 된다Nothing about us without us"이다.

1981년, 정신건강 시스템 내부에서 전문가로 일하는 몇몇 다른 이전 환자들이 국립정신건강연구소로 초대되어 정신건강 시스템에 필요한 변화에 대한 생각을 공유했다. NIMH는 또한 우리가 전국적으로 회복을 경험한 전문가들의 네트워크를 만들 것을 제안했다. 내가 주디에게 이 생각에 관한 의견을 물었을 때, 그녀는 매우 부정적으로 반응했다. "아니, 그런 단체는 결코 만들어서는 안 돼. 왜냐하면 이전 환자 운동의 힘을 저하시킬 테니까." 그녀가 얼마나 현명했던가. 그 당시 나는 실망했었다. 그러나 차츰 나는 그녀의 시각과 지혜를 알게 되었다.

운동 지도자들이 나를 동료 지도자로 받아들이기까지는 많은 시간이 걸렸다. 나는 그들에게 특별 주시 대상이었다. 왜냐하면 정신의학의 학대에 가장 큰 가해자인 정신과 의사라는 지위를 가졌기 때문이다. 1983년, 주디와 나 그리고 몇몇 다른 보스턴 지도자들이 루비 로저스 드롭인 센터Ruby Rogers Drop-In Center를 개설했다. 그것은 소비자가 운영하는 전국의 다른 소셜 클럽의 모델이 되었다. 친구와 지원에 대한 욕구는 정신건강 문제에서 회복 중인 사람들에게 가장 시급한 요구 중 하나로 남아 있다. 1992년, 주디, 팻 디건,

로리 어헌과 나는 전국역량강화센터NEC를 설립했다. 처음부터 우리의 의도는 정신질환 경험을 가진 사람들이 운영하는 센터를 설립하는 것이었다. 그 센터가 우리의 관점에서 정신건강 문제를 이해하고 해결하는 원천이 되게 할 목적이었다. 희망과 역량강화를 통한 회복은 우리 센터의 주요 주제였다. 2010년 사망할 때까지 주디는 전국역량강화센터와 미국 보스턴 대학교의 정신재활센터Center for Psychiatric Rehabilitation에 적극 관여했다. 우리 모두 그녀를 그리워한다. 우리는 그녀의 정신을 우리 안에 강력하게 지니고 있다.

※

최근 나는 더 넓은 범위의 회복에 대한 현재 생각을 요약한 꿈을 꾸었다.

나는 강의실에 앉아 있다. 교사는 정신건강에 대해 강의하고 있다. 강의가 시작될 때, 교사는 양복을 입고 있다. 나와 다른 학생들은 모두 앞을 바라보고 일렬로 앉아 있다. 모두 열심히 메모를 하고 있다. 점차 교사는 소집단의 중요성을 강조하면서 양복을 벗어던지고 남태평양 풀잎 치마를 입고 등장한다. 심지어 그의 특징과 모습은 세포, 남자, 교수에서 천사, 아저씨, 성별이 없는 사람으로 바뀌어간다. 그때 내가 주위를 둘러보니 수업 참여자들이 소그룹으로 나뉘어 춤을 추고 있어 놀란다. 이 그룹은 소부족을 닮아가고 있다. 연결 맺기의 고대 의식을 재발견한 교수에게 영감을 받은 소부족처럼.

※

나는 그 꿈의 구조의 기본 구성단위인 아치 구조물을 만들기 위해 6~8마리의 흰개미가 필요했던 것을 기억한다. 나는 모든 사람이 그 내면 깊은 곳에서 소부족에 연계될 필요가 있다고 생각한다. 엄청난 정신적 스트레스는 트라우마trauma 때문에 자아가 조각으로 분산되어서 생기는 것이라고 나는 주장한다. 이러한 트라우마는 고립과 무력함으로 이어진다. 회복은 소그룹으로 함께 모여 대화하고, 그 부족의 삶에 속하고 참여함으로써 가장 잘 달성된다. 나는 인간 부족이 만들 수 있는 가장 중요한 아치 구조물은 의식의 아치 구조물이라고 생각한다.

요약하자면, 회복은 우리 의식의 진화이며, 소부족에 대화를 통해 참여함으로써 확장된 의식의 아치 구조물을 형성하게 되면 찾아온다고 믿는다. 의식이 제고된 소부족은 더 큰 건강한 마을과 지역사회를 건설하기 위해 함께 모일 수 있다. 회복 경험을 가진 사람들이 주도하고 있는 것은 이러한 의식의 진화이다.

우리는 이제 소비자/생존자 운동의 진화를 이러한 방식으로 이해할 수 있다. 초기에는 약 8~10명의 용감한 비판적 사상가들이 자신의 정신질환 경험을 성찰했다. 정신의학의 학대에 관하여 정기적 의사소통을 하기 시작했다. 그들은 뉴욕, 필라델피아, 보스턴, 오리건주의 포틀랜드, 버클리, 샌프란시스코와 같은 주요 도시에 집중되어 있었다. 그들은 우리 운동의 가치를 제시하면서 열정적인 흰개미처럼 행동했다. 그들이 구축한 의식의 아치 구조물은 헌신적인 인간 존재로 구성된 소그룹 내에서 가슴과 가슴으로 연결하는 대화를 통해 등장했다.

2012년, 회복을 정의하기 위해 활동하던 미국의 소비자/생존자/이전 환자C/S/X 운동 내부의 한 집단이 다섯 가지 지지적 원칙을 확립했다. 다음은 SAMHSASubstance Abuse and Mental Health Services Administration(물질남용 및 정신건강 서비스국)의 지원으로 진행된 설문조사에서 가장 많은(1,000명 이상) 표를 받은 회복의 정의이다.

자기결정, 역량강화와 희망은 회복에 필수적이다. 직업, 주거, 교육, 의료에 대한 평등한 접근에 기반을 둔 사회에 적극적으로 참여하기 위해 우리의 목소리를 찾는 길이기 때문이다. 우리는 SAMHSA가 MH(정신건강)와 SA(물질남용)에 대해 트라우마 정보 기반하의 돌봄, 문화적 다양성에 맞춘 돌봄, 그리고 동료가 제공하는 돌봄을 강조하는 것이 기쁘다.

✚ 회복의 원칙

우리는 서부 매사추세츠 회복 학습 커뮤니티Western Massachusetts Recovery Learning Community의 회복 가이드 원칙을 지지한다. 여기에는 다음이 포함된다.

- 자기결정과 선택
- 상호 관계
- 낙관주의
- 존중
- 진정한 인간관계

우리는 모든 사람들이 유능하고 통찰력이 있으며 스스로 결정하고 성취하는 삶을 살 수 있다고 믿는다.

※

스물네 살 때 내가 한 경험의 주된 원인이 뇌신경의 화학 불균형 때문이 아니라면, 그 당시 나는 무엇을 경험했던 것일까? 이 책 앞부분에서 비유적으로 제안했듯이, 나의 경험 또는 나와 같은 많은 사람들의 경험은 우리 사회의 문화적 동굴에서 정서적 카나리아가 되는 것에 비유될 수 있다고 생각한다. 나는 심각한 심리적 스트레스를 겪는 사람들이 우리 사회의 문화적 독소를 더 잘 감지할 수 있다고 믿는다. 나의 정신질환은 나 자신과 내 주변 사람들 모두에게 단선적인 합리적 사고에 과도하게 의존하는 것이 비인간화의 위험한 상태를 초래할 수 있음을 조기에 경고하는 것으로 보인다. 나는 현실의 고전적인 객관화를 그 논리의 극단까지 가져갔다. 즉, 인간을 기계로 보는 것이었다.

한계가 있는 이런 사고방식에 대한 나의 우려를 공유하는 친구가 있었던 것이 나의 회복에 필수적이었다. 먼저 짐이 있었다. 그는 나의 마지막 심각한 급성기severe episode 발병이 있었던 날, 나와 함께 하루를 보냈다. 그는 소위 발작 중 내가 드러낸 통찰력을 오늘날까지도 경이롭게 여긴다. 그는 "그들은 네가 미쳤다고 했지만, 네가 말한 것 중 대부분은 완벽하게 일리가 있었어"라고 말했다. 그는 내가 한 방향을 가리키면서 "우리는 그 방향으로 갈 수 있다"라고 말하곤 했다고 회상한다. 나는 그에게 그 방향으로 가는 것이 옳은지 물어보곤 했다. 그는 그 방향으로 갈 수 있다고 동의하곤 했다. 그때 나는 반대 방향을 가리키고 반대 방향도 똑같이 진실일 수 있다고 그에게 말하곤 했다. 나는 동등하게 유효한 다양한 방향을 추구할 만하다고 지적했다. 그는 그때까지 내 이야기의 요점을 파악했었다고 말했다. 그의 확인은 매우 큰 도움이 되었다. 나는 지금 그때 내가 내 삶의 과정을 비유적으로 묘사하고 있었다는 것을 깨닫는다. 그가 나에게 공감할 수 있었던 것은 그 역시 과학자가 되는 단선적 방향에서 시작했지만 그 대신 환경주의자로 경로를 바꾸는 결정을 했기 때문이었다.

또 다른 친구는 내가 장기간에 걸친 마지막 급성기 발병을 겪던 어느 날 하루 종일 나와 함께 보냈다. 그녀는 나중에 "낮에 네가 나와 함께 시간을 보낸 것은 이례적이었어. 기한이 정해지지 않아서 좋았어. 우리는 그저 걸었어. 너도 걷는 것에 만족하는 것 같았어. 나는 네가 하는 말 중 일부는 수긍할 수 없었지만, 너의 말 대부분은 내가 종종 느꼈던 것들과 같았어. 이상한 것으로 덮어씌워진 것은 없었어"라고 말했다. 나는 그녀에게 시간이 매우 걱정된다고 말했다. 시간은 "우리 모두 계속 일하게 만들기 위해 우리 마음을 조작한 것"이라고 나는 확신했다. 고개를 들어보니 초가 바뀌는 것을 알리는 거대한 디지털 벽시계가 있었다. 내가 그녀에게 이런 우려를 제기하자 그녀는 동의했다. 그녀는 그래서 자기는 대략적인 시간만을 알려주는 손목시계를 사용한다고 말했다. 그녀는 나에게 시계를 보여주었다. 나는 시계가 정확한 시간으로 설정되어 있지 않다는 것을 알 수 있었다. 나는 또한 그녀의 시계에 숫자가 없다는 것에 놀랐다. 사실 이런 미니멀리즘 디자인 시계에는 표시가 거의 없었다. 그녀는 "시간에 너무 많이 신경을 쓰면 『피터팬』의 후크 선장이 된 것 같은 느낌일 거야. 시계를 삼킨 악어가 그를 따라왔지. 계속 들려오는 시계 소리는 시간의 흐름을 끊임없이 일깨워 주는 것이었지"라고 말했다. 그녀가 나의 우려를 인정한 것, 우리의 경험이 공통된 것이 나의 두려움을 덜어주었다. 우리의 이상한 믿음이 우리를 미친 상태로 만드는 것이 아니다. 이런 믿음이 다른 사람에게 불러일으키는 공포는 이렇게 느끼는 사람이 우리뿐이라는 느낌 때문에 증폭된다. 우리가 인식하는 현실을 공유하는 것이 우리 정신을 맑게 해준다.

그러나 새 시대의 의료 개혁에서는 더 넓은 회복의 개념, 즉 정신과 진단을 받았다는 딱지가 붙은 우리에게 계속 희망을 줄 수 있고, 또한 사회의 다른 사람들도 이해할 수 있는 회복 개념이 필요하다. 예를 들어, 다양한 다른 장애를 가진 사람들은 회복의 개념과 관련이 없기 때문에 종종 오해가 발생한다. 그들은 우리의 회복 개념이 자폐성 장애인이 다른 사람들처럼 사회적으로 관계를 맺을 수 있거나 휠체어 장애인이 걷게 되는 것을 의미한다고 오해하고 있다. 그러나 우리는 여러 장애 유형을 포괄하는 장애운동cross-disability movement의 지도자들에게 회복에 관한 우리의 가치는 자립생활의 가치, 즉 소비자의 통제와 소비자의 선택과 일치한다고 설명해 왔다.

회복에 대한 보다 광범위한 프레임을 만들려면, 우리는 정신건강 문제에 대한 좁은 의학적 정의를 넘어서야 한다. 수년 동안 전문가와 연구자들은 정신건강 문제를 영구적인 생물학적 결함과 화학적 불균형으로 성격 규정된 질병으로 묘사했다. 회복하는 경우는 드물다고 했다. 이런 그룹의 눈에는 그 결함의 치료법이 발견되었을 때만 회복이 일어날 수 있다. 정신건강 문제의 생물학적 기초를 정의하기 위해 수많은 연구가 수행되었다. 일관된 결함은 발견되지 않았다. 기껏해야 그 질환은 완화될 수 있고, 그 기간 동안 증상이 관리될 수 있다고 믿었다. 이것이 관리모델이다. 그래서 많은 사람들이 이것으로 인해 절망적 스트레스를 겪었다. 사실 2013년 4월 29일 NIMH 국장인 의사 토머스 인셀Thomas Insel은 공개 블로그에서, NIMH는 DSM-5를 사용하지 않을 것이라고 밝혀 충격을 주었다. 그는 "허혈성 심장병, 림프종, 에이즈에 대한 정의와 달리 DSM 진단은 어떤 객관적인 실험실 결과가 아니라, 임상적인 여러 증상에 관한 합의에 기초한 것"이기 때문이라고 설명했다. 이것은 정신건강 상태에 대한 생물학적 모델에 대한 건전한 비평이다. 그러나 이 분야의 다른 사람들은 주의를 기울이지 않았다. 분명히 경제적 이익이 과학을 이긴 것 같다.

✚ 개발도상국에서 회복률이 더 높다

우리가 미국에서 추구하고 있는 회복문화의 많은 구성요소들은 '개발도상국'이라고 부르는 아직 덜 산업화된 나라에서 발견될 수 있다. 여러 면에서, 산업화된 나라는 개발도상국들이 여전히 중요시하는 지역사회와 인간관계의 기본가치 중 일부에 대한 감각을 상실한 듯하다. 비록 선진국이 기술적으로 발전했음에도, 사회·문화적으로는 낙후되어 있다. 반대로, 비산업화된 나라는 공동체 생활의 사회적·문화적 차원에 세심한 주의를 기울이고 있다. 개발도상국 사람들이 사회적 관계에 높은 가치를 두는 것이 세계보건기구 WHO의 두 가지 연구에서 개발도상국이 선진국보다 정신질환의 회복률이 높다는 것을 발견한 주된 요인 중 하나일 것이다.

줄루족the Zulus은 지역사회 건설의 중요성을 보여주는 모범 사례이다. 그들은 직관적으로 긍정적 대화를 일상 삶의 일부로 받아들인다. 부족 구성원은 다른 구성원을 볼 때마다 긍정적 인사를 통해 상대방의 깊은 자아를 인정한다. 어떤 줄루족이 다른 줄루족에게 인사할 때 "나는 당신을 압니다"라고 말하는데, 그것은 "나는 깊은 내면에 있는 당신을 압니다"라는 뜻이다. 그러면 상대방이 "내가 여기에 있습니다"라고 답한다. 그의 깊은 내면의 자아가 감동받았음을 확인하는 것이다. 그리고 서로 바꾸어 인사한다. 이 인사는 우분투Ubuntu 철학의 실천, 즉 서로의 인간성을 높이 평가하는 예이다.

특히 이런 사회들이 선진국과 비교하여 1인당 16%의 정신과 약물을 복용한다는 점을 감안할 때, 그들의 회복률이 왜 그렇게 높은지 이해하기 위해 더 열심히 연구해야 한다. 어떤 사람들은 약물을 적게 복용하는 것이 높은 회복률의 이유 중 하나라고 생각한다. 다른 사람들은 결정적인 요인은 더 강력한 공동체의 응집력이라고 믿는다. 미국의 지역사회 쇠퇴는 데이비드 리스먼David Riesman, 네이선 글레이저Nathan Glazer, 루엘 데니Reuel Denney의 획기적인 책『고독한 군중The Lonely Crowd』과 로버트 퍼트넘Robert Putnam의 최근 저서인 『나 홀로 볼링Bowling Alone』(공동체 생활에 참여하지 않는 것을 은유적으로 표현한 용어 ― 옮긴이 주)과 같이 사회학의 인기작에 나타나고 있다.

우분투는 응집력 있는 공동체를 만들기 위한 중요한 요소인 인간관계에 대해 가장 높은 프리미엄을 부과한다. 남아프리카의 철학자 더크 J. 라우Dirk J. Louw는 특별한 이유 없이 정기적으로 직장을 그만둔 흑인 광부들의 이야기를 들려주었다. 그 마을의 장로들은 이런 행동에 대해 질문을 받고, 노동자들이 우분투를 뒤에 남겨둔 채 출근해야 했기 때문이라고 설명했다. 여기서 우분투는 그들의 인간성을 말하며 광산에서 일하면서 본질적인 인간성을 강탈당했다는 것을 의미한다. 노동자들에게는 자기의 인간성이 자기의 직업보다 더 중요했다. 소위 선진국이라고 부르는 사회에서 우리 중 많은 사람들이 산업화의 대가로서 우리의 인간성을 떠나보낸 것은 아닐까? 불행하게도 우리는 인간성을 유지하면서도 동시에 무서울 정도로 빠른 속도로 진행되는 급속한 기술진보를 계속할 수 있는 방법을 아직 찾지 못하고 있다.

✦ 우분투는 높은 회복률과 관련이 있을까?

넬슨 만델라Nelson Mandela는 "우리나라를 지나는 여행자는 어느 마을에 들르더라도 음식이나 물을 요구할 필요가 없습니다. 일단 그가 멈추면, 사람들은 그에게 음식을 주고 그를 대접합니다"라고 말했다. 이것은 우분투의 한 측면일 뿐이다. 우분투는 사람들이 자신을 살찌우려 해서는 안 된다는 인식을 포함한다. 더 큰 질문은 "당신의 행동으로 당신 주변의 지역사회가 개선될 수 있습니까?"이다.

우분투는 남아프리카의 진실화해위원회가 인종차별정책Apartheid하에서 과거 폭력에 책임이 있는 사람들을 처리하는 철학적 기초라고 선언했을 때 국제적인 의미를 얻었다. 1997년 남아프리카공화국 정부의 사회복지에 관한 백서는 공식적으로 우분투를 다음과 같이 인정하고 있다.

(우분투는) 상호 간의 복지를 돌보는 원칙, … 상호 지원의 정신이다. … 각 개인의 인간성은 이상적으로는 다른 사람과의 관계를 통해 표현된다. 다른 사람들의 인간성은 다시 그 개인의 인간성을 인정함으로써 비로소 표현된다. 우분투는 인간은 다른 인간을 통해 인간이 된다는 것을 의미한다. 우분투는 또한 개인적 및 사회적 복리 증진을 요구할 각 개인의 권리가 있고 동시에 책임이 있음을 인정한다.

다음 설명은 더크 J. 라우의 「우분투와 남아프리카 공화국의 인종차별정책 이후 다문화주의의 도전Ubuntu and the Challenges of Multiculturalism in Post-Apartheid South Africa」이라는 제목의 에세이에 나온 것이다.

우분투의 기초적 가치는 줄루의 umuntu ngumuntu ngabantuVan der Merwe and Ramose라는 구절에서 찾을 수 있는데, 이 구절은 "'인간이다'라는 것은 타인의 무한한 다양성과 개성을 인정하면서 자신의 인간성을 확인하는 것이다"라고 해석된다. 우분투는 대화, 즉 '상호 노출'을 통해서만 나타나는 타인에게 있는 차이를 높이 평가하고 존중하는 것을 의미한다.

우분투는 또한 한 사람이 지역사회와의 관계를 통해 완전한 인간이 되는 과정을 묘사한다. 사람 대 사람 간의 접촉을 통해 사람들의 공동체에 포함되기 이전에, 사람은 '사람'이 아닌, 단지 '그것it'으로 간주된다. 그러므로 모든 인간이 사람이 되는 것은 아니다. 인간성은 획득된다. 더욱이 그 시작은 개인이 지역사회 내의 생활에 인간으로 포함되는 것뿐만 아니라, 그 지역사회의 산 자와 죽은 자 또는 조상들과의 연계를 확립하는 것에 있다.

더크 J. 라우는 두 번째 에세이인 「우분투: 종교적 타인의 아프리카적 평가Ubuntu: An African Assessment of the Religious Other」에서 "우분투가 타인의 특수성을 존중하는 것은 개성 존중과 밀접하게 연관되어 있다"라고 설명했다. 개성의 서양적 이해는 각 사람을 그들의 지역사회로부터 분리된 고립되고 자급자족하는 존재로 본다. "(라우에 따르면) 우분투는 주체와 객체가 구별되지 않는 독특한 상호 관계의 연결로 자아와 세계를 하나로 묶는다. 여기서 '나는 생각한다. 고로 존재한다'가 '나는 참여한다. 고로 존재한다'로 대체된다."

우분투는 또한 각 개인이 본질적으로 고정된 또는 절대적인 존재가 아닌, 변화해 가는 과정이라는 관념에 뿌리를 두고 있다. 라우가 기록한 것처럼, "타인에 대한 우분투적 인식은 결코 고정되거나 엄격하게 폐쇄된 것이 아니라, 조정될 수 있고, 무한히 개방된 것이다. 그것은 타인이 존재하는 것, 변화하는 것을 허용한다". 우분투에 따르면, 사람들은 인간 현존재이자 인간으로 바뀌어 가는 존재이기도 하다.

우분투 개념은 대화 개념과 공명하기도 한다. 아프리카 문화에서는 대화를 촉진하는 조건에 대한 생래적 지향성이 있다. 즉, 함께 듣고, 단일한 믿음을 유보하고, 이념을 공유하고 교환하며, 다양한 목소리를 낼 수 있는 여지를 만든다. 사실, 다신교 사상을 지지하는 문화는 서양의 유일신 사상보다 대화를 더 지지한다.

대화를 통한 치유의 또 다른 예는 팻 바커Pat Barker의 소설 『유령길The Ghost Road』에 나오는 지역사회의 애도의식 설명에서 찾아볼 수 있다. 주인공인 현실의 정신분석학자 겸 인류학자 윌리엄 리버스William Rivers 박사는 남태평양 멜라네시아Melanesia 섬에 있는 어떤 부족의 지역사회 치유식에 참석한다. 족장이 죽었다. 부족원들은 족장이 카누를 저어 바다로 나가는 소리를 들을 수 있다고 믿는다. 함께 소리를 들으면서 족장의 죽음으로 잠시 중단되었던 응집력이 부족에게 회복된다. 그들은 또한 낯선 사람인 리버스 박사와 그의 조교들에 대한 관심의 목소리를 내기 시작한다. 그 지역사회는 공동체적 목소리와 단결심을 찾았다.

핀란드에서 시작된 오픈 다이얼로그 접근방식과 유사한 이 공동체 치유 의식은 개발도상국들이 정신질환으로부터 회복률이 높은 이유 중 하나로 여겨진다. 사실 선진국에서의 입원은 정신건강에 필수적인 상호 작용, 대화, 지역사회 복귀 기회를 감소시킨다.

우리 문화에서, 현재의 순간을 단순히 경험하는 것은 때로는 매우 어려운 도전이다. "지금 여기에 존재하는" 능력을 갖기 위해서는 영원히 가도록 내버려 두기를 해야 한다. 이 시점에서 이것이 "나의 삶에 대해 내가 느끼는 방식"이라고 말할 때마다 나의 삶 역시 변화하고 진화할 것이라고 확신한다. 정말 운 좋게도, 내 견해는 내가 생각하고 상호 작용하는 대로 끊임없이 진화하고 있다. 이것이 회복에 필수적이다. 그것이 삶에 필수적이기 때문이다.

내 회복에 활력을 불어넣은 또 다른 아프리카적 개념도 있다. 그것은 우주를, 모든 것을 포괄하는 영원한 공유의 운동, 삶의 힘을 교환하는 것으로 관념하는 것이다. 이것은 또한 불교적 이념인 '네티 네티Neti Neti'와 비슷하다. 이 짧은 구절의 뜻은 '그렇지 않다, 그렇지 않다'이다. 불교 신자들은 어떤 생각이 있을 때마다 이 구절을 반복한다. 그럼으로써 그 생각에 지나치게 집착하거나 그 생각의 한계에 사로잡히지 않도록 한다. 이러한 사실은 현재 베트남 선종불교 승려이자 스승인 틱낫한Tich Nhat Hanh의 글에 반영되어 있다. "인생은 현재에서만 찾을 수 있다. 과거는 사라지고, 미래는 아직 여기에 있지 않다. 현재의 순간에 우리 자신으로 돌아가지 않는다면 우리는 생명과 접촉할 수 없다…."

이러한 정서는 나의 회복 경험에 깊은 반향을 일으켰다. 나의 마지막 급성기 발병이자 돌파구breakdown/breakthrough를 통해 나는 이념의 확실성에 대한 나의 지나친 애착을 넘어설 수 있게 되었다. 다른 방법으로는 볼 수 없는 진실을 보기 위해 내가 급성기 발병breakdown을 경험할 필요가 있었다고 믿는다. 현실을 설명하는 방법은 하나뿐이고, 생각은 감정보다 우월하다고 생각하는 습관에서 벗어나야 했었다. 이후에, 나는 동료 지원과 오픈 다이얼로그가 생활의 필수적인 측면으로서 불확실성을 인정하는 것을 촉진시키는 방법에 대해 설명할 것이다. 아마도 이러한 접근법의 활용이 확산되면, 더 많은 사람들이 급성기 발병을 겪지 않고도 새로운 방식으로 돌파구breakthrough를 마련할 수 있을 것이다.

정신병원에 세 차례 입원한 이후 몇 년 동안, 나는 스스로에게 "나에게 무슨 일이 일어났는가? 왜 이런 일이 일어났을까? 어떻게 하면 다시는 이런 일이 일어나지 않도록 할 수 있을까? 어떻게 하면 배운 교훈을 다른 사람에게 전달할 수 있을까?"라고 질문했다. 나는 내면 깊은 곳에서 나타나기를 갈망하는 진정한 내가 있었고, 지금 있다는 것을 깨달았다. 젊은 시절, 나는 진정한 내가 나타나는 것을 차단했다. 나는 성적 학대의 정신적 충격, 아버지의 헌팅턴 병―내가 헌팅턴 병에 걸릴 확률은 50%였다―, 폐렴으로 내가 죽음의 고비를 겪었던 것, 어머니의 우울증 등을 통해 상처를 입었다. 나는 연구실에서 이 모든 사람들의 불행을 해결할 위대한 발견을 하기 위해 노력했다. 그렇게 되면 노벨상이 주어질 수 있을 것이라고 생각했다. 삶의 다른 모든 측면은 부차적인 것처럼 보였다. 나는 사람들의 눈을 쳐다보는 것이 두려웠다. 나는 마음을 열고 나의 감정을 드러내기가 두려웠다. 나는 상처받거나 거절당하거나 버림받는 것이 두려웠다. 나의 그 두려운 부분들은 살아가는 것을 두려워하게 했고, 내 삶에게 '아니요'라고 말하고 있었다. 그 거짓된 자아는 내 진실한 자아를 지나친 합리성의 독백 속에 가두고 있었다.

아래의 '공포와 죽음의 자기파괴 소용돌이Self-Destroying Spiral of Fear and Death' 다이어그램 그림처럼 나는 자기 해체를 경험하고 있었다.

내면으로 휘몰아치는 소용돌이의 중심에서 내가 내 삶에게 "아니요"라고 말하는 것을 독자들은 볼 수 있을 것이다. 내가 내 삶에 대해 "예"라고 말할 수 있게 되었을 때, 비로소 나는 이것을 알아차렸다. 비록 적극적으로 자살을 시도하지는 않았지만 나는 내면의 자아를 서서히 죽이고 있었다. 이 지점이 자살에 대한 생각이 시작되는 지점이다. 돌이켜보면, 거짓된 자아였기 때문에 나의 낡은 자아는 해체되어야 했던 것 같다. 나는 내 깊은 내면의 자아

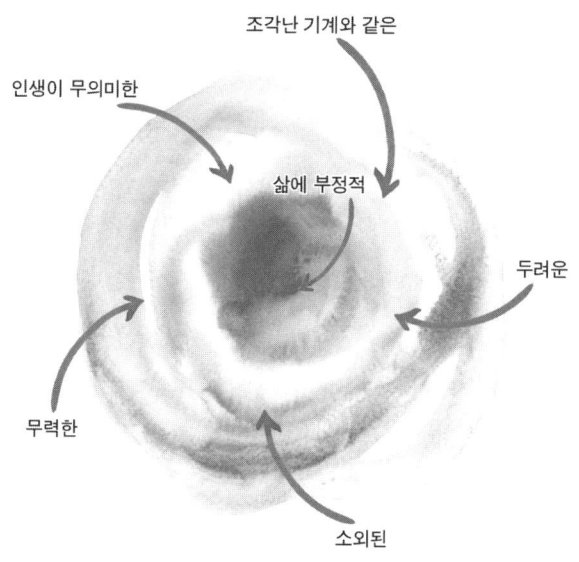

공포와 죽음의 자기파괴 소용돌이

를 감추기 위해 그렇게 정교한 사회적 자아를 구축했다고 생각한다. 그런 사회적 외관은 내가 '좋은 아들이자 좋은 학생'이 되기 위해 만들어낸 거짓된 자아였다. 내 막내딸은 대학 졸업반 때 그런 변화를 겪었다. 내 딸은 교수가 선호하지 않는 논문을 썼을 뿐이다. 통상 그 애는 A학점을 받았으나, 이때 그 애의 교수는 C학점을 주었다. 논문의 마지막에 교수가 남긴 메모에는 내 딸이 했어야 하는 방식으로 논의를 구성하지 않았다는 지적이 있었다. 그러나 내 딸은 교수가 원하는 생각을 반영한 논문을 쓰는 대신에, 자신이 이해한 대로 진실이라고 믿는 논문을 처음으로 작성했다고 내게 말했다. 내 딸은 "예전에는 교수들이 원하는 바를 항상 잘 이해했지만 이제는 나만의 독특한 시각에서 보는 것을 표현하고 싶어요"라고 말했다. 그 애의 마지막 논문도 마찬가지로 자신의 진심을 반영했다. 그 애는 그 논문을 수정하지 않았지만 그 과정을 통과했다. 학교는 대개 우리의 심장과 영혼 속에 있는 진실한 자아가 아닌, 사회가 우리에게 기대하는 자아가 되도록 훈련시키는 최초의 사회기관이다.

자아와 공동체 사이에 충돌이 있을 때, 사람의 영혼은 내면으로 휘감기면서 보호막을 형성한다. 우리의 생명력은 외부로 흘러가야 할 필요가 있는데, 내면으로 휘감기는 것은 그 반대이다. 내면으로의 소용돌이는 자아의 죽음을 경험하는 죽음의 소용돌이가 될 수 있다. 사람들은 종종 이러한 내면의 소용돌이 상태를 '정신질환'이라고 설명한다. 그 때문에 우리의 화학물질에 변화가 생길 수 있다. 그러나 일반적으로 나는 이 기간 동안 경험하는 화학적 불균형은 한 개인의 삶에서의 불균형의 결과라고 생각한다. '화학을 통한 더 나은 생활'을 시도하는 대신에, '살아가기를 통한 더 나은 화학'을 추구해야 한다.

제2장에서 나는 자기파괴 소용돌이를 나의 마음의 대혼란으로 나타냈다. 포Poe의 책 『큰 소용돌이 속으로의 하강』에서 소용돌이치는 것처럼, 나의 거짓된 자아는 말 그대로 내 삶을 빨아들이고 있었다. 이제 나는 이 거대한 합리성의 소용돌이가 내 삶의 감정과 자발성을 질식시키고 있었다는 것을 깨달았다. 이런 자기 파괴적 소용돌이로부터 탈출하기 위해 사랑이 필수적이다. 이때의 사랑은 우리 삶에서 중요한 타인과 우리 사이에서 생긴다. 내가 앞서 인용한 명상은 우리 내면의 침묵하는 숨은 존재를 자극하여 우리의 삶을 발견하는 과정을 포착한다.

사람을 사랑하는 것은 소환하는 것을 말한다
　가장 큰 소리로 가장 고집스러운 목소리로.
그것은 그들 안에 있는 어떤 것을 휘젓는 것이다
　침묵하고, 숨어 있는 존재를
　　우리 목소리를 듣고 깨어나지 않을 수 없는 존재 —
　아주 새로운 존재
　　　그를 갖고 있는 사람조차
　　　　그를 몰랐지만

이 책은 사랑의 중요성에 대해 이토록 사랑스럽게 기술한 것에서 제기된 주제를 다루고 있다. 나는 회복된 지 오랜 후에야 이러한 결론에 도달했다. 우리 각자는 내면에 침묵하는 존재를 갖고 있다. 우리를 사랑하는 사람들의 목소리를 듣고 깨어나기를 기다리고 있는 그 존재. 돌봄, 이해, 사랑으로 우리 내면의 존재를 소환하는 다른 사람을 통해서만 그 존재를 인식할 수 있다. 그 침묵의 존재를 이끌어내기 위해서는 부모 이외에 다른 누군가가 필요하기도 하다. 연인이나 아주 좋은 친구가 필요한 것 같다. 제8장에서 나는 이런 방식으로 다른 사람과 연결될 수 있는 능력을 향상시키는 방법을 서술할 것이다. 우리는 이 훈련을 정서적 심폐소생술eCPR이라고 부른다. 우리 내면의 침묵의 존재가 등장할 수 있도록 해주는 다른 사람과 연결함으로써, 사랑하는 태도로 우리 자신과 함께 있는 것을 배움으로써 그 내면의 존재에 영양분을 제공할 수 있다. 이것은 상호 과정이다. 우리는 또한 다른 사람의 내면의 그 존재가 등장할 수 있도록 지원함으로써 우리 내면의 존재에 영양분을 제공할 수 있다. 그때 우리의 목소리는 우리 자신의 내면적 존재를 불러내게 된다.

※

나는 최근에 꿈을 꾸었다.

그 속에서 한 남자는 바닷물이 덮쳐올 때 파도를 느꼈다. 그는 근처의 해안에서 파도가 부딪치는 소리를 들을 수 있었다. 그리고 그는 자신과 바다가 하나라고 느꼈다. 그는 그때 바다에서 다른 사람들의 윤곽을 볼 수 있었다. 그의 모습은 다른 사람의 모습과 융합되어 부드러운 파도의 흐름과 리듬처럼 되었다. 그리고 그들은 서로 감정을 전달했다. 바다의 사람들은 어느 한 순간 뚜렷이 구별되었고, 다른 한 순간에 합쳐져 파도가 되었다.

모든 물질은 입자에서 파동으로 흘러갈 욕구를 갖고 있는 것 같다. 성장, 발달, 자아 형성, 우리의 솔직한 목소리Voice 발견하기는 주변 다른 생명체와의 연결을 통해 우리의 몸에서 영혼으로 흘러가는 것에 내포되어 있는 것 같다. 건강하고 온전한 삶은 자신의 자아와 공동체 사이에 이러한 흐름이 있을 때 나타난다. 빵이 부풀어 오를 수 있게 하는 효모처럼 우리 각자에게는 각 구성원들의 생명력을 증폭시키는 울림resonance이 있다. 우리의 자아 존중감과 창의성은 나선형처럼 팽창한다. 그런 상태에서, 우리의 삶과 영혼은 충만감을 느낀다. 마치 풍요의 뿔cornucopia처럼. 사람은 행복감wellbeing을 경험한다. 이런 상호 연계성은 틱낫한이 기술한 함께 존재함interbeing의 아이디어와 유사하다.

살아가는 기술an art to living이 있다. 일상생활에 참여하는 것이 가장 창의적인 행동이기 때문이다. 살아가기의 기술은 회복의 기술이다. 회복이란 삶의 핵심을 내면에서 찾아내는 것, 그리고 삶에 '예'라고 말하는 것을 의미한다. 죽음의 소용돌이를 아래 그림처럼 생명을 긍정하는 나선형으로 바꿀 수 있을 때 회복이 시작된다. 나중에 우리는 정서적 심폐소생술과 오픈 다이얼로

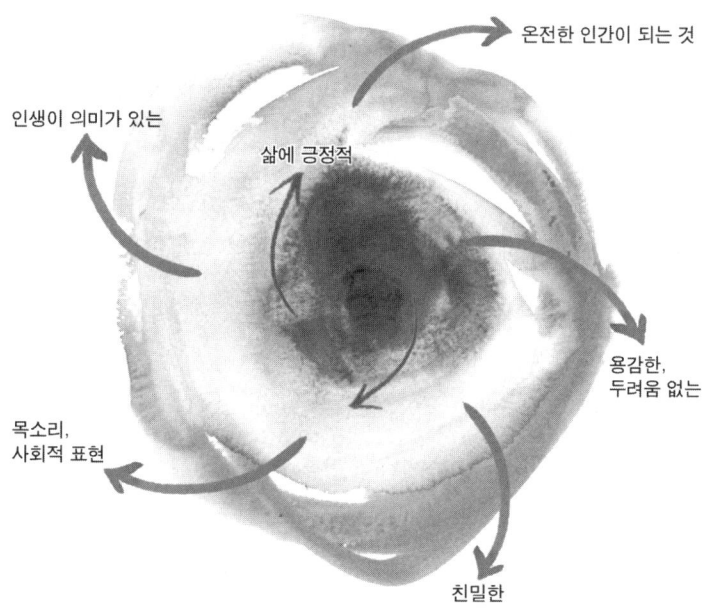

온전한 인간이 되는 것

인생이 의미가 있는

삶에 긍정적

용감한,
두려움 없는

목소리,
사회적 표현

친밀한

스스로 만들어가는 삶과 희망의 나선형

그Open Dialogue로 만들어지는 정서적 대화가 어떻게 사랑의 관계를 제공하는지를 설명할 것이다. 그런 관계가 희망으로 전환하는 것을 돕는 데 필요한 새로운 삶에 영양분을 제공한다.

스스로 만들어가는 나선형은 존 위어 페리John Weir Perry가 정신병을 그 사람의 가장 깊은 내면의 자아를 재통합하는 적극적이고 창조적인 시도라고 설명한 것과 일치한다. 트라우마와 불균형적인 발달에 따라 어떤 사람들은 내면이 부서지는, 즉 분열되는 느낌을 갖게 된다. 아마도 그들이 받아들일 수 없다고 느끼는 부분들이 있을 것이다. 어렸을 때 나는 내 정서적인 부분을 억제해야 한다고 느꼈다. 그것을 표현하는 것은 위험하다고 느꼈다. 이것은 내가 누구였는지 알지 못했다는 것을 의미한다. 나는 로봇처럼 무감각하고 텅 비어 있다고 느꼈다. 나의 극단적인 감정 상태는 때로는 내가 누구인지를 이해하고자 하는 탐색이었다. 나는 아인슈타인인가? 나는 예수인가? 나는 인정받고 싶었다. 나는 나의 존재가 의미 있다는 것을 알고 싶었다.

내 삶이 가치 있다는 것을 인정할 수 있는 사람들을 발견하는 것이 매우 중요했다. 나를 치료한 셈치신 박사는 내게 관심을 갖는 것 같았다. 그가 솔직했다는 것도 중요했다. 그의 인정은 나 역시 솔직해질 수 있다는 멋진 예를 보여주는 것이었기 때문이다. 때로는 비슷하게 삶을 변화시켜 왔던 누군가가 타인을 돕는 것이 필요하다. 즉시 연결되고 관계를 맺을 수 있는 동료가 그들이다. 나의 암흑 같은 시기에 가장 원했던 말은 누군가가 "이해한다. 나도 그와 비슷한 경험을 통해서 배우고 성장해 왔다"라고 말해주는 것이었다. 셈치신 박사는 어렸을 때 끔찍한 트라우마를 경험했었다.

동료, 치료사 또는 가족 구성원으로부터의 긍정적인 태도는 아주 중요하다. 이러한 접근은 스트레스 상태에 있는 사람에게 삶에 대한 신뢰감을 전한다. 이것은 완전한 삶을 살 수 있는 능력과 의미 있는 미래의 가능성에 대한 믿음을 전달한다. 이러한 것이 회복의 근본적인 가치들이다. 페리 박사는 그 사람 주변의 인간관계의 중요성을 지적한다. 도움을 주는 사람들이 스트레스를 받고 있는 누군가를 두려워한다면, 그들의 두려움이 전달될 것이다. 이로 인해 결국 도움이 필요한 사람의 두려움만 심화될 것이다. 반면에, 누군가가 다른 현실을 경험하고 있는 다른 사람과 편안하게 함께 있으면서, 그것도 그 사람을 변화시켜야 한다는 느낌 없이 함께 있으면, 그것이 그에게 무한한 도움이 된다. 지원자가 스트레스를 받는 어떤 사람과 깊게, 그리고 두려움 없이 함께 있을 수 있을 때, 그 사람은 자신의 이상한 생각들과 편안하게 함께 있는 방법을 배울 수 있다. 많은 동료들이 그들 자신의 독특한 부분을 받아들이는 법을 배웠다. 결국 그들은 도움이 필요한 다른 사람들에게 감정적인 공감과 인정을 전달할 수 있다. 이전의 약물중독이나 알코올중독자들이 현재의 중독자에게 상담자로 활동할 때 이런 관계를 맺는다.

나의 삼촌 트리메인Tremaine은 다른 사람에 대한 믿음을 전달하는 관계를 통해 도움을 줄 수 있는 사람의 좋은 예였다. 그는 내과 의사였다. 그는 나의 아버지로부터 교육을 받고 아버지 이름이 붙은 의료시술을 했다. 여든다섯의 나이로 은퇴한 직후, 나는 여전히 건강하고 건전한 정신을 가지고 있는데 왜 은퇴했느냐고 삼촌에게 물었다. 삼촌이 학장으로 있던 밴더빌트Vanderbilt 클리닉은 이제 더는 자신의 의술에는 관심이 없다고 대답했다. 삼촌은 최소한의 검사만 했고, 환자 중 15%에게만 약 처방을 했을 뿐이라고 말했다. 그는 환자의 병력을 연구하고 신체를 검사함으로써 누가 약물복용이 필요한지를 알 수 있다고 믿었다. 또한 모든 환자가 일주일 후에 그에게 전화를 걸도록 했다. 그는 각 사람의 타고난 내적인 치유능력을 깊게 믿었다. 현대 의학이 진단과 치료의 기술적 측면에 너무 집중되어 있다는 것에 대해 유감을 표했다. 그는 내슈빌Nashville에서 많은 사랑을 받았고 10년 후 그가 죽었을 때 그를 고맙게 생각하는 수백 명의 환자와 과거 제자들이 그의 장례식에 참석했다. 그는 나의 롤모델이었다. 실제로 나의 두 번째 입원기간 동안 내가 고통을 이겨낼 것이라는 격려의 말로 나를 위로하는 그의 목소리를 여러 번 들은 기억이 난다.

내 인간성이 회복되기 시작한 처음 몇 년 동안, 나는 처음에는 그런 강도로 생활하는 것이 어렵다는 것을 알게 되었다. 그러나 시간이 흐르면서 감사하게도 나는 매 순간을 소중하게 여기는 것만이 내가 충만한 삶을 살 수 있다는 깨달음을 얻을 수 있었다. 나는 오랫동안 내면에 머물러 있었던 내가 등장함으로써 나 자신과 내 주변 세상을 바라보는 방식이 바뀌었음을 알게 되었다. 내면의 나의 등장은 내가 세상을 경험한 방식의 흐름을 바꾸어놓았다. 이런 돌파구가 있기 이전에는, 나는 행동을 취하기 전에 먼저 뒤로 물러서서 계획을 세우고 반성하곤 했었다. 그것이 나를 공포의 소용돌이 속에 가두어놓은 거짓된 자아의 시기였다. 그 후 나는 계획 세우기를 거부하고 별 생각 없이 실행에 옮겼다. 어느 쪽도 만족스럽지 않았다. 나의 '성의 꿈Castle Dream'과 마지막 큰 급성기 발병breakdown 후, 마침내 나는 공포의 소용돌이를 희망의 허리케인으로 바꾸었다.

다음 페이지에 나오는 희망의 허리케인 다이어그램은 안쪽으로 향하는 죽음의 소용돌이에서 밖으로 향하는 긍정적 삶의 나선형으로 그 흐름을 역전시키는 것을 보여준다.

그 변화의 핵심은 내가 극심한 감정 상태에 있을 동안 여러 차례 극적으로 일어났다. 내 내면 깊은 곳의 변화는 오스트리아의 정신분석학자 에른스트 크리스Ernst Kris가 '자아를 돕기 위한 퇴행regression in service of the ego'이라고 한 것과 유사하다. 부서진 나 자신의 여러 부분 조각들을 통합시키기 위해 유아기 언어발달 이전의 초기 상태로 돌아가야 했었다고 지금 느낀다. 지금 나는

내 생각과 감정 간의 내적 대화를 통해 느끼면서 동시에 생각한다. 이제 내 심장이 내게 말할 때, 나는 매우 주의 깊게 듣는다. 나는 내 심장박동이 말하는 것을 성찰하고, 그것을 내 심장에게 말함으로써 서로가 협력할 수 있게 되었다. 이런 내면의 대화가 희망의 심장박동의 원천이다. 나는 나 자신을 더 잘 통제하고 더 진실한 방식으로 다른 사람과 연결할 수 있다고 느낀다. 함께 생각하고 느끼는 것이 내가 하는 모든 일에 더 큰 생명을 준다. 그 전환 시점에서 나는 삶을 향한 두려움과 분노를 삶에 대한 열정으로 변화시켰다. 이 지점이 역량강화가 시작된 지점이다. 제7장에서, 나는 이 변화가 어떻게 우리의 목소리를 찾는 데 얼마나 중요한지 설명할 것이다. 이러한 전환점은 우리가 정서적 심폐소생술을 통해 스트레스를 받고 있는 사람들을 도울 때 우리가 찾는 것이기도 하다.

✦ 삶의 회복을 위한 역량강화 방법

나는 사람들이 극심한 스트레스를 경험할 때가 있다는 것을 직접 체험하여 알고 있다. 가혹한 외부 현실로부터 자신을 보호하기 위해 자기만의 현실 속으로 고립될 때도 있다. 하지만 나는 그 고통을 '질병'이라고 이름 붙이는 것이 그 스트레스의 원천을 이해하는 데 방해가 된다고 주장한다. 우리는 그 스트레스가 우리 자신에 대해 알려주는 것을 이해함으로써 회복하는 방법을 발견한다. 나의 정신질환 경험과 다른 사람들의 경험을 이용하여, 그런 스트레스가 어떻게 일상적 현실과의 단절로 이어질 수 있는지에 관한 나의 생각을 설명할 것이다. 이런 경험을 심층적으로 탐구함으로써 나의 회복 과정을 더 잘 이해할 수 있었다. 전국역량강화센터NEC에서 우리는 정신질환을 "심각한 정서적 스트레스로서 그들에게 기대되는 사회적 역할의 공유된 현실에 참여하기보다 자기만의 현실로 고립되는 것이 더 중요한 시기"라고 재정의했다. 이 정의는 우리의 "회복, 치유, 발달의 역량강화 패러다임"의 일부분이다.

우리 삶의 초기 경험에서 시작하는 것이 회복을 이해하는 데에 가장 유용하다고 생각한다. 신생아일 때 우리는 어머니와 연결된 상태로, 그 기간 동안 어머니는 우리의 내면의 존재를 경험하고 우리는 어머니의 내면의 존재를 경험한다. 이러한 상호 주관적 계기들이, 인식하고 소통하는 존재로 성장하고 발달하는 기초가 된다. 우리는 이 상태를 의미를 공유하는 계기라고 부를 수 있다. 그 계기는 내면에서 느껴진 연결을 포함한다. 이후의 모든 경험에 대한 내적 기준을 수립하게 한다. 그래서 우리는 항상 스스로에게 "이 사람이 비슷한 실제 경험을 추구하는 나의 욕구를 충족시키는가?"라고 묻게 된다. 누군가와 함께 있는 깊은 상태를 다시 경험하고 싶은 바람은 이후 행동의 주요한 동기가 된다. 아마도 사랑, 그런 감정을 충족시키는 일, 그리고 우리를 그런 장소로 데려가는 꿈으로 우리를 이끄는 것이 그 때문일 것이다. 공유된 의미의 이런 계기들은 깊은 차원에서 충만한 대화로 나타난다. 그것은 우리의 활력의 원천이다.

상실과 트라우마는 의미의 공유된 이런 계기들을 방해한다. 가장 기본적인 '연결' 욕구가 충족되지 않을 때 우리는 좌절하고 분노한다. 우리는 정서적 스트레스를 경험한다. 보통, 우리는 이 시기에 치유될 수 있다. 그러나 우리가 강한 자아의식을 확립하지 못했다면, 우리는 치유될 수 없고 스트레스를 계속 받을 것이다. 이런 연결 욕구를 충족시키기 위해서는 존재의 초기 상태로 돌아갈 필요가 있다는 것을 내면에서 알고 있다. 우리 정신은 우리를 속일 수 있다. 우리는 훨씬 더 어렸을 때, 세상의 다른 사람들과 더 많이 연결되었을 때 했던 것처럼 세계를 경험하려고 시도할 수 있다. 황무지처럼 보이기 때문에 우리는 주변 현실로부터 물러나 자기 내면에 고립된다. 우리는 텔레비전을 보고 거기로부터 우리를 위한, 우리만을 위한 특별한 의미를 전달받으려고 노력한다. 우리의 생각이 점점 더 큰 목소리를 내어서 그 목소리가 자기 삶의 모습을 가지는 것처럼 보인다. 그 시점에서 그 사람과 연결 맺기는 대부분 어린아이의 옹알이처럼 비언어적으로 해야 한다. 특히 심각한 스트레스가 있는 시기 동안에는 더욱더 그렇다. 두 번째 입원 한 달 전, 그리고 그 입원 기간 동안 말하기를 거부했던 시기를 나는 생생히 기억한다. 사실 나는 말을 하고 싶어도 더는 말을 할 수 없는 지경에 이르렀다. 그 시기 나는 내 주변 사람들을 특히 비언어적 의사소통을 통해서 아주 잘 인식했다. 주변 사람들에 대한 신뢰를 잃었기 때문에 나는 깊은 내면으로 숨어들었다. 또 다른 사람과의 사랑에서 다시 실패를 경험했다. 그 상실의 고통은 견딜 수 없었다. 결국, 깊게 그리고 인간적으로 내 곁에 머물렀던 일련의 사람들의 지원으로 나는 회복의 길로 기어 나올 수 있었다. 이렇게 나를 돌보아 준 사람들의 지원이 없었더라면, 언어와 인지를 통한 공유적 현실의 세계로 되돌아올 수 있었을지 의심스럽다. 그들은 말 그대로 나의 생명을 구했다.

인간적 연결 맺기에 기반한 개인적 지원은 어떤 사람을 공유된 현실로 되돌아오게 하는 데 도움을 줄 수 있다. 그러한 도움 관계의 성격은 심리학자 칼 로저스Carl Rogers가 치료에 결정적인 요소로 꼽은 '동질성'과 같다. 지원자가 동질적이기 위해서는, 자신의 진짜, 그리고 진정한 인간성을 투사하여 타인과 깊이 있게 현재 상태에서 공감할 수 있어야 한다. 이런 인간적 공감의 경험은 보편적이며 모든 문화권에서 나타나는 것 같다. 그 당시 나에게 회복이란, 이런 공감의 계기들을 공유함으로써 오는 영혼의 충만함에 가득 찬 삶의 회복이다. 이러한 계기들은 미국의 정신과 의사인 대니얼 스턴Daniel Stern이 상호 주관성으로 정의한, "다른 사람을 알고, 자신을 그들에게 알리고자 하는 욕구로서 이를 통해 인간을 친밀함과 소속감으로 이끄는" 것과 유사하다. 그는 두 사람이 서로의 생각을 직관하고 그것을 의식하게 되는 몇 초간의 시간을 상호 주관성의 본질인 '의미의 계기'라고 부른다. 상호 주관성은 인간이 어떤 사건을 의식적 경험으로 가공 처리하는 데 걸리는 1~10초 수준의 순간인 '지금'의 맥락에서만 이해될 수 있다. 이런 생각은 삶이 '한번 발생한 여러 계기'의 연속이라는 바흐친Bahktin의 믿음과 비슷하다.

지난 20년 동안, 내 동료들과 나는 전국역량강화센터에서 회복의 패러다임을 개발해 왔다. 처음에 우리는 이것을 '회복의 역량강화 모델Empowerment Model of Recovery'이라고 불렀다. 그 후 우리는 회복 경험을 발달과 치유에 연결했을 때 더 잘 이해할 수 있다는 것을 깨달았다. 또한 우리는 그것이 하나의 프로그램이라기보다 철학이라는 것을 나타내기 위해 모델에서 패러다임으로 이름을 바꾸었다.

다음 그림은 회복, 치유, 발달의 역량강화 패러다임이다. '진정한 자아 발

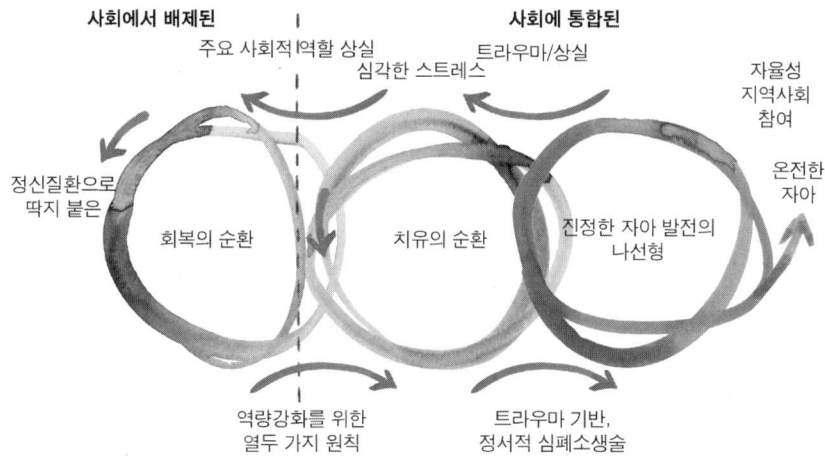

회복, 치유, 발달의 역량강화 패러다임

전의 나선형'이라고 부르는 도표의 오른쪽에 있는 원으로부터 설명을 시작
한다.

✚ 발달의 나선형

발달에 대한 우리의 관점은 부분적으로 에릭 에릭슨Erik Erikson의 저서에 바탕
을 두고 있다. 심리사회적 발달에서 단계위기에 대한 에릭슨의 설명은 우리
의 패러다임에 큰 의미를 가진다. 많은 사람들이 10대 후반에 심각한 정서적
스트레스를 겪고 있다는 진단을 받는다. 에릭슨에 따르면 그때는 정체성 형
성 단계이다. 이 단계는 친밀감을 확립할 수 있기 위해 필요한 단계이다. 이
단계가 완성되지 않으면 그 사람은 표피적인 관계를 맺고, 정체성 혼란을 경
험하며, 정서적 스트레스에 더 취약해진다. 하버드 발달심리학자인 로버트
케건Robert Kegan은 사람의 자아 발달이 나선형으로 진행된다고 보았다. 케건

은 우리의 자아 감각은 평생에 걸쳐 점차 복잡한 문화를 경험함으로써 진화한다고 주장한다. 복잡한 문화가 '진화를 억지하는' 환경으로 작용한다.

삶을 억지하는 첫 번째 문화는 우리 어머니의 자궁 안에 있다. 가족, 학교, 직장의 문화가 뒤를 잇는다. 발달의 이런 단계들은 각각 이전 단계와의 통합과 분리를 포함한다. 그래서 우리의 회복 모델에서도, 정서적인 스트레스는 종종 성인으로서 더 큰 자율성과 자기결정으로 나아가는 새로운 발달단계를 위한 기회이다. 그러면 '정신질환'이라 부르는 것은 어떤 발달단계에서의 문화적 기대를 충족시키는 것을 방해하는 여러 문제를 해결하려는 시도로 간주될 수 있다. 역량강화 패러다임은 마틴 셀리그먼Martin Seligman과 미하이 칙센트미하이Mihaly Csikszentmihalyi의 긍정심리학, 에드워드 L. 데시Edward L. Deci와 리처드 M. 라이언Richard M. Ryan의 자기결정이론Self-Determination Theory과도 일치한다.

후자의 심리학자들은, 발달은 행위자로서 그 사람의 자기 삶에 대한 적극적 참여에 의존한다고 강조했다. 라이언과 데시의 최근 연구에서는 사람들이 외부로부터 제공되는 보상과 처벌보다 그들의 삶을 더 잘 통제할 수 있게 하는 자율성, 권한competence, 연결 맺기에 대한 희망으로 더 큰 동기가 부여된다는 것을 보여주었다. 신뢰와 이해의 관계를 쌓는 것이 우리가 자기 삶을 더 잘 통제하는 데 필수적이다. 사람들이 자율적이고 스스로 통제할 수 있는 삶을 살 수 있도록 하는 기술과 자원을 얻기 위해서는 다른 사람들이 필요하다. 어떤 사람도 섬이 아니다. 즉, 지역사회에 통합되는 것은 온전한 자아를 발달시키는 내적 측면이다. 이런 사랑의 관계를 통해, 각 사람은 진실로 자신의 고유한 꿈을 알게 되고, 동기부여와 의미가 가득한 삶을 계획하게 된다. 이렇게 고양된 자아 인식은 의식을 깊게 하고 그의 자율성을 확장시킨다. 사람들은 스트레스, 상실, 그리고 공동체에 불완전한 적응을 헤쳐나가면서 일한다. 사람들은 자신의 삶의 건축가가 되고, 그렇게 함으로써 역량이 강화되고, 희망에 찬 자아를 발달시킨다. 이러한 건강한 발달의 나선형을 통해 사람들은 의미 있는 일거리를 찾을 수 있고, 상호 지지적인 가족과 친구들의 네트워크를 통해 사랑의 가정home을 지을 수 있다.

✦ 치유의 나선형

어떤 사람의 발달과정에서 트라우마, 상실, 환경에의 부적응, 그리고 불충분한 지원이 복합되면, 그 발달에 차질이 생긴다. 공동체에서 수용되지 않는 특징이나 성격을 가진 개인은 발달단계에서 이러한 차질을 경험할 가능성이 더 높다. 특정 사회가 규정하는 문화적 규범은, 어떤 특성과 어떤 사람들이 보상을 받고, 누가 거부되는지를 결정한다. 어떤 사람의 특징이 인정되는 정도는 개인의 능력 부족이라기보다 사회의 관용의 부족일 때가 많다. 예를 들어 시각 학습이나 게슈탈트 학습 방식이 필요한 아동들은 말을 하거나 선형적인 학습자가 되기를 기대하는 학교교육에서는 낙오하기 쉽다. 좌절 속에서 그들은 심한 정서적 스트레스, 표현되지 않은 분노, 자신의 행동에 대한 통제력 상실을 경험하는 경우가 많다. 그 후 그들은 종종 과잉행동으로 진단을 받고, 약물을 복용하게 되며, 다른 아이들로부터 격리되기도 한다. 그들은 관계 형성, 사회적 기술의 학습, 발달에 필요한 자원 획득에 실패할 수 있다. 그들이 자신의 감정을 중요하고 솔직한 사람들과 공유할 수 있다면, 표현되지 않은 감정들은 열정으로 변할 수 있다. 정서적 심폐소생술을 통해 이렇게 할 수 있고, 그것이 트라우마 정보 기반 접근trauma informed approach이다.

정신과 신체에 손상이 있는 사람들에게, 종종 동료들은 경험으로 얻은 지식을 낙인을 주지 않는 방식으로 공유함으로써 지원할 수 있다. 또한 좀 더 편의제공적 학습 환경을 찾음으로써 그들의 좌절감의 요인을 완화시키는 것도 중요하다. 자신에 대한 믿음을 통해 그리고 편의제공적 사회 환경 및 학습 환경과 연결되게 함으로써, 이런 치유는 사람들이 발달의 나선형을 되찾을 수 있도록 한다. 그렇게 함으로써 그들은 자신의 삶을 다시 통제하게 된다. 사회 환경이 개인의 필요에 따른 편의를 제공할 필요가 있듯이, 개인도 공동체의 기대에 자신을 적응시킬 필요가 있다. 그들의 삶에서 여러 시기에, 거의 대부분의 사람들이 이런 적응과 편의 제공의 순환의 일부를 거치게 된다. 개인과 환경이 이런 순환을 더 자주 거칠수록, 그들은 정신적 장애나 신체적 장애가 되는 것에 덜 취약해진다. 공동체의 편의제공의 좋은 예는 매사추세츠주의 게이 헤드Gay Head이다. 그곳은 많은 사람들이 청각 장애를 가지고 있다. 그 지역에서는 청각 장애가 있는 사람들에게 말하는 것에 적응하도록 강요하기보다는, 지역사회가 수화를 익혔다.

✚ '정신질환' 딱지로부터 회복하는 나선형

만약 사람들이 적응할 수 없고, 그들의 환경이 그들이 기대했던 사회적 역할을 수행할 수 있게 편의 제공을 충분히 하지 않으면, '증상'이 나타난다. 이러한 '증상'은 내면 깊은 곳에서 나오는 중요한 메시지로, 그 사람과 그 주변 사람들에게 그 사람과 그 환경 사이에 놓인 문제의 본질을 말해준다. 환경을 비난하기보다 스트레스를 받는 사람이 비난받는 일이 너무 자주 있다. 이제 그들은 이런 거부를 극복하기 위해 자신을 위대하게 재구성한 대단한 성취의 이야기를 스스로에게 말하게 된다. 그 결과 그들은 정신병원에 입원하게 되거나 그 사람의 삶을 다른 사람의 통제하에 두는 정신장애 시설에 수용되기도 한다. 이런 과정은 대부분 비자의적으로 진행된다. 자신의 삶에 대한 통제력을 자발적으로 포기하는 사람은 거의 없다. 자신의 삶을 결정할 수 있는 능력이 방해받는 것, 심각한 정서적 스트레스, 그 사람에게 기대되었던 사회적 역할을 완수하지 못하는 것 등이 합쳐져 '정신질환'이라는 딱지가 붙게 된다. 나는 '정신질환'에 인용부호(따옴표)를 붙여 사용함으로써 이를 당뇨병과 같은 질병으로 생각하지 않는다는 것을 나타내고자 한다. 그럼에도 나는 그 용어를 사용한다. 그것은 친숙한 딱지이기 때문이다. 덧붙여 그것은 강력한 사회적 효과가 있는 딱지이다. '정신질환'의 형태는 이런 방해가 발생했을 때 개인의 발달단계에 따라 달라진다. 고등학교 나이를 지났고, 심각한 정서적 스트레스 때문에 장시간 일을 할 수 없다면, 더 나아가 '정신장애인'이라는 딱지가 붙는다. 그들은 실제 장애인시설에 수용되거나 지역사회에서 격리된 삶을 살게 된다.

전국역량강화센터는 '회복'을 '정신질환자'가 아닌 다른 사회적 역할로서 공동체에 다시 참여(또는 처음으로 참여)하는 것으로 정의한다. 회복이란 학생, 노동자, 부모, 거주자 등 사회적 주요 역할에 복귀하고, 자신의 삶에 대한 통제권을 되찾는 것을 의미한다. 회복은 다시 연결 맺기, 자신을 믿는 것, 그 사람을 믿는 것을 포함할 뿐 아니라 자신의 '발달의 나선형'을 되찾을 정도로 역량이 강화되는 것도 포함한다. 이러한 패러다임을 통해, 사람들은 '정신질환'으로부터 실제로 충분히 회복할 수 있다. 비록 여전히 트라우마로부터 자기 변화와 치유를 계속할 필요가 있더라도. 계속해서 약물을 복용할 필요가 있을 수도 있고, 치료를 받을 필요가 있을 수도 있다. 그러나 그들은 자기 삶의 주요 의사 결정자이다. 우리 사회에는 약을 먹고 치료를 받지만 '정신질환'이라는 딱지가 붙지 않는 사람이 많다. '정신질환'이라는 딱지가 붙은 사람과 '정상'이라고 이름 붙은 사람 사이의 중요한 차이는 자신의 발달과 삶에 심각한 방해를 경험했는가이다. 그 방해 때문에 다른 사람이 그들의 의사결정을 대체하는 것이다. 전국역량강화센터는 재활, 증상 완화, 회복을 구분한다. 증상완화는 증상이 줄었지만 여전히 '정신질환'이라는 것을 나타내는 의학적 용어이다. 재활도 비슷하게 사람이 기능을 회복하지만 여전히 '정신질환'인 것을 의미한다. 회복이란 이제 '정신질환'이라는 딱지가 붙지 않는다는 것을 의미한다.

앞서 말한 바와 같이, 어떤 언어에서는 회복이라는 단어가 사람의 삶이나 인간성의 회복을 추가적으로 암시한다. 그런 의미에서 정신질환의 가장 파괴적인 측면은 급성기 발병과 딱지붙임의 과정에서 인간성 상실을 경험한다는 점이다. 이런 맥락에서 회복 운동의 원칙이 왜 우리 삶의 가장 인간적인 측면에 초점을 맞추는지를 이해할 수 있다.

우리는 단지 딱지가 아니라 완전하게 기능하는 인간 존재로 간주되고 대우받기를 원한다. "딱지는 사람이 아닌 병에 붙여라"라는 구호가 새겨진 버튼이 있다. 우리는 사람 우선의 언어를 원한다. 우리는 풍부한 개인의 문화와 역사를 가진 존재로 인식되기를 원하며, 범주에 포함되기를 원치 않는다. 우리는 우리 존재의 모든 차원에서, 정신·몸·영혼의 모든 차원에서 인식되기를 원하며, 화학방정식으로만 인식되기를 원치 않는다. **우리는 풍요롭고 성취감 있는 삶을 살고 싶다. 그 삶에서 우리는 독특한 꿈과 포부에 바탕을 둔 우리 존재의 설계자이다.**

정신질환의 경험이 있는 우리는 '정신질환'으로부터의 회복을 공동체 안에서 충만한 삶을 살아가는 것으로 성격을 규정한다. 공동체 안에서 우리는 우리 삶을 통제할 수 있는 서비스와 지원을 선택할 수 있어야 한다. 이러한 원칙들은 모든 장애인 운동이 추구하는 독립생활운동과 궤를 같이한다(회복한 사람의 일곱 가지 특성은 제4장을 참조하라).

제**3**부
역량강화적 대화를 통해 살아가는 것 배우기

지난 40년 동안 정신질환의 경험을 가진 사람들과 그 연대단체들은 회복의 가장 중요한 원칙들을 명확히 해왔다. 이 운동은 특히 미국, 캐나다, 뉴질랜드, 호주 및 유럽의 중심도시에서 두드러졌다. 우리는 회복이 정신건강 시스템을 변화시키는 비전이 되도록 성공적으로 옹호해 왔다. 그러나 최근까지 우리는 회복을 실현할 수단이 부족했다. 대부분의 임상 프로그램은 회복을 실현하기에 충분치 않다. 왜냐하면 회복은 개별 맞춤형이며 사람 중심적이기 때문이다. 같은 시기에 핀란드와 노르웨이의 시골 지역에서는 소규모의 헌신적인 정신건강 전문가 그룹이 조용히 치료에 대한 새로운 접근법을 개발하고 있었다. 이 접근법은 정신질환 경험을 가진 사람들이 고안한 회복 원칙을 구현할 수 있는 잠재력이 있다. 그 접근법은 '오픈 다이얼로그'라고 부른다.

제6장
대화를 통한 삶의 회복이란 무엇인가?

오랜 시간을 통해, 내가 회복하는 데 대화가 중요한 역할을 했음을 확신하게 되었다. 나는 1970년대에 마르틴 부버Martin Buber와 파울로 프레이리Paulo Freire 의 저서를 읽으면서 처음으로 대화론을 접하게 되었다. 나는 영감을 얻기 위해 가끔 부버의 감동적인 저서인 『나와 너I and Thou』를 다시 살펴본다. 나는 2007년 오하이오에서 개최된 컨퍼런스에 참석한 후 새로운 대화 사용법을 발견했다. 컨퍼런스에 참석한 어떤 정신건강 관리자는 데이비드 봄David Bohm 박사가 새로운 의미를 창출하는 데 대화가 중요하다는 것을 발견했다는 글을 읽었다고 말했다. 그는 정신건강 종사자들에게 소비자와 대화에 나서라고 호소했다.

나는 봄의 『창조적 대화On Dialogue』를 공부하고, 정신건강센터에서 '회복적 대화Recovery Dialogues'라는 일련의 모임을 시작했다. 그 후 얼마 지나지 않아, 나는 핀란드에서 발전시킨 정신병에 대한 오픈 다이얼로그Open Dialogue 접근법을 발견했다. 초발 정신병을 경험하는 사람들에 대한 이 접근법은 매우 성공적인 결과를 가져왔다고 보고되어 있었다. 오픈 다이얼로그는 로버트 휘터커Robert Whitaker의 저서 『정신병의 급속한 확산의 해부학Anatomy of an Epidemic』과 대니얼 매클러Daniel Mackler의 다큐멘터리 영화 〈오픈 다이얼로그〉를 통해 미국에 처음 소개된 이후 큰 파장을 불러일으켰다.

스미스 대학 사회복지학부 부교수인 메리 올슨Mary Olson은 미국 내 유일한 오픈 다이얼로그의 공인 트레이너이다. 2001년 그녀는 위베스퀼레jyvaskyla 대학교에서 1년 동안 풀브라이트 장학생Fulbright Scholar으로 지냈다. 그곳에서 위베스퀼레 대학교 교수이자 오픈 다이얼로그의 개발자 중 한 명인 야코 세이쿨라Jaakko Seikkula를 만났다. 이미 대화-체계dialogic-systems 개념을 가르치고 있던 올슨은 2003년에 세이쿨라와 함께 오픈 다이얼로그 연구를 시작했다. 그 이후로 그들은 지속적으로 협력하고 있다. 올슨, 세이쿨라, 더그 자이도니스Doug Ziedonis 교수와 함께 나는 매사추세츠 의과대학에서 이 새로운 접근법에 대한 시범 연구를 진행하고 있다.

나는 세이쿨라와 올슨 교수가 제공하는 200시간의 오픈 다이얼로그 교육 과정을 이수했다. 그들은 러시아 철학자이자 문학비평가인 미하일 바흐친 Mikhail Bakhtin이 1929년 대화주의dialogism 개념에 대해 서술한 글을 나에게 소개해 주었다. 바흐친은 대화는 삶이고 삶은 곧 대화라고 서술했다.

의식은 대화적 본성을 지니며, 인간의 삶 자체도 대화적 본성을 지닌다. 솔직한 인간 존재를 언어적으로 표현하기 위한 유일하게 적절한 형식은 끝없는 대화이다. 삶은 본질적으로 대화이다. 산다는 것은 대화에 참여한다는 걸 의미한다. 묻고, 귀를 기울이고, 대답하고, 동의하는 것이 삶의 본성이다. 대화에 인간은 눈으로, 입술로, 손으로, 영혼으로, 정신으로, 그리고 온몸과 행동으로 전 생애에 걸쳐 완전히 참여한다. 인간은 자신의 전체 자아를 담론 속에 집어넣는다. 이 담론은 인간 삶의 대화적 구조 속으로, 세계적인 심포지엄의 대화적 구조 속으로 들어간다.

아동심리학자 콜윈 트레바선Colwyn Trevarthen은 아이가 태어나는 순간부터 어머니와 아이가 복잡한 대화와 몸짓의 춤에 참여한다는 것을 보여주었다. 다음은 자녀들과 아주 깊은 관계를 맺는 것의 중요성에 대한 설명으로, 딸들이 열네 살과 열여섯 살일 때 내가 쓴 글이다.

우리 모두는 한때 모든 것을 담고 있는 어머니의 양수 안 꿈의 세계에서 행복하게 떠다녔다. 우리는 부드럽고 리드미컬하게 쉭, 쉭, 쉭 하는 어머니의 심장박동 소리를 들을 수 있었다. 우리는 어머니 자궁벽의 단단하고 안전한 환경을 느낄 수 있었다. 그것은 마치 점차 자라는 우리의 몸을 문질러주는 것과 같았다. 아마도 우리는 영양분과 사랑이 풍부한 어머니의 짠 양수를 맛보았을 것이다. 이것이 바다의 매력이 아닐까? 파도의 리듬에서 어머니의 심장박동이 떠오른다. 어머니의 짭짤한 양수에서 바다에 있는 짠 물침대가 떠오른다. 바다에 몸을 담그고, 부풀어 오르는 바닷물의 힘을 느끼면, 내 가장 깊은 곳에 위치한 자아, 내가 처음으로 존재감을 느꼈던 자아와 하나 됨을 느낀다. 내 가장 깊은 곳의 자아는 온전하며, 모든 다른 존재와 연결되어 있다. 어머니 자궁의 아늑하고 따뜻한 바다로부터, 나는 건조한 바깥세상의 차가운 불빛 속으로 홀로 갑작스레 깨어났다. 나는 존재의 행복을 다시 경험하길 갈망하며 인생의 대부분을 보낸 것 같다고 느낀다.

나는 다양한 형태로 행복을 추구한다. 나는 다른 사람들과의 관계나 예술, 놀이, 그리고 일을 통해 행복을 추구한다. 나는 여전히 기억한다. 딸들이 갓난아기였을 때 편안한 곳을 찾으려고 내 배 위로 올라가기 위해 꼼지락거리던 그 느낌을 말이다. 아내와 나는 부드러운 운율을 사랑스럽게 속삭이면서 리듬에 맞춰 부드럽게 아기를 살살 흔들곤 했다. 적절하게 조화를 이룬 조명과 색채는 아이들을 기쁘게 했다.

그러나 나는 아이들을 영원히 붙잡을 수 없다. 아이들은 우리를 넘어 세계로 여행을 떠나기 위해, 걷고, 수영하고, 말할 필요가 있다. 아이들은 내 도움이 필요할 때 돌아오겠지만, 대부분의 시간을 자신의 힘으로 보낼 것이다. 아이들이 부모의 집에서, 자기 자신의 삶에서 이런 전이transition를 만들어가도록 도울 필요가 있다. 나이가 들어감에 따라, 나의 삶을 살아갈 능력이 내게 있다는 것을 믿을 필요가 있었다. 나는 나를 믿을 필요가 있었다. 길을 걸어가면서 나 자신의 삶을 살아갈 능력이 내게 있다는 것을 믿어줄 다른 사람이 필요했다. 그들 자신이 충만한 삶을 살고 있기 때문에 내가 떠나는 것이 자신에게 위협이 되지 않는 그런 다른 사람. 내 내면의 위안, 내면의 사랑스런 속삭임, 내면의 쉭쉭 소리를 개발할 필요가 있었다.

내가 우리 아기들을 관찰했을 때, 아기가 스스로 몸을 꼼지락거리고 자신의 손을 빨고 있는 것을 보곤 했다. 아기들은 곧 옹알이를 했다. 아이들은 내면의 악마를 멈추게 하는 법을 계속 배운다. 하지만 때로는 아기들의 옹알이와 꼼지락거림만으로는 충분하지 않았고, 그들은 목소리를 높였다. 아기들은 울음소리를 만들었다. 몇 년이 지난 지금도 딸들의 울음소리가 내 등골을 타고 흘러내렸던 오싹함을 여전히 느낄 수 있다. 심지어 지금도 딸들이 목소리를 높이면 나는 바로 그 자리에 있게 된다. 마치 지금이 한밤중이고, 알려지지 않은 공포가 어린아이들의 삶을 사로잡던 것처럼. 그럴 땐 나 자신을 억제해야 한다. 왜냐하면 이제는 아이들이 그 어둡고 외로운 밤에 그랬던 것처럼 즉각적이고 깊이 나를 필요로 하는 것이 아님을 알고 있기 때문이다. 그렇다면 내가 아이들을 위해 얼마나 그래야 할까? 나는 여전히 밤낮을 가리지 않고 경계하고 있다. 어떤 유해한 것이 아이들에게 다가가지 못하도록 나는 늘 주시한다. 아이들이 삶의 여정과 난관에 처하는 동안 나는 등대가 되려고 노력한다. 아이들을 존중하면서 거리를 두고, 나는 불빛 신호등을 보내 아이들의 꿈속 길을 비추려고 노력한다. 동시에 아이들에게 위험한 바위를 경고하려고 노력한다. 내 아이들은 이제 10대가 되었고, 친구, 음악, 그리고 그들의 사랑을 찾고 있다. 하지만 아이들은 그 어느 때보다 더 많이 나를 필요로 한다. 우리가 얼마나 많이 분노하든 간에, 즉시 반응해서 가장 깊은 수준에서 우리는 언제나 연결될 수 있다는 것을 확인시켜 줄 준비가 되어 있어야 한다. 아이들의 배가 내 눈물 속에 모험의 항해를 시작하면 나는 아이들의 짜디짠 슬픔을 맛본다. 때로는 나의 바다에서 태어난 눈물의 소금만이, 그렇게 되어야 한다고 알고 있던 아이들을 잃어버린 고통을 달래줄 수 있기 때문이다. 내 아이들은 정말 축복이었다. 내가 아동기를 겪고 살아남았듯이, 나 또한 아이들이 아동기를 견디고 살아남아야 한다는 것을 알고 있다. 내가 살아남아야 마치 수상스키어가 물속 깊은 곳에서 떠오르듯이 아이들이 물 건너편에 떠오를 때 아이들을 위해 내가 그곳에 있을 수 있다. 나는 아이들이 날개를 펴고 날 수 있도록 그들을 떠나보내야 한다는 것을 알고 있다. 그러면 아이들은 재빨리 되돌아올 수 있지만, 그들은 다시 한번 바깥세상으로 모험의 길을 가야 한다는 것을 알 필요가 있다. 해리 할로Harry Harlow가 새끼 원숭이 사례를 통해 보여주듯이, 부모가 잘 양육할수록 아이는 더욱 모험적이게 된다. 나는 아이를 잃게 되겠지만, 새로운 사람이 되어 나타난다면 기쁠 것이다.

지금 나는 예전의 나의 망상이 태아의 원초적 행복 상태를 다시 만들려고, 깊이 있는 인간관계가 없을 때 나의 가장 깊은 내면의 자아와 연결되어 있음을 느끼게 하려는 시도였다고 믿는다. 나의 망상은 깊이 사랑하는 사람과 분리되어 있는 느낌에서 비롯된 틈과 공허함을 메우려는 시도였다. 첫 번째 아내가 나를 떠났을 때, 나는 너무나 끔찍한 공허함과 상실감을 느꼈기 때문에 그것을 어떤 상상 속의 존재로 메워야 했다. 텔레비전이 나에게 직접 말하고 있다고 믿었을 때, 나는 상실해 버린 어떤 존재를 되살리려고 진정으로 노력하고 있었다고 생각한다. 덜 산업화된 사회에서는 부족의 구성원들이 모여서 최근에 죽은 사랑하는 사람이 카누를 저어 영원의 세계로 나아가는 소리를 듣는다. 이렇게 경험을 공유하는 것이 그들 공동체의 완전성wholeness을 복원하는 데 도움이 된다. 이처럼 서로가 연결되어 있는 부족의 구성원들은 개인적 망상에 의존할 가능성이 더 줄어드는 것으로 보인다. 이것이 바로 소위 문명사회에 살고 있는 우리보다 더 높은 비율로 그들이 정신병으로부터 회복되는 이유 중 하나일 수 있다.

나는 고통스럽지만 행복한 생생한 느낌으로 최초의 정신병원 입원의 초기 순간들, 그리고 나의 꿈의 세계에 고립되었던 순간들을 묘사할 때 사용했던 언어들을 기억한다.

나는 병원 침대에 누워서, 인터컴이 딸깍거리며 반복되는 소리에 귀를 기울이고 있었다. 나는 하루 전에 소라진Thorazine 주사를 맞았다. 그리고 나만의 세계 안에 있었으며, 그곳에서 나오기를 원하지 않았다. 또각또각 대리석 바닥을 걷는 소리가 들렸다. 나는 그 소리를 알고 있다. 그건 어머니의 발소리이다. 나는 어머니가 근처에 있다는 것을 알고 있었지만, 계속해서 눈을 감고 있었다. 나는 주위에 불빛 형태를 느꼈다. 꿈의 세계에 머무르는 한 나는 안전하고 평화롭다고 느꼈다. 나는 꿈에서 깨어나기를 거부했고, 주변 사람들을 보는 것을 거부했다. 꿈에서 깨어나게 되면, 고통스러운 바깥 세계로 예상치 못하게 다시 끌려가곤 했기 때문이다. 어머니가 방문했다는 것을 알면서도, 의료진이 나를 깨우려고 할 때 나는 응답하지 않았다. 의료진은 어머니에게 내가 심한 긴장 상태catatonic에 빠졌고, 회복하지 못할 수 있다고 말했다. 다행히도 3일 후 나는 타인과 감각을 공유하는 현실consensual reality로 돌아왔다(어쩌면 나는 한 살 때 폐렴으로 거의 죽을 뻔했던 트라우마를 치유하고 있었을지도 모른다).

아주 깊은 내면세계inner world에 고립되는 사건은 내 인생에서 네 번에 걸쳐 일어났다. 그것은 나에게 아주 큰 미스터리였다. 내가 정신의학을 공부하면 할수록, 정신병psychosis이라 이름 붙인 이 과정을 잘 이해하는 사람은 거의 없다는 것을 깨닫게 되었다. 이렇게 깊은 내면에의 몰입 상태에 빠진 사람들에 대해 많은 사람들이 가지고 있는 두려움은, 우리 모두가 가지고 있는 깊은 두려움, 즉 우리도 그런 정신적 스트레스 상태에 빠질지도 모른다는 두려움이다. 나는 나 자신과 세계에 대한 그 수수께끼를 풀기 위해 이 책을 썼다.

※

대화를 통한 삶의 회복: 치유에 대한 '대화를 통한 삶의 회복' 접근법을 취하는 것은 극도의 감정 상태(임상적으로는 정신병이라고 묘사되는)를 겪는 사람에게 이익이 될 뿐만 아니라, 주변 사람들의 성장과 치유에도 도움이 된다. 이러한 접근법은 중독 상태에 있는 사람들뿐 아니라, 정서적 스트레스emotional distress를 덜 경험하는 사람들에게도 적용될 수 있다. 다음은 대화를 통한 삶의 회복 접근방식을 사용하여 이런 경험과 관련된 모든 사람에게 도움이 될 수 있는 방법을 요약한 것이다.

우리의 삶은 사랑의 대화를 통해 성장하며, 그것은 우리 존재의 모든 영역에서 반짝이는 새로운 서사를 만들어낸다. 내 삶이 모든 영역에서 사랑의 자양분을 공급받을 때, 나는 성취감을 느끼고, 삶은 의미를 가지게 된다. 모든 영역이란 내 마음, 육체, 사회생활, 그리고 영혼이 모두 대화로 인해 활기를 띠게 된다는 것을 의미한다. 나의 육체적 영역에서는 내 심장이 뛸 때, 숨을 쉴 때, 잠을 잘 때, 깨어 있을 때, 나는 대화의 리듬을 경험한다. 나의 심리적 영역은 사고와 감정의 상호 작용뿐만 아니라 내 꿈을 향한 계획, 실천, 평가 과정의 사이클로 구성되어 있다. 친밀감과 우정 어린 인간관계에 대한 사회적 참여는 때로는 강렬하거나 더 일상적인 단계를 순환한다. 우리 존재의 가장 포용적인 영역은 공동체 내 다른 사람들과의 애정 어린 관계이다. 이러한 연결 맺기는 삶을 유지하며 다른 모든 영역에 영향을 미친다. 인간관계는 우리 마음과 몸의 오페라에 악보를 제공하고, 우리의 전반적인 건강을 증진시킨다. 이러한 대화를 통해 우리가 무력한 객체들이라는 기본 서사에서 벗어나, 마이클 화이트Michael White가 묘사한 것처럼 "역량이 강화된 존재의 반짝이는" 우리 자신의 '순간'을 구성할 수 있다.

'정신병' 이후 대화를 통한 삶의 회복을 위한 제언

✚ 출처

대화를 통한 삶의 회복은 다음 내용을 종합한 것이다. 회복의 가치, 정서적 심폐소생술, 오픈 다이얼로그, 트라우마 정보 기반 접근법trauma informed approach이 그것이다.

✚ 제언

- 대화는 우리의 자아와 다른 사람의 자아에 새로운 생명을 가져다주는 특별하게 맞춰진 과정이다. 우리가 대화를 통해 사랑과 존중이 있는 경이로운 인간관계를 맺으면, 서로의 내면에 새로운 생명과 창조물이 나올 수 있는 공간을 만들어낸다. 대화는 새로운 눈을 통해 우리의 세계와 주변의 세계를 볼 수 있게 해준다. 새롭게 확대된 이런 관점을 통해 우리는 독특한 관점에서 꿈을 꾸고 계획을 세울 수 있게 된다.

- 트라우마는 이러한 삶을 지속시키는 대화를 방해하고, 삶의 의지를 방해하는 어떤 과정이다. 비록 우리는 트라우마를 우리의 대처 능력을 압도하는 돌발 사건으로만 생각하지만, 인정받지 못하고 무시당하는 지속적 과정이 종종 가장 큰 트라우마가 된다. 트라우마는 친밀한 인간관계와 인간적 성장의 자양분으로부터 우리를 단절시킨다.

- 인간적 성장이 트라우마로 방해받을 때, 우리는 죽어가고 있다고 느낀다. 그것은 사람들이 경험할 수 있는 가장 큰 고통 중 하나이다. 따라서 우리는 회복하고 성장을 재개하기 위해 가능한 모든 것을 한다.

- 치유를 위해 우리는 스스로를 보호하고, 때로는 내면의 안전지대에 고립되어 있기도 한다. 우리 내면에 저장해 두었던 대화의 창고에서 꿈을 꾸거나 추억을 더듬음으로써 치유를 추구한다. 이것이 꿈의 기능일 수도 있다. 혹은 수면 부족이 광기로 이어질 수 있는 이유일 수도 있다. 평범한 꿈으로는 우리의 문제를 해결하지 못한다면, 몽상에 잠기거나 예술작품을 창조하는 것에 의존한다.

- 몽상에 잠기고 예술을 창조하는 것이 우리의 트라우마를 치유하지 못한다면, 우리의 마음은 최후의 비상 작전을 사용한다. 상상력은 우리 자신을

살리게 하기 위해 가상의 깊은 독백을 만들어낸다. 이러한 독백 상태에서 우리는 망상과 환청이라고 부르는 특이한 생각과 감각을 만들어낸다. 이러한 것들은 질병의 증상이 아니라 창조성을 살리기 위한 용기 있는 행동이다. 이런 극단적인 상태로 인해 우리가 대처할 수 없는 상태에 빠지면, 이를 정신병이라고 부른다.

• 상상으로 만들어낸 이런 독백은 대화 상실이 드러난 것이다. 단 하나의 현실, 즉 우리 자신의 현실만이 존재하게 되고, 우리는 죽음의 소용돌이에 빠진다. 종종 자살충동을 느끼곤 한다. 즉, 수동적으로 삶으로부터 철수하거나 적극적으로 육체를 끝냄으로써 우리가 이미 죽었다는 것을 환기시키기도 한다.

• 마약과 약물치료는 이 죽음의 소용돌이에서 일시적으로 벗어나는 방법일 뿐이다. 우리는 고통을 마비시키기 위해 마약이나 약물치료에 의지할 수도 있지만, 주변 사람들과 연결되어 있지 않다면 약물이 주는 진정효과는 지속되지 않는다(나는 약물치료에 반대하지 않지만, 약물치료가 정신질환자를 치유할 것이라는 생각은 당사자와 그의 지원자들을 삶의 회복에 필요한 정서적 연결 맺기로부터 멀어지게 한다는 것을 배웠다). 실제로 '고친다fixes'는 것에 과도하게 의존하면 죽음의 소용돌이만 가속화시킬 수 있다.

• 심장과 심장으로 하는 정서적 대화는 정서적 심폐소생술eCRP에서 실행하고 있다. 그것이 이런 죽음의 소용돌이에서 벗어날 수 있는 유일한 방법이다. 내면세계에 고립된 사람과 연결되기 위해서는 살아 있는 존재(사람, 동물, 식물 등)가 필요하다. 죽음의 소용돌이를 피하기 위해 지금 현재 살아 있는 다른 존재와 정서적 대화를 할 필요가 있다.

• 죽어가는 사람의 희미하게 뛰고 있는 정서적 심장에 누군가가 공명을 일으킬 필요가 있다. 공명을 일으키기 위해선 죽어가는 그 사람 삶의 심장박

동과 크게 조율될 필요가 있다. 그 조율을 위해선 때로는 같은 처지에 있었고, 빠져나오는 길을 찾았던 누군가가 필요하다. 살아가고자 하는 강한 의지가 있는 누군가가 필요하다. 그가 절망에 빠진 사람에게 희망을 줄 수 있다. 매우 인간적인 존재가 필요하다. 그는 자신의 삶을 회복할 다른 사람의 역량을 충분히 신뢰할 수 있다. 이것이 정서적 심폐소생술의 본질이다. 이 때문에 우리는 정서적 심폐소생술을 가슴과 가슴의 소생술이라고 부른다.

- 오픈 다이얼로그 접근법은 스트레스를 받는 사람과 자연적 관계망 사이의 연결 맺기를 재정립하는 데 아주 적합하다. 정서적 심폐소생술이 한 사람과 다른 사람의 일대일 연결을 돕는 것처럼, 오픈 다이얼로그는 한 사람을 그의 관계망과 연결될 수 있게 도와준다.

  ◦ 오픈 다이얼로그는 사람들 사이의, 그리고 사람들 내부의 다양한 목소리의 참여를 중시한다. 이는 자기 내면의 확신에 찬 관점에 고립되어 있는 사람의 시야를 확장시켜 다른 사람의 관점을 볼 수 있도록 도와준다.

  ◦ 스트레스를 받는 사람은 참여한 모든 사람들과 정서적으로 풍부한 대화를 통해 정서적 수준에서 먼저 연결된다. 그 뒤 스트레스를 받는 그 사람은 타인의 관점을 받아들이는 데 필요한 신뢰를 발전시킬 수 있다.

  ◦ 현재의 순간에 초점을 맞추는 것을 통해 스트레스를 받는 사람이 자신의 사회적 관계망 현실이 펼쳐지는 끝자락에 점차 더 많이 참여할 수 있게 된다.

  ◦ 스트레스를 받는 사람과 자신의 관계망 사이에 문제를 공유함으로써, 스트레스를 받는 그 사람은 수치심과 비난을 덜 느끼게 되고, 참여하기가 더 수월해진다. 전문가들은 전문가로서 참여하는 대신 자기 전문지식을 공유하는 것을 돕는 사람으로 참여함으로써 권력이 공유된다. 그

것은 스트레스를 받는 그 사람과 주위 관계망에 있는 사람의 역량을 더욱 강화시킨다. 이러한 모든 요소들은 각자의 목소리를 가치 있게 여기고, 경청하는 모임의 출현을 가능하게 한다.

- 정서적 심폐소생술과 오픈 다이얼로그의 대화적 접근법을 사용하면, 사회적 관계망의 모든 구성원이 명확하고 유연하게 생각할 수 있는 능력이 향상된다. 대화적 실천을 경험한 많은 사람들은 이 과정을 통해 그들 자신의 생각이 더 명확해졌다는 것을 알게 되었다. 정서적 심폐소생술과 오픈 다이얼로그는 참가자들에게 자신의 삶에 대한 더 큰 차원을 제공함으로써 선택지와 관점을 확장할 수 있게 한다. 대화의 상호 작용을 통해 참가자들이 이전에 결코 상상한 적이 없었던 새로운 의미가 생성된다. 이것은 삶에 새로운 아이디어를 가져다주어, 삶에 새로운 목적을 불어넣을 수 있다. 서로 다른 세계가 함께 엮이면, 개인의 관점을 넘어 새로운 지평을 열어준다. 더 유연하게 사고하는 것은 망상을 넘어서는 데 필수적이다.

독백에서 대화로

부버, 바흐친, 프레이리, 봄 같은 사상가들이 파악한 가장 심오한 이해는, 우리의 인간적 성장이 각 개인의 마음속보다는 깊은 인간관계를 통해 일어난다는 것이다. 부버는 이 점을 호소력 있게 언급하면서 다음과 같이 서술했다. "자아의 가장 깊은 곳의 성장은 오늘날 사람들이 생각하는 것처럼 나 자신과의 관계를 통해서가 아니라, 다른 사람과의 관계를 통해서, 그리고 자신이 타자에 의해 현존한다는 것을 아는 것을 통해서 일어난다." 대화는 단순해 보일지 모르지만, 달성하기는 어렵다. 조직 발달의 세계에서 정의되었고,

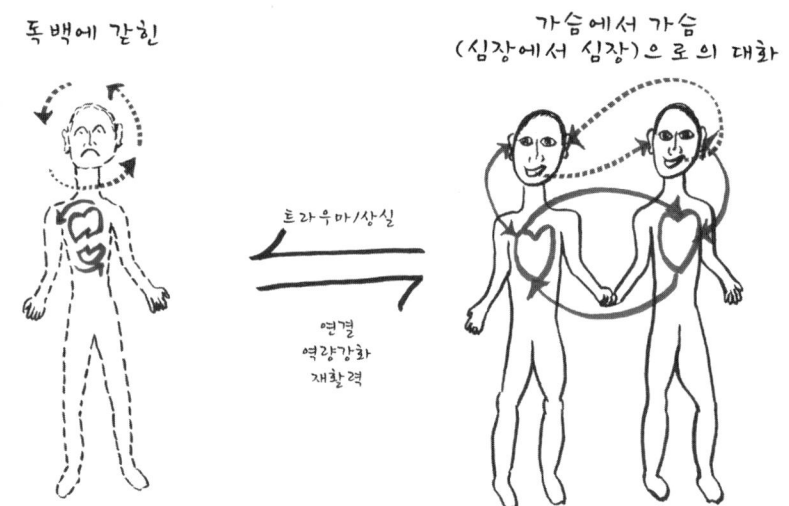

독백에 갇힌

가슴에서 가슴
(심장에서 심장)으로의 대화

트라우마/상실

연결
역량강화
재활력

정신건강 상황에서 응용되는 대화이론은 우리 대다수가 대부분 독백 상태에서 살고 있음을 인정한다. 이것은 우리가 자신이 이해한 세계 속에 살고 있다는 것을 의미한다. 그 세계는 우리에게는 단 하나뿐인 유일한 세계인 듯이 보인다. 따라서 우리는 일반적으로 다른 사람들로부터 무언가를 배우기보다, 우리가 사물을 보는 방식에 다른 사람들이 동의하도록 하는 데 더 많은 노력을 기울인다. 이것은 대화가 아닌 논쟁이다. 다행히도 우리는 독백에 지나치게 갇히지 않을 만큼 다른 관점을 고려할 때가 많다.

위의 그림에서, 왼쪽의 이미지는 우리가 독백에 너무 깊이 빠져서 스스로 빠져나갈 길을 찾을 수 없을 때 어떤 일이 일어나는지를 시각적으로 표현한 것이다. 오른쪽의 그림은 인간적 연결 맺기의 이상향, 즉 '나-너I-Thou' 존재 상태를 그림으로 표현한 것이다. 이 두 사람은 서로 대화를 나누고 있다. 이 두 사람은 애정 어린 관계로 이루어진 공동체에 포함되어 있는 상태로서 가장 잘 이해된다. 그들은 심장과 언어 수준에서 동등하게 연결되어 있다. 이런 관계는 트라우마, 상실 혹은 깊은 애정 어린 관계를 간섭하는 어떤 작용이 있을 경우 방해받을 수 있다. 그러면 그 사람은 자신의 내면세계로 고립되어 타자에 대한 두려움을 겪게 된다. 그들은 독백에 갇히게 되고, 그들의 머릿속에서 반복적으로 재생되는 자기 버전의 세계만을 보게 된다. 자신의 존재를 매우 깊이 경험하지 못하기 때문에 그들의 몸은 점선으로 나타난다. 즉, 그들은 '근거성groundedness'의 감각이 부족해진다. 연결성connectedness으로 돌아가는 화살표는 정서적 심폐소생술로 촉진된다.

우리가 독백 상태에 빠졌을 때, 대화로 돌아가기 위해선 다른 사람들과 연결되어야 한다. 그런데 독백 상태에 놓인 것은 신뢰가 부족한 때이기도 하다. 독백 상태에 놓이게 되면, 나 자신이나 주변에 있는 다른 사람들의 존재를 볼 수 있는 능력을 많이 상실하게 된다. 이때 우리에게는 소통하기 위해 다른 사람들이 진정으로 노력한다는 것을 이해할 수 있게 하는 완전성 wholeness이 없어진다. 우리의 생각은 너무 구체적이거나 너무 추상적이게 된다. 우리는 삶 그 자체에 필수적인 역동적 상호 작용을 잃게 된다.

나 자신의 경험을 돌이켜보면, 어떤 효소의 화학적 특성, 특히 페닐알라닌 수산화효소phenylalanine hydroxylase에 대한 나의 극단적인 관심이 나를 독백 상태에 빠뜨렸다. 나는 현실을 오직 한 가지 버전, 즉 나의 버전으로만 인식했다. 이 생각에 고착되었을 때, 나는 문자 그대로 모든 사람이 자아감sense of self이나 자기결정력이 없는 생화학적 기계라고 믿었다. 이로 인해 내 인생은 살 가치가 없다고 느끼게 되었다. 즉, 나는 목적의식이 없었으며, 세상에 영향을 미칠 힘이 없다고 느꼈다. 이와 같은 때에는 상징들이 그것이 표현하는 세계와 혼동될 수 있다. 한때 나는 주변의 모든 사람이 로봇이라는 고착된 관념fixed idea에 사로잡혀 있었다. 모든 현실이 물질적 속성으로 설명될 수 있다고 확신했다. 그것의 논리적 결과가 모든 인간은 로봇이라는 것이었다. 하지만 나는 내가 로봇 중 하나일지도 모른다는 것을 받아들일 수 없었다. 이런 생각이 이상하게 보일지 모르지만, 최근 몇 년 동안 많은 영화와 책이 이런 주제를 다루고 있다는 것은 주목할 만하다.

불행히도, 산업적으로 발전된 세계에서는 로봇의 특징 중 일부를 나타내 보이는 사람들이 있다. 그러나 내가 이 믿음에 사로잡혔을 때는, 상징과 현실을 구별할 수 있게 해주는, 사람과의 상호 작용을 충분히 경험하지 못했던 시기였다. 나는 '이분법either/or' 사고의 희생자였다. 그 이후로 나는 현실이 상징도 아니고 상징화된 물질도 아니라는 것을 알게 되었다. 둘 사이의 관계라는 것을 알게 되었다. '둘 중 어느 하나both/and'라는 현실의 질적 이해를 통해 나는 대화에 참여할 수 있게 되었다. 여러 버전의 현실을 동시에 파악할 수 있는 마음의 상태는 대화와 지역사회에 참여할 수 있는 나의 능력을 촉진시킨다. 거꾸로 말하자면, 대화에 참여함으로써 '둘 중 어느 하나'라는 현실의 불확실성과 더불어 살아갈 수 있다.

다음 페이지의 그림은 독백과 고립에서 대화와 상호 관계로의 발전 과정을 나선형으로 보여준다. 왼쪽은 한 사람의 생각과 감정의 발전에 대한 설명이다. 이것은 상호 관계를 통해 지역사회에 참여함으로써 발전된다. 이 그림은 또한 동료 지원이 왜 필수적인지를 이해하는 데 도움이 된다. 전문적인 도움만으로는 독백에 갇힌 사람들을 도울 수 없는 경우가 많다. 동료들과의 상호 연결은 종종 지역사회 통합의 첫걸음이 된다. 그림의 오른쪽은 자아감의 발달과 독백에서 대화로 서서히 발전하는 것이 어떻게 동시에 작용하는지를 시각화한 것이다. 대화로 이동함으로써 우리의 자아감은 오로지 자기

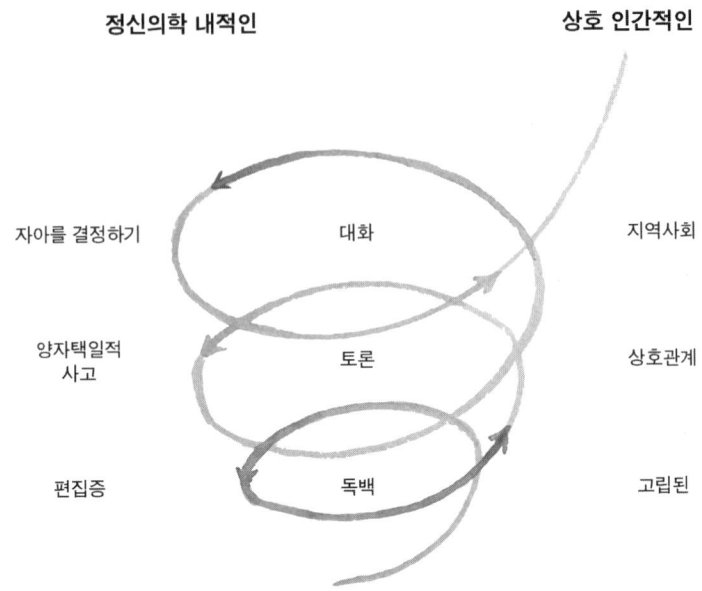

정신의학 내적인		상호 인간적인
자아를 결정하기	대화	지역사회
양자택일적 사고	토론	상호관계
편집증	독백	고립된

눈으로 이해한 자기 내부 버전만으로 만들어진 세계의 어떤 이미지에서, 다양한 관점을 통해 형성된, 세계에 대한 더 다양하고 유연한 관점으로 이동하며 성장하게 된다. 다양한 배경을 가진 사람들에게 노출되는 것은 사람을 보다 관대하게 이해하는 것을 발전시키는 데 필수적이다.

핀란드에서 오픈 다이얼로그 접근법을 개척한 사람들은 사회적 관계망 내에서 대화가 붕괴되면서 정신병이 비롯된다고 주장한다. 어떤 사람은 의미가 없는 듯한 언어를 내뱉음으로써 이런 대화 상실을 외부로 표현할 수 있다. 그러나 사실 그것은 대화를 통한 소통에 실패한 제도를 드러내는 것이다. 숙련된 실무자들이 그 사람의 사회적 관계망 내에서 대화를 복원할 때, 급성기 스트레스에 빠진 사람은 집중할 수 있는 능력이 향상되고, 정신병의 극단적인 정서적 상태가 사라진다.

오픈 다이얼로그의 개발자들은 미하일 바흐친이 말한 대화의 상실에서 비롯된 파괴적인 영향에 대한 설명을 발견했을 것이다. 바흐친은 이렇게 썼다. "인간에게는 반응이 없는 것보다 더 끔찍한 것은 없다." 바흐친에 따르면 "삶은 대화이고, 대화는 삶"이기 때문이다. 산다는 것은 대화에 참여하는 것이고, 반대로 대화를 상실하는 것은 죽어가는 느낌을 의미한다. 우리가 대화를 삶의 원천으로 생각한다면, "바삐 태어나지 않는 사람은 바삐 죽는다"라고 말한 밥 딜런은 대화론 철학자라고 할 수 있다.

✚ 독백적 의학에서 대화를 통한 삶의 회복으로

참고: 이 책에서 오픈 다이얼로그라는 용어는, 핀란드 토르니오에서 이루어지고 있는 오픈 다이얼로그의 구체적인 실천과 다른 국가에서 진행되는 대화적 실천을 모두 지칭하기 위해 사용되었다.

왜 오픈 다이얼로그가 특히 정신질환 경험이 있는 사람들 사이에서 뜨거운 입소문으로 관심을 불러일으켰을까? 오픈 다이얼로그는 핀란드 서부 라플란드의 오픈 다이얼로그 실무자 그룹이 보고한 놀라운 결과 때문에 큰 관심을 끌었다. 20년 동안 이 지역은 오픈 다이얼로그 접근법을 활용하면서 조현병의 빈도가 세계에서 가장 높은 지역에서 가장 낮은 지역으로 바뀌었다. 이러한 결과는 정신병적 삽화 episode를 최초로 경험한 청년들을 위한 지역사회 기반의 사회적 관계망 접근법을 사용함으로써 달성되었다. 그러나 치료의 세부적인 내용보다는 오픈 다이얼로그의 기저를 이루는 철학이 정신질환 경험이 있는 사람들에게 크게 호소하게 된 이유이다. 실제로 야코 세이쿨라는 오픈 다이얼로그가 원칙과 가치에 기반하는 철학이며 그 자체는 특정 프로그램이 아니라고 강조한다. 이러한 차이는 매뉴얼로 정의되어 재현이 가능한 프로토콜에 초점을 맞추는 경향이 있는 미국인에게는 난해해 보일 수 있다. 대부분의 미국 정신건강 전문가들과는 달리, 정신질환 경험이 있는 미국의 우리는 단일 모델에 충실한 짜여 있는 프로그램을 깊이 불신한다. 가치에 기반을 둔 접근방식은 특정 프로그램보다 주체성과 역량강화를 허용하기 때문에 회복을 경험하는 사람들에게 더 매력적이다. 정신질환 경험이 있는 우리는 대부분 회복의 가장 중요한 요소를 역량강화라고 느낀다. 즉, 우리의 삶에 영향을 미치는 의사결정에 자기 목소리를 내는 것이다. 프로그램과 프로토콜은 본질적으로 서비스를 받는 사람이 주체성과 역량강화를 개발하는 것을 막는다. 반면에 원칙과 가치에 기반을 둔 철학은 각 개인에게 자신의 해석을 위한 여지를 둔다.

대화적 실천은 다른 방식으로 서서히 미국에서 존재감을 키워가고 있다. 핀란드의 전문가들이 오픈 다이얼로그를 개발하고 있던 바로 그 시점에, 나와 동료들은 서로의 관점을 이해하는 데 어려움을 겪는 집단들 간의 소통을 개선하기 위해 대화적 접근법을 사용하기 시작했다. 1990년대 초, 나는 뉴욕 정신건강국이 주관하는 일련의 대화에 참여했다. 그 대화에는 정신질환 경험이 있는 전문가들과 정신과 의사들이 참여했다. SAMHSA 또한 이와 유사한 일련의 대화들을 개최했다. 또한 1980년대에 저명한 물리학자 데이비드 봄은 모든 참가자들이 현실의 암묵적인 수준을 더 깊이 이해할 수 있도록 돕는 일련의 대화를 이끌었다. 봄의 이런 대화들은 비즈니스 세계에 큰 영향을 미쳤다.

오픈 다이얼로그의 본질은 사람들 사이에 새로운 생각과 감정이 자유롭고 상호적이며 창조적으로 생성될 수 있는 공간을 만드는 것이다. 핀란드 심리학자들에 따르면 정신병은 독백, 즉 자신의 세계로 고립되는 것에서 비롯된다고 한다. 독백의 세계에는 새로운 아이디어가 거의 없다. 주변 사람들과의 접촉이 사라지면, 그들은 지역사회와 공유하고 있는 현실과 더는 접촉하지 않게 된다. 그 이후 정신적 고통에 처한 사람의 생각은 망상으로 설명된다. 물론 어떤 사람을 둘러싼 지역사회가 파괴적인 현실을 만들고 있다면, 생명을 보존하기 위해 그 현실에서 철수하는 것이 필요할 수도 있다. 불행히도, 우리의 현재 정신건강 시스템은 정신질환 경험이 있는 사람을 그 시스템에서 고립시킴으로써, 절망이라는 독백에 갇혀 있다.

사랑의 인간관계에서의 상실, 실험실 작업에서의 의미 상실로 인해 내가 트라우마를 경험했을 때, 나는 완전한 독백의 세계로 물러나 고립되었다. 치료팀에서 가장 지위가 낮은 구성원인 어떤 위생병이 비언어적 소통을 통해 우리 사이에 대화의 공간을 만들었을 때, 나는 비로소 안심하고 독백에서 벗어날 수 있다고 느꼈다. 이 공간은 임상심리학자이자 가족치료사인 피터 로베르Peter Rober가 "삶이 들어올 수 있는 공간"이라고 설명했다. 나는 우리 동료 운동peer movement이 회복을 위한 옹호를 통해 이 '공간'을 전국적 규모로 만들어왔다고 믿는다. 우리의 집단적 정신질환 경험은 우리에게 회복의 본질은 '지역사회에서 자유롭고 성취감 있는 삶을 살 수 있는 것'임을 가르쳐 주었다. 즉, 우리가 내 운명의 주인공으로 삶을 살 수 있다는 것을 가르쳐 주었다. 나는 이 접근법을 '대화를 통한 회복 공간 만들기'라고 부른다. 이것은 보다 완전한 삶을 살 수 있게 해준다.

그러나 대화를 통한 회복의 해방적 생명력은, 협소하게 적용되는 새로운 주류 의료모델로부터 강한 저항에 직면해 있다. 내 아버지와 그 세대의 의사들이 행한 예전의 의료적 접근은 치료 과정에 환자가 참여하는 것을 보다 존중했다. 그 당시 의사들은 환자의 집에 전화를 걸기도 했고, 치유가 환자와 그의 사회적 관계망과 관련이 있음을 이해했다. 그것은 보다 대화적이었다. 고도의 의료기술이 없었다면, 이 겸손한 의사들은, 자신이 상처를 꿰맸더라도, 환자 자신의 힘과 그를 사랑하는 사람들이 치유되게 했다고 인정했을 것이다.

나는 현대의 기술과 약물을 가끔씩 사용하는 것에 대해 반대하지 않는다. 실제로 페니실린은 내 생명을 구했다. 그러나 오늘날의 많은 의료전문가들은 오만하게도 자신이 질병을 치료한다고 믿는다. 정신건강이든 신체건강이든 약물복용은 고통을 완화하는 데 도움이 될 수 있지만, 치유는 궁극적으로 한 사람의 완전한 자아whole Self의 조율능력에서 비롯된다. 자아는 그 사람의 사회적 관계망과 연결된 마음, 신체, 영혼의 조합이다. 나는 의료모델의 편협한 적용이 독백을 영속화시킨다고 믿는다. 의료모델은 스트레스를 받는 많은 사람과 그의 가족과 전문가의 관계망을 전문가 집단 자신의 부정적인 소용돌이 안에 머물게 한다. 나는 정서적 스트레스의 주류 서사를 '독백적 의료모델'이라고 부른다.

다음 페이지의 표는 회복의 원칙과 가치가 오픈 다이얼로그의 원칙과 가치와 얼마나 유사한지를 보여준다. 이 표는 또한 독백적 의료모델의 지배가 다른 일련의 원칙 및 가치와 어떻게 대조되는지를 보여준다.

나는 대화를 통한 회복 철학을 채택함으로써 회복 기반 지역사회 보건의료 시스템으로의 전환이 크게 촉진될 수 있다고 제안한다. 이것은 일상생활의 모든 측면에 대화적 원칙과 가치를 투입하는 것을 의미한다. 이는 모든 사람에게 정서적 심폐소생술을 가르치고, 그 후 사회의 모든 구성원을 다양한 규모의 대화에 참여시켜 여러 가지 중요한 관심사를 다루는 것을 통해 가장 잘 수행될 수 있다. 예를 들어 보건의료 영역에서 우리는 정신건강 문제, 중독 물질 사용, 신체건강 문제 등에 대해 실제 경험을 가진 사람과 정신과 의사, 일반 의사 간에 더 많은 대화가 필요하다. 힘든 상황에 처한 사람이 자기 자신의 역량감을 획득하기 시작할 때 이런 대화가 이뤄진다면, 그 결과는 삶의 경험, 지식, 그리고 다양한 관점이 한없이 가치 있게 통합될 것이다. 누

회복 및 오픈 다이얼로그 원칙과 의료모델 비교			
구분	회복	오픈 다이얼로그	독백적 의료모델
권력	역량강화는 회복에 필수적이다. 왜냐하면 스트레스를 받는 사람들이 자기 삶의 모든 결정에서 중요한 역할을 수행해야 하기 때문이다. 즉, 그들은 자기 삶에 전문가가 되어야 한다.	스트레스를 받는 사람의 인간적 현실을 수용하고, 스트레스를 받는 사람과만 계획을 세움으로써 권력은 공유된다. 치료사는 전문지식을 가지고 있지만 전문가 지위를 가지진 않는다.	서비스 제공자는 스트레스를 받는 사람에게 진단명으로 딱지를 붙이고, 당사자 없이 그를 위한 계획을 세움으로써 권력을 행사한다.
사람에 대한 관점	범주 또는 객체가 아니라, 완전한 인간적 존재로서의 가치를 존중한다.	스트레스를 받는 사람의 기여에 가치를 둔다. 그렇게 함으로써 그 사람이 완전함을 느끼게 도와준다.	스트레스를 받는 사람은 관리되어야 할 진단명 그리고 일련의 비인격적 화학물질로 환원된다.
문제의 본질	스트레스를 받는 사람은 자신의 목소리, 자아감, 목적, 정서적 차원에서의 연결 맺기를 상실했거나 아직 찾지 못한 것이다.	스트레스를 받는 사람은 사회적 관계망과 관련하여 독백으로 철수한 것이다.	스트레스를 받는 사람은 해결해야 할 문제이다. 즉, 환경과 무관한 신경전달물질의 불균형 상태를 해결해야 한다.
문제 해결의 본질	회복의 원칙을 통해 개인의 인간성의 회복 및 지역사회에의 참여. 약물치료를 선택함으로써 여기에 도움을 받을 수도 있다.	당사자의 사회적 관계망에 있는 중요한 사람들과 심장과 심장으로 이어지는 대화의 (재)확립. 약물치료가 선택이 될 수도 있다.	평생에 걸쳐 전문가의 약물치료 관리를 통한 화학적 균형 복원
미래에 대한 관점	비슷한 문제를 겪었고 회복된 사람(동료들)의 예를 봄으로써 희망을 되찾는다.	심지어 가장 심각한 문제들까지도 관계망과 치료팀이 해결할 것으로 본다.	전문가의 지시에 따라 약물복용을 지속하는 관리로 구성된 불완전한 미래

군가가 자신의 삶에서 자기 목소리를 가지게 되면, 진정한 사람 중심, 완전한 건강계획whole-health planning을 달성할 수 있다.

제 **7** 장
자기 목소리 찾기

우리는 대부분 인생의 풍랑을 거치면서 타인의 삶을 면발치에서 관찰한다. 우리는 자기 목소리의 근원인 가장 깊은 내면의 자아로부터 소외된다. 다음 묘사는 자기 목소리를 잃어버린 것이 로런 스피로^{Lauren Spiro}에게 미친 비참한 결과와 그녀가 자신의 목소리를 찾으면서 회복이 시작되었음을 잘 설명하고 있다.

열여섯 살 때 만성 조현병 진단을 받고 정신병원 격리실에 갇혀 있었던 것이 그 무렵 자신이 삶에서 고립되어 있었다는 것을 상징하는 것이었다고 로런은 회상한다. 그녀는 덫에 걸려 있었고 혼자였으며, 새장에 갇혀서 필사적으로 소속되기를 원했고, 사회에서 의미 있는 역할을 한다는 것을 느끼고 싶어 했다. 그녀의 심장과 가치관은 그녀를 한쪽으로 끌어당기지만, 그녀를 둘러싼 문화는 반대 방향, 즉 그녀의 가장 깊은 내면의 바람을 반영하지 않는 역할과 원칙에 따르는 쪽으로 끌어당기고 있었다. 각기 반대 방향으로 끌어당겨 찢어지더라도 멈추지 않을 듯이 압도하는 이들 두 갈등의 세계의 틈에 생겨난 빈 공간에서 그녀는 자기 자신을 잃어버렸다. 이런 대립적인 힘을 이해하고 조화시키도록 지원할 수 있는 신뢰할 수 있는 자원과 지원이 그녀에게는 없었다. 그래서 긴장이 쌓여 마침내 끓어넘쳐 버렸다. 끓어넘침 boiling-over은 통상의 인식체계를 벗어났고, 대신 망상으로 나타났다. 그러나 망상의 내용은 말 그대로 그녀가 갇혀 있었던 바로 그 갈등을 반영했다. 그녀는 자기 삶이 중요하다는 것, 자신이 중요하다는 것을 느낄 필요가 있었다. 그녀는 자신의 '목소리'를 진정으로 반영하는 의미와 목적이 필요했다. 그녀는 그것을 찾을 수 없었다. 어느 날 밤 모든 것이 바뀌었다. 창살 있는 창문에 한 평 남짓한 황량한 하얀색 격리실에서 잠 못 이루던 그날 밤, 그녀는 이제 (조현병의) 고통을 더는 참을 수 없다고 결심했다. 그녀는 자신의 인생을, 이 고문을 끝내기로 결심했다. 아이러니하게도 그 결심은 그녀에게 새로운 문을 열어주었다. 하나의 선택지가 죽음이라면, 모든 힘을 실어 가치 있는 삶을 찾는 것에 집중할 수도 있겠다는 것을 깨달았다. 그런 삶을 찾기 위해 그녀는 자신을 재구성하고 머릿속에 끝없이 들려오는 비명과 환시를 듣는 것을 중단해야 한다는 것을 알았다. 그렇게 해야 또 다른 날을 살아갈 수 있게 할 것이라고 생각했다. 그날 밤은 – 그 당시에 그녀는 몰랐지만 – 그녀가 회복의 길로 나아가기 시작한 때였다.

나의 거짓된 목소리를 버리고, 절망 속에서 나의 진짜 목소리를 찾는 설명이 여기에 있다.

내 삶이 살 만한 가치가 있는지를 판단하기 위해 존재의 깊은 내면의 지점까지 나는 가야 했다. 가족의 기대를 달성했던 충실한 아들이었지만, 나는 스물네 살 때 내가 나 자신을 위해 산다는 느낌이 전혀 없었다. 많은 것을 이루었지만 나는 다른 사람들을 위한 삶을 살고 있었다. 나는 내가 어떻게 느끼는지를 몰랐다. 내 전부는 생각이었고, 감정은 어디에도 없었다. 내 심장은 나에게 말을 걸지 않았다. 나는 너무 화가 나서 현재의 삶의 방식을 계속 살아갈 수 없다는 것만 알고 있었다. 마틴 루터처럼 나는 속으로 이렇게 말했다. "이것은 내가 아니야!" 내 회복의 가장 큰 단계는 "연기를 멈추고 단지 존재하기만 해"라고 스스로에게 말하는 것이었다.

그렇게 하기 위해, 나는 감정을 관장하는 화학물질을 발견하려고 시도했던 신경화학 실험실에 가는 일을 중단했다. 화학물질은 내 감정을 정의하지 않았다. 그 직업은 내가 아니었다. 나는 말하는 것을 중단했다. 내가 사용한 단어들은 언제나 다른 사람들을 위한 것이었기 때문이다. 나는 움직이는 것조차 중단했다. 모든 움직임이 나 자신이 아닌 타인의 것처럼 보였기 때문이다. 매우 조용하고 자기를 관찰할 수 있는 이 장소에서 나는, 나 자신만의 고유한 목소리를 낼 수 있을 때 비로소 내가 등장할 것이라고 결심했다. 가장 하급 지원군이었던 위생병이 비언어적 의사소통을 통해 나에게 말을 건넸다.

나의 다음 단계 회복은 나의 분노를 완고한 '삶에 대한 부정'에서 '삶에 대한 긍정'으로 전환할 수 있을 때 일어났다. 그것은 여러 단계에 걸쳐 일어났다. 내가 격리실에 갇혀, 정신건강 시스템을 인간답게 해서 나와 비슷한 고통을 겪는 다른 사람들이 회복할 수 있도록 하겠다고 맹세했을 때 처음 일어났다. 그때 나의 분노는 나의 열정과 목적이 되었다. 이것이 나에게 말을 건 가장 깊은 내면의 '목소리'였다. 다른 사람들이 나를 조종하고 있다는 망상에서 해방되는 유일한 방법은 내가 내 삶을 통제할 수 있는 '목소리'를 진정 얻는 것인 듯하다.

영국의 임상심리학자인 크리스 해럽Chris Harrop과 피터 트로어Peter Trower는 "타인에게 통제되고, 솔직한(스스로 구축한) 자아가 아닌 타인의 자아를 갖는 것, 거기에 부수하여 자기 주도권을 상실하는 것을 오랜 기간 경험하게 되면 의식이 정상적으로 작동하는 데 심각한 장애를 일으킬 수 있다…. 정신 상태의 비정상적인 경험 중 일부는 이런 경험으로 설명될 수 있다"라고 썼다. 즉, 어떤 사람이 강하고, 중심이 잡혀 있는 솔직한 자아Self를 발달시킬 수 없다면, 다양한 유형의 의식의 교란이 있게 된다. 그로 인해 현실과 유리되고, 정신질환에 걸릴 수 있다. 해럽과 트로어는 인간관계를 통한 자아 구성으로 발전과 회복이 촉진될 수 있다고 제안한다.

2002년 백악관 정신건강 신자유위원회the White House New Freedom Commission for Mental Health의 위원으로 선임되었을 때, 나는 그 위원회에서 조현병이라고 부르는 극단적인 상태에서 회복한 생생한 경험을 가진 유일한 사람이었다. 그만큼, 나는 목소리가 들리지 않았던 수많은 사람들의 목표와 열망을 표현해야 할 중대한 책임을 느꼈다. 나는 우리가 통일된 운동이라는 것을 다른 위원들에게 보여주기 위해 전국의 소비자/생존자 리더들과 긴밀히 협력했다. 종종 분열된 지도자 그룹도 이때에는 회복의 개념을 중심으로 단결할 수 있었다.

위원회가 종료된 후, 내가 위원회 보고서에 회복의 비전을 정의할 수 있게 했다는 것에 대해 많은 옹호자들이 기뻐했다. 그러나 2003년 7월 신자유위원회 보고서가 발표되었을 때, 조지 W. 부시 대통령 행정부는 백악관에서 그것을 공개적으로 발표하지 않았다. 또한 정부는 위원회의 권고를 실행하는 데 필요한 입법을 지지하지 않았다. 국립정신건강연구소NIMH도 마찬가지로 보고서의 비전인 회복의 개념과 거리를 두었다.

SAMHSA와 재향군인관리청VA은 보고서에 어느 정도 지지를 보냈지만, 위원회의 영향력은 제한적이었다. 연방 차원에서는 의미 있는 지원을 하는 것에 한계가 있음을 감안할 때, 우리 소비자/생존자들이 시스템을 바꾸기 위해 조직화해야 한다는 것이 곧 명백해졌다. 그러나 시스템을 바꾸고 소비자가 주도하는 정책을 위해 일한 경험이 있는 소비자/생존자 옹호자의 수는 매우 적었다. 따라서 옹호 훈련이 시급했다.

2005년 캘리포니아 정신건강 클라이언트 네트워크를 이끌었던 샐리 진먼은 나와 주디 체임벌린에게 옹호자 교육과정을 개발해 달라고 요청했다. 그것은 역량강화 교육이었다. 우리는 그 교육을 "자기 목소리 찾기FOV"라고 불렀다. 이 교육과정을 통해 「캘리포니아 정신건강서비스법」의 초창기 시행에 중요한 역할을 한 많은 옹호자를 계발할 수 있었다.

역량강화 교육은 소비자/생존자들이 자신의 삶을 살아갈 수 있게 하고, 다른 사람들도 그렇게 할 수 있도록 장려했기 때문에, 일반적인 리더십 교육과 다르다. 일반적인 리더십 교육은 전통적으로 수강자에게 자신의 세계에서 보다 효과적으로 행동할 수 있는 방법을 강조하지만, 역량강화 교육은 의존적 자아에서 확신에 찬 자아로 수강생이 변화하는 데 집중한다. 역량강화 교육은 수강생 자신의 고유한 목소리를 개발함으로써 이러한 변화를 이끌도록 지원한다.

예술가가 자신의 창작 작품을 표현하기 위해 자신만의 독특한 예술적 목소리를 찾아야 하는 것처럼, 사람들은 자신의 개인적인 가치와 원칙에 따라 의미 있는 삶을 살 수 있도록 각자의 고유한 삶의 목소리를 찾아야 한다. 삶의 목소리를 발달시킨 사람들이 감정적으로 고통을 겪을 때, 그들은 자신이 어떻게 느끼는지 알고, 주변 사람들에게 그러한 감정을 표현하고 소통할 수 있다. 정서적 고통을 겪는 사람이 지원을 받는 다른 사람과 협력하고, 지원받는 사람의 복지에 관하여 정보 제공 후의 동의informed consent를 할 수 있게 하는 것이 곧 정당한 편의 제공이고, 의미 있는 삶을 다시 살아갈 수 있게 격려하는 일이다.

심각한 정서적 고통을 겪고 있는 사람은 여러 목소리(환청 – 옮긴이 주)를 듣는다고 믿는다. 이것은 놀라운 일이 아니다. 자신의 삶의 '목소리'를 들을 수 없는 상황에서 그 목소리를 대신할 수 있는 것을 만들어내는 것 같다. 실비아 네이사Sylvia Nasar의 저서 『뷰티풀 마인드A Beautiful Mind』의 주인공인 수학자 존 포브스 내시John Forbes Nash가 신문에 인쇄된 무작위 숫자로 지도를 찾듯이, 우리 중 많은 사람들은 심한 정서적 스트레스를 겪는 동안 자기 외부에서 무엇인가를 지시하는 마법의 메시지를 찾아왔다. 괴로웠던 시절, 나는 나를 제외한 모든 사람들이 매일 무엇을 해야 할지를 알려주는 지시를 받는다고 확신했다. 나는 그런 지시가 매일 아침 모든 사람의 집 문 앞에 나타난다고 믿었다.

우리의 삶의 '목소리'를 개발함으로써, 우리는 다른 사람들의 의견에 영향을 미칠 수 있고 우리 삶의 중요한 결정에 영향을 미칠 수 있다. 그러한 삶의 목소리가 없으면 다른 사람들로부터 지시를 받아 결정을 할 수밖에 없다.

중세 독일 신학자이자 철학자이며 신비주의자였던 마이스터 에크하르트Meister Eckhart는 "영혼 안에는 무엇인가 중요한 것이 있다…, 결코 죽지 않는 말의 불꽃…. 그것은 공간이나 시간이 범접하지 못한다…"라고 썼을 때 삶의 목소리의 의미를 어느 정도 포착했다. 그의 이런 이해와 나의 정신질환 경험은 서로 같은 울림이 있다고 믿는다. 한 달간의 나의 침묵의 기간 동안 나도 내 내면의 불꽃, 타다 남은 불씨를 경험했다. 그 안에서 나는 계속 경계심을 늦추지 않고, 안전하고 신뢰할 수 있는 관계를 찾을 수만 있다면, 말할 수 있는 기회를 갈망하고 있었다. 6개월 이상 망상에 사로잡혔던 또 다른 소비자/생존자는 그녀 주위에서 소용돌이치는 광기를 보임에도 그녀 내면의 깊은 중심부를 예민하게 인식하고 있었다. 그녀는 혼란을 해소하는 데 도움을 줄 신뢰할 수 있는 안전한 곳, 누군가를 갈망했다.

한 사람의 삶의 목소리life Voice를 찾는 것에서 중요한 요소는 그 목소리가 그 사람의 내면에 항상 있다는 것을 인식하는 것이다. 비록 그가 그 목소리를 표현하지 않더라도. 마르틴 부버는 이 불꽃 또는 목소리가 우리의 의사결정의 중심이라고 썼다. "진정한 불꽃은 하나의 진실한 의사결정을 구성하는 데 효과적이다." 삶의 목소리를 갖는다는 것은 우리가 결정을 하고 우리의 삶을 꾸려나갈 수 있는 힘이 있다는 것을 의미한다. 삶의 목소리를 갖는다는 것은 인생을 살아가고 자신의 인간다움을 경험하는 것을 의미한다.

관계 맺기는 삶의 목소리를 건강하게 발전시키는 데 필수적이다. 독일의 철학자 요한 고틀리프 피히테Johann Gottlieb Fichte는 1797년에 "개인의 의식에는 필연적으로 다른 사람의 의식, 그리고 당신의 의식이 따른다. 이런 조건에서만 개인의 의식이 가능하다"라고 적었다. 이 관점은 우분투(제5장에 설명되어 있다) 철학과도 일치하며 우분투를 전형적으로 보여주는 줄루족의 격언 "한 사람은 다른 사람을 통해 존재한다"와 관련되어 있다. 정신건강 회복은 우리 밖에서 우리에게 일어나는 것이 아니다. 회복은 우리 내부에서 치유와 사랑하는 관계 맺기의 결과로 일어난다. 치유와 사랑의 관계 맺기를 통해 우리는 삶의 진짜 자기 목소리를 드러낼 안전한 곳을 찾는다. 나는 우리의 '삶의 목소리'를 자유롭게 된 우리 목소리의 형태, 우리가 삶에 '긍정적'일 때 알려지는 것이라고 생각한다. 이것은 삶에 대해 분노하고 불확실해하는 구속된 우리 목소리와 구분되어야 한다.

2009년, 대화의 중요성을 알게 되면서 나는 대화의 요소를 교육에 추가했고, '대화에서 우리의 목소리를 찾고 이용하기Finding Our Voice and Using it in Dialogue' 또는 '목소리와 대화 교육Voice and Dialogue Training'이라는 새 이름을 부여했다. 그 교육은 역량강화를 위한 열두 가지 원칙으로 시작하며 각각은 P로 시작한다(이 원칙들에 대한 자세한 설명은 부록에 나와 있다). 원칙들은 아래 다이어그램에 순서대로 잘 소개되어 있다.

역량강화를 위한 열두 가지 원칙의 간단 요약

역량강화를 위한 열두 가지 원칙이 회복과 변화로 이끄는 방법

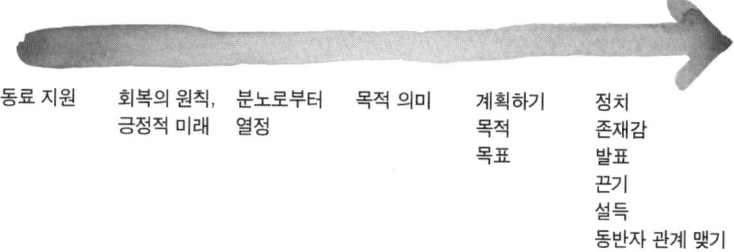

| 동료 지원 | 회복의 원칙, 긍정적 미래 | 분노로부터 열정 | 목적 의미 | 계획하기 목적 목표 | 정치 존재감 발표 끈기 설득 동반자 관계 맺기 |

1. 동료 지원Peer Support: 다른 옹호자와 함께함으로써 역량이 강화된 옹호자가 되기 위한 초기 단계를 밟으라.

2. 회복의 원칙Principles of Recovery: 가치 있는 역할을 통해 완전한 사회 참여와 사회 통합을 이룰 수 있도록 생활 기반 지역사회의 회복을 옹호하라.

3. 미래에 대한 긍정적 관점Positive View of the Future: 자신과 다른 사람들에게 영감을 주기 위해 자신의 내면에서 깊이 그리고 끈질기게 희망을 찾으라.

4. 열정Passion: 분노와 원망을 열정으로 바꾸라.

5. 목적Purpose: 수동적 또는 적극적으로 탈출구를 찾기보다는 인생을 정착시킬 목적을 찾으라.

6. 실천적 우선순위를 둔 옹호 계획Practical Prioritized Advocacy Plan: 간결하면서

도 우선순위를 둔 계획을 가진, 잘 준비된 참여자가 되라.

7. 끈기, 인내, 참을성Persistence, Perseverance, and Patience: 절대 포기하지 말고, 멈추지 말라. 충분한 끈기가 있으면 무엇이든 될 수 있다. 우리가 믿는 것은 현실이 될 수 있다.

8. 존재감Presence: 자존심, 침착성과 공손함을 통해 사람들에게 신속하고 긍정적으로 영향을 줄 수 있는 능력을 발전시키라.

9. 설득Persuasion: 대화를 통해 다른 사람들이 당신의 관점을 이해할 수 있도록 하는 것을 배우라.

10. 대중 앞에서의 발표Public Presenting: 당신 자신과 당신의 아이디어를 다른 사람들에게 발표하는 방법을 습득하라.

11. 중재, 협상 그리고 대화를 통한 동반자 관계 맺기Partnering through Mediating, Negotiating, and Dialogue: 중재, 협상 그리고 대화를 통해 협력적 합의에 도달하는 방법을 발견하라.

12. 정치Politics: 특히 그룹들이 결정을 내리는 방법을 이해함으로써 상황 내에서 정치적 역동성을 이해하기 위해 시도하라.

제8장

정서적 심폐소생술을 통한 역량강화 대화의 학습

어떤 사람이 자신의 정서적 스트레스를 헤쳐나갈 수 있도록 누군가가 도울 수 있는 훈련 과정을 개발하고 싶다는 영감을 처음 준 것은 나 자신의 정신 질환 경험이었다. 내가 가장 심한 스트레스를 받았던 20대 동안, 나는 나를 평가하지 않으면서 단순히 나와 같이 있을 사람이 필요했다. 그들 자신이 그랬던 것처럼, 나도 이런 끔찍한 경험을 이겨낼 것이라고 안심시킬 수 있는 사람. 그런 사람이 당시 몇 명 있었다. 대개 그들은 공식적인 훈련은 가장 적게 받은 병원 직원이었지만, 삶의 본질과 더 잘 조율했다. 가령 왓슨Watson은 내가 처음 입원했을 때 만났던 정신건강복지사였다. 그는 그저 나와 함께 앉아 있었을 뿐, 내게 아무런 요구도 하지 않은 채 어떻게 내 곁에 있어야 하는지를 아는 것 같았다. 또 다른 예는 베데스다Bethesda 해군병원의 존John이라는 위생병이었다. 1970년에 그곳에 입원했을 때, 나는 그곳이 대화하기에 안전하지 않은 장소라고 느꼈다. 그러나 존은 그의 가슴으로 내가 비언어적 연결이 필요하다는 것을 알고 있는 것 같았다. 매일 내가 무엇이 필요한지 몸짓으로 '물어보는' 의사소통을 함으로써 나의 신뢰를 얻었다. 그는 다시 인간 가족을 믿게끔 나를 되돌려 놓았다. 그와 내가 비언어적이고 감정적인 차원에서 접촉함을 통해 나는 다시 삶으로 되돌아갔다.

극단적인 감정 상태를 겪는 동안 내 삶의 근본이 뒤바뀌었다. 종종 나는 스스로에게 물었다. "내가 왜 여기에 있지? 내 삶의 의미는 무엇일까?" 나는 육체적으로 죽는 두려움보다 훨씬 더 깊은, 존재하지 않는 것에 대한 두려움에 사로잡혔다. 그 기간 동안 내 정서적 심장은 정상적으로 뛰지 않고, 내 삶의 흐름에는 방해물이 있었던 것 같았다. 존재의 어느 한 순간이 다음 순간과 단절된 것처럼 보였다. 그 후 30년, 극심한 정서적 스트레스를 겪는 기간 동안 내가 원했던 것이 무엇일까를 나는 계속 생각했다.

그런 훈련 과정을 개발해야겠다는 또 다른 영감은 2005~2006년 허리케인 카트리나Katrina와 리타Rita가 지나간 후 루이지애나Louisiana에서 우리 몇 명이 했던 작업에서 얻었다. 당시 허리케인 복구 자원봉사에 참여했던 한 동료는 "우리는 행동해야 할 뿐만 아니라 루이지애나주의 소비자들과 연결할 의무가 있다고 느꼈다"라고 말했다. 소비자들 사이에는 강한 유대(어떤 동료는 그것을 "고통의 연대"라고 불렀다)가 있다. 루이지애나주의 소비자를 지원하자는 전국역량강화센터NEC의 요청에 대해 전국적인 호응이 일어났다. 2주 만에, 전국역량강화센터는 전국 재난 소비자 자문 그룹의 설립을 도왔다. '카트리나 이후 회복을 위한 소비자 조직'이 그것이다. 우리가 루이지애나에서 동료들을 위해 개발한 훈련 프로그램은 "구호에서 회복까지"라고 불렀다. 기존 프로그램, 즉 심리적 응급 처치, 위기 상담, 트라우마 고려 돌봄trauma informed care 등을 포함한 일련의 기존 프로그램뿐만 아니라 우리의 정신질환 경험을 기반으로 한 프로그램이었다. 우리에게는 재난이 닥친 시기에 진단명 딱지는 던져버려야 한다는 것이 분명했다. 이러한 시기에는 이론적 틀로 만든 장벽 없이 다른 사람의 인간성과 연결하는 것이 훨씬 더 중요하다.

이런 훈련 프로그램을 개발하게 된 나의 마지막 이유는 정신건강 응급처치MHFA에 관하여 배운 결과였다. 정신건강 응급처치는 2001년 호주에서 개발된 프로그램으로, 일반인에게 정신건강 상태에 관해 가르치기 위해 고안되었다. 2008년, 동료 공동체의 몇몇 회원들과 나는 정신건강 응급처치가 미국에도 도입되고 있다는 것을 알게 되었다. 처음에는 정신건강 응급처치를 통해 필요성이 충족될 것처럼 보였다. 서로 위기를 헤쳐나갈 수 있게 사람을 (재)교육할 수 있을 것 같았다. 그러나 정신건강 응급처치가 주로 다른 사람의 정신질환 증상을 확인하고 전문가의 도움을 받도록 연결하는 방법을 대중에게 가르치도록 고안되었음이 명백해지면서, 우리 사이에 우려가 제기되었다. 그에 대응해서, 우리는 진단명 딱지를 참조하지 않은 채 다른 사람이 정서적 위기를 헤쳐나갈 수 있게 도울 수 있는 대안을 만들기로 했다. 이 접근법은 정신병 진단에 대한 우리 운동의 비판과 잘 어울린다.

2008년, 나는 정신질환 경험이 있는 20명의 팀을 이끌고 다른 사람이 그런 시간을 헤쳐나갈 수 있게 도울 수 있는 훈련 과정을 개발했다. 스트레스를 받는 기간 동안 우리는 정서적인 심장마비를 경험하기 때문에, 심폐소생술과 마찬가지로 우리의 정서적 심장을 위해서도 소생술이 필요하기 때문에, 나는 이런 접근법을 정서적 심폐소생술Emotional CPR, eCPR이라고 부른다.

정서적 심폐소생술은 스트레스를 받는 어떤 사람과 솔직하게 연결할 수 있는 방법을 가르친다. 그것은 심장과 심장으로 연결되는 정서 소생술의 한 형태이다. '정서적 심장마비' 동안, 그 사람의 정서적 심장은 흐름과 리듬을 잃어버린다. 자기 자신 및 다른 사람들과의 깊은 연결 맺기가 없을 때가 많기 때문이다. 우리의 육체적인 심장이 심장 확장기(심장이 피로 채워질 때)와 심장 수축기(심장이 수축될 때) 사이에 균일한 균형이 있을 때 가장 잘 작동하듯이, 우리의 정서적인 심장은 내면의 목소리와 체화된 외부의 목소리 사이의 대화의 흐름에 의존한다(체화된 외부의 목소리라는 것은 제7장에서 기술한 바와 같이, 단어 속의 의사소통과 단어를 넘어서는 의사소통을 포함하는 우리의 표현 전체를 의미한다). 트라우마 기간 동안 그 대화적 흐름은 방해를 받고, 우리의 체화된 외부의 목소리들은 어느 한곳에 갇히게 된다. 정서적 심폐소생술은 스트레스로 두려움, 분노 또는 슬픔에 빠진 사람에게 삶의 대화적 흐름을 복원시킬 수 있게 설계되었다. 그 과정의 예는 제6장의 '독백에서 대화로' 절에 있다.

사실, 나는 내 내면 깊은 곳으로 여러 차례 여행하는 동안 죽음과 같은 상태를 경험했다고 생각한다. "삶은 대화이고 대화는 삶이다"와 같이 "독백은 죽음이고, 죽음은 독백이다"라고 말할 수 있다. 또는 철학자이자 문학평론가인 미하일 바흐친Mikhail Bakhtin은 1961년에 쓴 노트에서 이렇게 말했다.

독백주의의 극단적 상태에서는 그 독백의 외부에 동등한 권리와 동등한 책임을 가진 다른 의식, 즉 동등한 권리를 가진 또 다른 나(너)가 존재한다는 것을 부정한다. 독백적 접근으로는(극단적인 순수한 형태로), 다른 사람은 완전히 그리고 단지 의식의 객체일 뿐이고, 또 다른 의식이 아니다. 내 의식의 세계에 있는 어떤 것이라도 바꿀 수 있는 응답을 기대하지 않는다. 독백은 그 자체로 지향점이 있고, 다른 사람의 응답에 귀를 닫고, 응답을 기대하지도 않으며, 거기에 어떠한 힘도 없다고 생각한다. 독백은 타자 없이 기능하고 따라서 어느 정도 모든 현실을 구체화한다. 독백은 최고의 단어인 것처럼 가장한다. 독백은 표현되는 세계와 표현하는 사람들을 차단시켜 버린다.

내가 독백 속으로 철수한 것은 상처 입은 나의 자아의 반응이었다고 생각한다. 다행히 인정받지 못하던 내면의 자아가 깨어나 내면에서 목소리를 높이는 황소charging bull와 마주하게 되었다. 내면의 나의 자아는 때마침 내 삶이 위험에 처해 있음을 깨달았다. 더 깊은 내면의 나의 자아는 "남을 위해 행동하는 것을 멈추고 너의 진정한 자아를 찾아야 해"라고 말함으로써 나를 대화에 끌어들여 내 생명을 구했다. 내가 말을 하지 않았던 기간은 사실 "나의 삶 모두는 화학으로 결정되었다"라는 나의 억압적인 이야기의 막을 내림으로써, 나의 더 깊은 내면의 자아로 내 삶의 춤을 다시 시작하려는 시도였다.

트라우마의 주요 경험은 단절, 통제력 상실, 정서적 마비이다. 단절은 사람들에게 자신이 인간성의 가족의 일부가 아니라는 느낌을 준다. 연결은 우리 모두가 삶을 살 가치가 있다고 느끼기 위해 필요한 공유된 인간성을 회복시킨다. 재난이 발생했을 때 통제력을 상실함으로써 공포와 안전의 결여라는 감정이 생긴다. 정서적 스트레스는 종종 자신의 가장 깊은 자아에서 등장하는 개인의 의지, 즉 삶의 흐름의 중요한 측면을 차단한다. 다른 사람의 도움으로 통제력을 회복하면 안전감이 회복된다. 연결과 통제는 사람에게 정서적 흐름을 느끼는 활력을 다시 경험하도록 돕는다. 따라서 정서적 심폐소생술은 트라우마의 세 가지 중심적 부작용을 해소한다. 즉, 연결을 설정하여 단절을 해소하며, 역량강화를 통해 통제력 상실을 해소하고, 재활력을 통해 정서적 마비를 해소한다.

연결

스트레스를 받는 사람을 도울 때, 먼저 깊은 정서적 수준에서 그들과 연결할 방법을 찾는 것이 필요하다. 위기가 아닌 상황에서는, 우리는 "안녕"이라고 말하고 대화를 시작한다. 그러나 누군가가 심각한 스트레스를 받을 때, 전통적인 인사는 흔히 작동하지 않는다. 사실, 언어적 의사소통보다 비언어적 의사소통이 스트레스를 받는 사람과 의사소통을 하는 데 훨씬 더 중요할 수 있다. 첫 단계로 그 사람의 감정에 조율하는 것이 필수적이다. 이것은 그 사람의 체화된 외부의 목소리의 모든 표현에 귀 기울일 것을 요구한다. '듣다'라는 한자－청聽－가 연결의 더 깊은 형태를 강조한다. 아래 그림과 같이, '청'은 여러 구성 요소의 조합을 나타낸다. 중국어로, 듣는 것은 당신의 귀, 눈, 그리고 완전한 집중 상태인 마음을 사용하는 것이다.

그들의 정서와 공명하여 그들의 마음, 몸, 영혼과 연결함으로써, 도움을 주는 사람은 단어의 표현 방식, 즉 단어뿐만 아니라 말투, 억양 등에도 세심한 주의를 기울여야 한다. 또한 자세, 얼굴 표정, 한숨, 몸짓을 보고, 때때로 모방하여 누군가와 연결할 수 있다. 그러한 공감적 관찰 기술은 신뢰를 확립하고 치유를 촉진하는 데 매우 귀중하다. 북유럽인들보다 더 자주 감정적으로 표현하는 이탈리아인들은 각기 특정한 의미를 가진 250가지 이상의 서로다른 손짓을 사용한다고 한다. 감정 표현에서의 이런 차이는 정신건강 질환

청聽은 '듣다'라는 의미를 지닌 중국의 글자이다. 이것은 귀耳, 열 개十의 눈目, 하나一의 심장心이라는 몇 부분으로 구성되어 있다.

을 가진 이탈리아인들이 아일랜드인보다 환청을 덜 듣는 이유를 설명해 줄지도 모른다. 또한 문화적으로 매우 특유하지만 눈을 마주 보는 것 또한 매우 중요하다. 미국인들은 눈을 마주 보는 것을 중요하게 생각하지만 중앙아메리카와 같은 다른 문화권에서는 위협으로 느낀다. 연결 맺기의 이런 다른 방식을 통해 지원자들은 스트레스를 받는 사람의 의사소통 방식을 이해하고 채택함으로써 그 사람과 함께 있을 수 있게 된다. 이것은 스트레스를 받는 사람이 주도한다는 의미이다. 그러면 지원자는 스트레스를 받는 사람이 선호하는 연결 맺기 수단에 문화적으로 더 잘 조율할 수 있을 것이다.

치유에서 대화의 중요성을 밝히는 데 도움을 준 노르웨이인 정신과 의사인 톰 안데르센Tom Andersen은 그의 그림들 중 하나에서 사람의 신체적인 표현이나 체화된 외부의 목소리를 듣는 것의 중요성을 생생하게 강조했다. 그의 그림에 대한 내 설명은 아래에 있다.

연결 맺기는 정적인 활동이 아니다. 그것은 B를 돕고 있는 A의 적극적인 참여를 요구한다. 먼저 일반적인 언어적 의사소통 수준이 있다(내 그림에는

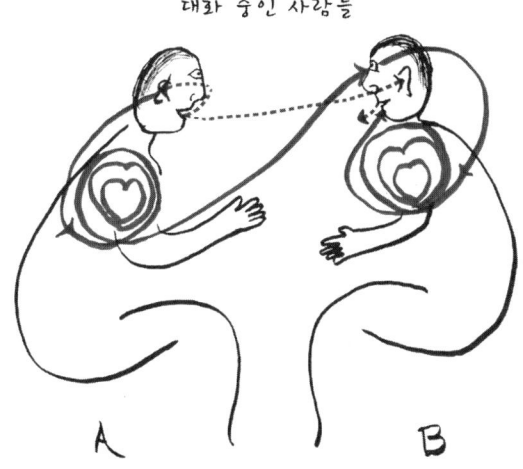

대화 중인 사람들

점선 화살표로 표시되어 있다). 그러나 A가 B의 비언어적 리듬을 인지하고(실선 화살표로 표시되어 있다), 그것과 조화를 이루며 그것을 증폭시키는 것이 더 중요하다. 인간 사이의 이런 의사소통의 리듬은 스트레스를 받는 사람이 그들의 존재의 흐름을 다시 경험하는 데 도움을 줄 수 있다. 이것은 지원자가 자기 자신의 흐름을 완화시켜 다른 사람의 흐름과 공명할 것을 요구한다. 지원자는 상대방의 감정의 흐름이 아무리 희미하더라도 이를 느낄 수 있도록 미풍에 흔들리는 갈대처럼 되어야 한다. 지원자가 자기 자신의 감정을 표현하는 것도 중요하다. 이것은 스트레스를 받는 사람이 자신의 감정을 표현할 수 있도록 해주기 때문이다. 이렇게 해서 정서적 연결 맺기가 성립한다(그림에서 실선 화살표로 표시된 부분). 어떤 사람은 이렇게 연결 맺기가 이루어지면 마치 두 사람이 하나의 순환 시스템에 있는 것을 경험하는 것 같다고 말했다. 마치 그들의 심장이 하나로 뛰는 것과 같다. 두 심장의 이런 울림은 스트레스를 받는 사람에게 그들의 체화된 외적 목소리를 표현할 힘과 용기를 준다. 일본의 한 참가자가 지적했듯이, 우리가 진심 어린 방식으로 연결하면, 두 사람의 심장은 점점 커지는 것 같다. 나는 심장을 확대할 생각은 없었지만, 내 손은 그런 식으로 심장을 그려야 한다는 것을 알고 있었다. 이것은 우리의 심장이 예술을 통해 우리의 정신에 이런 지식을 알릴 수 있음을 보여주는 예이다. 이런 현실을 블레즈 파스칼Blaise Pascal은 "심장은 이성이 알지 못하는 자신만의 여러 이성을 가지고 있다…. 우리는 이성으로만이 아니라 심장으로 진실을 안다"라고 묘사한다. 이것은 정서적 심폐소생술의 다음 단계인 '역량강화'로 이어지며, 이때 스트레스를 받는 사람은 자신의 힘을 감지하는 경험을 하게 된다.

역량강화

정서적 심폐소생술은 상호 작용하는 과정이다. 감정적 상호성의 예는 최근 스코틀랜드의 정서적 심폐소생술 수업에서 있었다. 역할극('실제 연극'이라고 부름)에서, 스트레스를 기억하는 사람은 베개를 잡아 쥐고 지원자에게서 등을 돌렸다. 그녀는 얼굴이 창백했고 계속할 수 없다고 말했다. 지원자도 손을 위로 올리면서, 창백해 보였으며, 지원을 멈추어야 한다고 소리쳤다. 지원자가 이렇게 하는 동안, 스트레스를 받는 사람이 지원자를 지켜보는 것을 관찰할 수 있었다. 나는 지원자에게 그 순간 그녀 자신은 어떤 느낌이었는지를 공유해 달라고 요청했다. 그녀는 "나는 무력하고 부적절하다고 느꼈어요. 내가 계속하다가는 오히려 스트레스를 받는 그녀가 더 기분 나빠할 수도 있지 않을까 걱정했어요"라고 말했다. 지원자가 자신의 걱정을 공유하자, 스트레스를 받는 사람이 뒤로 돌아서서 그녀를 마주 보기 시작했다. 그리고 울면서 자신이 다른 사람들을 도울 때 부적절했다는 자신의 느낌을 표현했다. 그들이 감정을 공유하면서, 두 사람의 얼굴에 핏기가 돌았고, 두 사람은 어느 정도 안도감을 표시했다. 이 예는 정서적 심폐소생술이 정서적인 공명의 성격을 갖는다는 것을 보여준다. 지원자와 스트레스를 받는 사람이 연결 맺기, 역량강화, 그리고 재활력을 경험할 때 정서적 심폐소생술은 가장 효과적이다.

재활력

스트레스를 받는 사람을 위해 지원자가 문제를 해결할 수 있는 것이 아님을 강조하는 것이 중요하다. 대신, 지원자는 스트레스를 받는 사람이 스스로 해결책을 찾을 수 있는 능력이 있음을 믿는다는 확신을 그에게 전달할 필요가 있다. 지원자는 함께 있는 것이 매우 필요하다. 함께 있으면 스트레스를 받는 사람이 감정을 표현하고 자신의 활력을 경험할 수 있다. 지원자와 스트레스를 받는 사람이 조화를 이루게 되면, 스트레스를 받는 사람은 에너지의 회복을 감지하고 자기 내부에서 생명력이 회복됨을 느낀다. 앞에서 설명한 두 여성에게 이러한 흐름은 그들의 감정 표현으로뿐 아니라, 그들의 얼굴에 화색이 돌아오는 것으로 나타났다. 프랑스의 철학자 앙리 베르그송Henri Bergson은 유기체 내의 생명력을 언급하기 위해 생명의 약동élan vital이라는 용어를 사용했다. 그것이 의식과 관련되어 있다. 그는 생명의 약동이 발달에 필수적이라고 믿었다. 민코프스키Minkowski는 이 힘을 "인간적 약동élan"이라고 불렀다. 이것은 우리를 삶과 계속 연결 짓게 해주는 자질이다. 집단으로 나타날 때, 결합된 생명 에너지의 흐름을 소속감esprit de corps이라고 한다.

과거 서양 과학은 이런 개념을 거부하는 경향이 있었다. 그러나 회복을 경험한 우리는 그러한 생명력이 실재하고 본질적이라는 것을 알고 있다. 우리는 이것을 새로운 활력Revitalization 또는 재생Renewal이라고 부른다. 따라서 정서적 심폐소생술eCPR의 'R'는 '재활력Revitalization' 또는 '재생Renewal'을 나타낸다. 한 동료는 그것을 "물리적 영역을 넘어선 의사소통"이라고 말한다. 그녀는 자신의 존재를 위협하는 삶의 정서적 극단을 경험한 사람만이 이러한 형태의 의사소통을 진정으로 이해하고 마음으로 감지할 수 있다고 믿는다. 그러므로 극단적인 감정 상태로부터 회복된 경험을 가진 사람들이 정서적 심폐소생술을 개발한 것은 놀라운 일이 아니다.

미시간주에 있는 당사자 동료 지원 전문가 중 다수는 교육을 받고, 직업적으로나 개인적으로 정서적 심폐소생술을 사용하고 있다. 이로 인해 병원 입원이 줄어들었고, 자신의 치료로 자신이 원하는 방향에 관해 더 많은 협력이 이루어졌다. 이 훈련은 동기 부여 인터뷰Motivational Interviewing, 트라우마 정보 기반 돌봄Trauma Informed Care 및 자살 예방Suicide Prevention에서 배운 내용을 가지고, 그것을 쉽고 효과적인 형식으로 종합하는 데 도움이 된다.

— 캐럴린 피퍼Carolyn Pifer, 정서적 심폐소생술 강사

정서적 심폐소생술 역할극의 예

샘 애런스Sam Ahrens와 내가 싱가포르에서 수행한 정서적 심폐소생술 역할극(또는 '실제 연극')의 다음 예는 어떤 사람의 호흡에 조율하는 것이 그와 연결하는 방법이 될 수 있음을 보여준다. 이 세션은 정서적 심폐소생술이 자신에게 의미하는 바를 설명하는 샘의 진술로 시작된다.

샘(트레이너로서 말하기): 우리는 항상 현재 순간에 정서적 심폐소생술을 합니다. 현재에 있다는 것, 개방적이라는 것, 그 순간에 진실하다는 것은 도전이며, 그 도전은 항상 존재합니다. 내가 처음으로 정서적 심폐소생술을 경험했을 때, 나는 열린 부드러운 심장, 깨어 있는 몸, 열린 마음으로, 모든 것이 자연스럽게 흘러가서 누군가와 완전히 열려 있게 하는 자신만의

방법을 찾는다는 생각을 갖게 되었어요. 당신은 안건이나 질문 목록을 가지고 있을 필요가 없어요. 당신은 단지 거기에 있을 뿐이에요. 그때 내가 하는 것은 누군가와 연결할 수 있다는 거예요. 그 연결로부터, 역량강화와 재활력이 등장합니다. 그것은 자연스러운 과정이에요. 나에게 정서적 심폐소생술은 배움이라기보다는 배우지 않는 것과 같아요. 우리가 살아가는 데 방해가 되는 모든 일상적인 행동을 잊어버릴 필요가 있습니다. 우리의 자아와 다른 사람 간에 있는 모든 길에서요.

댄(트레이너로서 말하기): 본질적으로 이것은 존재하기의 한 방법입니다. 이것은 말로부터 벗어나서 존재하기의 한 방법입니다. 당신이 그것을 포착해서 말로 설명하려고 하면, 이것의 어떤 본질을 잃게 됩니다. 우리는 최선의 존재하기의 방법을 배우려고 노력하는 것입니다.

역할극 시간이 시작될 때 샘은 "누구와도 연애를 하고 싶지 않다"라고 말하며 자신의 고민을 표현했다. 그녀가 느끼는 가장 안전한 상태는 뒤로 물러서 있는 것이라고 말한다. 명조체로 분석이 나타난다.

샘(스트레스를 받고 있는 사람으로서): 그것은 사람 이상이에요. 그것은 모든 것이에요. 나는 나 자신에게 짓눌렸고, 방에 있다는 것에 짓눌렸고, 사람들에 짓눌렸어요.

샘은 손짓으로 자신의 스트레스 감정을 표시한다. 그리고 양손을 머리 양옆에 대고 고개를 숙인다. 댄은 샘이 숨을 죽이고 있다는 것을 알아차린다. 댄은 그 자신의 한숨을 알아차리면서 이것을 깨닫는다. 댄은 샘이 댄의 리듬에 맞춰 숨쉬기를 주저하고 있는 것을 먼저 알아차렸다. 이어서 댄은 자신이 관찰한 것을 샘에게 전달하면서 샘이 자신의 호흡을 더 많이 의식하도록 돕는다.

댄(지원자로서): 잠깐 숨 좀 쉬어야겠어요. [댄은 숨을 내쉰다] 숨을 쉴 필요가
있다고 느끼고 있어요.

샘: 잘 못하겠어요.

댄: 숨을 잘 못 쉬겠나요?

샘: 아니요, 숨 쉬기를 잊어버렸어요.

샘: 가끔 '숨 쉬는 것', 그게 전부예요.

샘은 자세를 편안히 하고 숨을 내쉬며 웃는다. 이것은 그녀 자신과의 일체성을
통해 연결하는 중요한 순간이다. 숨을 쉬고, 함께 웃음을 지음으로써.

댄: [그녀와 함께 웃는다] 그게 다예요. 숨 쉬는 것.

샘: 글쎄요, 그건 단순화시키는 것 같아요.

댄: 다른 건 생각할 필요 없어요.

호흡에만 집중하면 된다고 댄이 제안하자, 샘은 자기를 비판하는 생각을 떨쳐
버릴 수 있다.

샘: [몸을 뒤로 젖히고 얼굴에서 머리카락을 치우면서] 그래요. 내가 숨을 쉬지
않아서 어지러운 것 같아요. [그녀는 깊게 호흡을 한다] 당신이 그렇게 말
했을 때, 나는 조금 덜 어지럽다는 걸 깨달았어요. [다시 한번 깊게 호흡
한다]

댄: 당신이 숨을 쉴 때 내가 여기 같이 있을 수 있게 해줘요, 난 단지 당신 옆
에 있고 싶어요.

샘: 여기…

댄: [손으로 아래를 가리키면서] 여기, 여기. 당신이 거기 있기 때문에 내가 거
기에 있을 수는 없어요. [그녀가 앉아 있는 장소와 그 사이를 손짓으로 가

리키며] 그러나 여기 함께 있어요.

샘: 내 시간에 끼어드는 공간침범자space invader들을 많이 만났기 때문에, 이 게 좋아요. [마치 댄을 막으려는 듯 몸을 기울여 손을 들고] 바로 내 공간에. [댄이 "여기 함께"라고 말하자 샘은 곧 방어막을 내린다]

댄: 난 공간침범자가 되고 싶지 않아요.

샘: 가끔, 만약 그들이 저렇게 멀리 떨어져 있거나 [댄이 있는 곳을 가리키며] 책상 뒤에 있어요. 질문, 질문, 질문. 그리고 그때 이런 일이 일어나요. 바 로 어제 그 사람이 계속 질문했어요. 내가 답을 할 때마다 그들은 "아니, 그런 뜻이 아니에요"라고 말해요. 그때 벽이 있어서 나는 다행이었죠. 그 런 것이 도움이 돼요. 그냥 가버려요.

댄: 그건 무서운 느낌이에요. 아마도 겁나는 느낌일 거예요. 침범. 나도 그런 느낌을 가졌어요. [고개를 숙이고, 몸짓 없이] 때로는 숨 쉬는 것도 안전하 지 않기 때문에 숨을 참아야 한다는 느낌을 가졌어요. 공기를 마시는 것조 차 위험한 것 같았어요. [똑바로 앉아 손으로 공기를 끌어당기는 것처럼 손 짓한다] 그래서 나는 숨을 멈추고 스스로에게 말하곤 했어요. 그것만이 유 일하게 안전한 일이라고요.

샘: [웃으며 말한다] 충돌 위치를 생각해 봐요. [여전히 웃으면서, 위치를 표시 하기 위해 양손을 머리에 대고 몸을 앞으로 내밀면서]

댄: [다시 한번 양손을 앞으로 내민 채] 우리가 함께 경험할 수 있다면 그것은 그렇게 무섭지 않을지도 몰라요. [손을 아래로 내리고, 샘으로부터 고개를 젖힌다]

샘: 그런 일은 일어나지 않아요. 당신은 그냥 혼자 있는 거예요. 이렇게 많은 사람들이 있어요. 그러나 그들이 도우려고 해도 ….

댄: 내가 거기에 있기를 당신이 바라는 것처럼, 나도 당신과 함께 거기 있고

싶어요. 나는 강요하고 싶지 않아요.

샘: 글쎄, 내가 그 방법이 뭔지 알았다면….

댄: 당신은 나를 거기로 초대할 수 있어요. [샘이 미소 짓는다] 나는 초대장이 필요해요. [댄이 웃는다] 새겨진 초대장. [샘과 댄, 둘 다 웃는다] 나는 기꺼이 그 초대에 응할 거예요. [이 지점에서 연결이 잘 진행된다. 아마도 역량 강화로 이끌기에 충분할 수도 있다]

샘: 초대장. [샘은 숨을 내쉰다] 그 호흡이 도움이 되는 것 같아요. 나는 내가 얼마나 많이 숨을 참는지 알아요. [자신이 숨을 참는 것을 알아차림으로써 그녀는 좀 더 자유롭게 숨 쉴 수 있었다. 그리고 그녀의 역량강화가 시작된다]

댄: 우리 그냥 같이 숨 쉴 수 있을까요? [다시금 호흡이 주제가 되었지만, 지금 댄은 그들이 함께 호흡할 수 있는지 궁금해한다]

샘: [뒤로 몸을 젖히고 웃으며 댄을 쳐다보면서] 나의 호흡 코치가 되어줄래요? [이 지점에서 깊게 호흡하면서, 샘은 역량이 강화된 목소리를 보여주고 있다. 댄을 자신의 코치로 초대했기 때문이다]

댄: 숨 쉬는 수업. 나쁘지 않은 생각이에요.

샘: 난 학위가 있고 직업이 있지만, 그 호흡 코치라는 건. [웃으며 앞으로 손짓하면서] 난 그것이 어떻게 되는지 몰라요.

댄: 그건 당연해요. 호흡하는 건 우리가 이 지구에 도착하자마자 가장 먼저 하는 일 중 하나일 뿐이에요.

샘: 가끔 나는 지구를 떠나는 기분이 들어요. 여기는 내가 있을 최적의 장소가 아니기 때문이죠.

댄: 난 그 기분을 알아요. 그냥 같이 호흡할까요?

샘: 가끔은 그렇게 간단할 필요가 있는 것 같아요. [그들은 함께 숨을 쉰다]

댄: 당신과 함께 있는 것이 내게 힘이 돼요. [댄의 재활력을 통해 샘이 자신의

재활력을 경험하는 데 도움을 받은 것 같다] 고마워요.

샘: 어떻게 그럴 수 있을까요?

댄: 당신이 여기 함께 있기로 해서요.

샘: 호흡하는 법을 모르는 사람한테서 어떻게 힘을 얻을 수 있을까요? [부드럽게 웃으며 고개를 앞으로 숙인다]

댄: 왜냐하면 당신과 함께 숨을 쉬게 해준 당신의 적극성이 저에게 힘을 주고, 목적을 주고, 내가 여기에 있을 이유가 있다고 느끼게 해주거든요.

샘: [헉 하고 숨을 쉬며. 그녀는 손으로 얼굴을 가리고 울기 시작한다. 샘은 재활력을 경험하고 있다] 항상 나는 패배자였다고 생각해요. 그저 짐스럽고, 어울리지 못하는 패배자. 누군가에게 목적을 줄 수 있다는 생각은 아주 새로워요. [댄에게 목적을 줄 수 있다고 느낌으로써 그녀는 재활력을 얻는다]

댄: 당신이 그랬어요. 나를 초대한 당신의 적극성.

샘: 사람들이 실제로 초청받았던 곳에 나는 그다지 많이 초청받았던 것 같지는 않아요. 어떤 면에서는 벽의 느낌이 들어요. 벽에 대해 알아요?

댄: 그럼요, 난 벽에 대해 알아요.

샘: 아마 그래서 어떻게 물어봐야 하는지 당신이 아는 이유일 거예요.

댄: 나는 내가 질문받기를 원하는 방식으로 물으려고 노력했어요.

샘: 당신은 지금 내게 박동할 수 있는 작은 심장을 줬어요. [재활력: 그녀는 가슴에 손을 얹는다. 샘은 자신의 고양된 활력과 재생된 삶에 대한 감각을 감동적으로 표현하고 있다]

댄: 당신은 내게 박동할 수 있는 작은 심장을 줬어요.

이 역할극은 호흡을 통한 재활력의 나선형spiral of revitalization을 강조한다. 정서적 심폐소생술의 3단계가 여기 제시되었다. 호흡으로 새로운 비언어적 의사소통이 열리면서 연결이 되었고, 호흡이 몸을 일깨우고 심장을 확장시켜 줌으로써 역량강화가 생겼다. 마음이 열리고 에너지가 몸, 마음, 그리고 정신을 통해 흘러가면서 재활력이 생긴다. 이것은 호흡과의 연결을 통한 재활력의 나선형과 같다.

> 좀 더 자유로운 호흡은 몸을 깨우며, 그것은 심장과 정신을 확장시키고, 다시 호흡을 자유롭게 한다.

선불교와 같은 동양철학에서는 호흡과 연결하는 것이 더 높은 수준의 의식에 도달하는 중심 요소이다. 그러나 어떤 정신 상태에서는 앉아서 명상을 하는 것이 매우 힘들다. 특히 생각이 산만하다면 더욱 그렇다. 산만한 생각은 집중해서 호흡을 안내하는 데 필요한 자기 억제를 쉽게 제압할 수 있다. 바로 그러한 정신적 스트레스 기간에 정서적 심폐소생술이 가장 도움이 된다. 호흡을 되찾아야 하고, 그렇게 할 수 있다는 것을 일깨워 줄 다른 사람의 존재가 있다는 것이 모든 것을 바꿀 수 있다. 스트레스를 받는 시점에 함께 호흡하는 것은 어떤 사람들에게는 좋은 효과가 있다. 하지만 다른 사람들에게는 그렇게 유익하지 않을 수도 있다. 정서적 심폐소생술은 스트레스를 받는 사람이 주도하는 춤사위와 같다. 상대방이 한숨을 쉬고 있는 것을 알아차리면 자신의 한숨을 강조하는 것으로 시작할 수도 있다. 그것이 그들의 관심을 끈다면, 다른 방법으로 당신의 호흡에 주의를 기울이게 하고, 그것이 그들과 공명하는지를 보라. 당신은 깊은 심호흡을 몇 번 더 하기만 하면 된다.
어떤 사람들은 호흡에 집중하는 것이 실제로 그들을 더 고통스럽게 만든다고 말했다. 정서적 심폐소생술의 경우, 항상 그렇듯이 조심스럽게 상대방의 반응을 주시하는 것이 필수적이다. 때때로 지원자는 스트레스를 받는 사람과 같이 있다는 느낌이 어떤 것인지 보여주는 몸짓을 할 수도 있다. 이런 몸짓을 통해 스트레스를 받는 사람이 자신의 감정을 더 잘 인식하게 되고, 그들의 심장과 정신이 확장될 수 있다.

왜 사람들은 스트레스를 받는 다른 사람들을 고쳐야 한다고 느낄까?

정서적 심폐소생술을 가르칠 때 가장 큰 도전 과제 중 하나는, 스트레스를 받는 사람이 직면해 있는 것처럼 보이는 문제를 해결하기 위해 지원자가 제안을 하려는 경향에 대처하는 일이다. 우리는 항상 훈련을 시작할 때 참가자들에게 다른 사람을 '고치려고' 하는 충동을 억제할 필요가 있다고 상기시킨다. 스트레스를 받는 사람이 자신의 괴로움을 이해하고 줄이는 방법을 스스로 만들 수 있는 내면의 지혜를 가지고 있다는 것을 기억해야 한다. 그럼에도 대개 교육을 받는 사람들에게 인내심을 유지할 것, 다른 사람을 고치려는 충동을 저지할 것을 환기시켜 주는 사람이 필요하다.

　왜 지원자 역할을 하는 사람들은 때로는 스트레스를 받는 사람을 고쳐야 한다고 느낄까? 때때로 사람들은 자신의 불안을 줄이기 위한 한 방법으로 다른 사람의 문제를 해결하려고 한다. 이것을 '경험 회피'라고 한다. 이러한 경향은 다음의 실제 시나리오에서 관찰할 수 있다(지원자가 고치려는 역할을 맡을 때 내가 개입한다).

　벤Ben: 난 내 손자가 걱정됩니다. 그 애는 외모를 신경 쓰지 않고, 주위 사람들로부터 고립되고 있는 것 같아요.

지원자: 손자에 대해 무슨 걱정거리가 있나요?

벤: 그 애를 보면, 내가 열일곱 살 때 나도 비슷한 행동을 했고, 그때 내가 조현병을 진단받은 것이 떠올라 걱정이 되는 거예요.

지원자: 손자에게 위생에 신경을 쓰고 다른 사람과 더 어울리도록 하는 게 어떨까요?

[이 시점에서 나는 지원자에게 질문을 하기 위해 그들의 대화에 끼어들었다]

댄: 궁금한 게 있는데 … 당신은 벤과 함께 있으면서 그가 질문을 명확하게 할 수 있게 하는 대신, 조언을 했어요. 벤이 조현병 진단을 받은 자기 경험을 말했을 때 말이죠. 왜 그러셨나요?

지원자: 그때 내가 뭘 했는지 기억나지 않아요.

댄: 알겠어요. 벤이 손자와 그의 조현병 가능성에 대해 스트레스를 받는 것을 알았을 때, 그것은 당신에게 어떤 의미였나요? 당신 내면에서 무언가 진행되고 있는 것을 알아차렸나요?

지원자: 불안하고 걱정스러워요. 내 딸이 특이한 행동을 보이고 있고, 나는 그 애가 정신건강 질환으로 발전할까 봐 걱정이 돼요.

지원자 역할을 하는 그 여성은 자신의 불안과 자신이 불안해하는 이유를 인식하면서, 고칠 수 있는 해결책을 제시하려는 충동을 피하려고 노력할 수 있었다. 그리고 나서 지원자가 그녀 자신의 걱정을 조금 더 공유하면서 역할극을 재개했다. 벤은 지원자가 자신의 경험을 공유함으로써 자신이 덜 외롭게 느껴졌기 때문에 감사해 했다. 자기의 자원을 어떻게 사용할지에 대해 생각할 수 있게 되었다고 말했다. 그 자신도 지원자의 여정에 약간의 도움이 될 수 있었기 때문에, 지원자가 자신의 걱정을 공유해 준 것에 대해서도 감사해 했다. 이는 관계에서 권력을 평등하게 하는 상황이 만들어졌음을 의미한다. 종종, 지원자의 역할을 하는 누군가가 스트레스를 받는 사람이 공유하는 정보로 인해 결과적으로 자신이 경험하고 있는 감정과 그 정보가 관련될 때, 그런 방식의 자기 공개는 단순히 비슷한 경험의 기억을 공유하는 것보다 더 효과적이다.

지원자 역할을 하는 사람이 다른 사람을 고치려는 자신의 충동을 느낀다는 것은 교훈적이다. 지원자는 스트레스를 받는 사람이 들려주는 이야기에 대한 자신의 감정적 반응을 의식하도록 노력해야 한다. 여기서 지원자의 존재는 스트레스를 받는 사람이 표현하는 감정과 자신의 감정이 함께 공명하는 통 속의 말발굽 소리굽쇠tuning fork 같다고 생각하면 된다. 그러나 상대방의 감정에 공감하는 이러한 경험은 고통스러울 수 있다. 그런 일이 발생할 때, 지원자는 상대방의 스트레스를 해결하려고 노력함으로써 자기의 개인적인 불안감에 대처하려고 할 수 있다. 그렇게 함으로써 그들 자신의 걱정을 억제(또는 해결)하려고 할 수 있다. 자신의 걱정거리에 대처하기 위해 지원자들이 사용하는 또 다른 방법은 문제를 비인격적인 이론으로 설명하는 것이다. 가령 뇌의 화학적 불균형으로 특정 행동을 설명하는 것이 그것이다.

우리는 가능한 순서대로 이것을 시각화할 수 있다.

① 스트레스를 받는 사람은 불편한 느낌을 가지고 있으며, 그것을 말로 표현한다. 이상적으로는 그 사람은 불편함만 인식하고 그 원인을 깨닫지 못할 수도 있다.

② 지원자는 표현된 감정에 불편함을 느끼지만, 자신의 불편함을 인식하지 못한다. 따라서 정서적 차원에서 단절된다.

③ 불편한 감정을 피하거나 우회하기 위해 지원자는 "~하면 어떨까요⋯"와

같은 제안을 함으로써 스트레스를 받는 사람의 문제를 해결하고자 시도
한다.

④ 스트레스를 받는 사람은 기꺼이 문제 해결의 방식으로 전환하면서, 감정
을 느끼는 것을 차단하여 자신을 보호하고자 한다.

스트레스를 받는 사람의 이야기 속의 어떤 측면 때문에, 지원자에게 불편
한 감정이 일어났다는 것을 어떻게 알 수 있는지 묻는 사람이 있었다. 지원
자가 더 열심히 일하고 있지만 연결에 아무런 진전이 없거나, 스트레스를 받
는 사람이 지원자의 조언에 호의적으로 반응하는지에 따라 지원자 자신의
자존감이 결정된다고 느낄 때 그것을 알아차릴 수 있는 한 방법이 된다. 또
다른 단서는 최초 제안이 거부된 후, 지원자가 추가 조언을 제공하려고 하는
것을 알아차릴 때이다.

어떤 훈련 과정에서 우리는 제3자에게 연결 단절이 발생하는지 관찰하도
록 요청했다. 이런 3인조 상황에서, 관찰자가 연결 단절을 보았을 때, 중단
을 요청하게 했다. 관찰자는 관찰된 내용에 대한 피드백을 제공하곤 한다.
관찰자는 또한 지원자에게 스트레스를 받는 사람이 말한 어떤 것 때문에 지
원자가 스트레스를 경험했는지도 질문했다. 불행하게도, 그 지원자뿐만 아
니라 스트레스를 받는 사람도 이런 중단 때문에 그들의 역할극의 흐름이 방
해된 것을 경험했다.

관찰자가 이들 한 쌍(즉, 지원자와 스트레스를 받는 사람)에 끼어드는 것의
방해효과를 줄이기 위해, 우리는 '반성 팀' 형식을 훈련 과정에 도입했다(톰
안데르센과 오픈 다이얼로그 팀으로부터 이 접근법을 배웠으며, 제10장에서 자세히
설명한다). 정서적 심폐소생술과 함께 사용하기 위해 우리는 이것을 '반성 팀'
이 아닌 '공명 팀'이라고 부른다.

공명 팀의 역할을 맡은 두 사람에게 지원자와 스트레스를 받는 사람 그들 한 쌍 옆에서 그들과 공명하면서 그들이 경험한 감정을 표현해 달라고 요청한다. 두 명의 공명자는 그 한 쌍을 관찰하면서, 연결이 진행되는지 연결이 언제 중단되는지를 지켜본다. 공명자들도 서로를 관찰한다. 얼굴 표정을 통해 연결, 역량강화 또는 재활력이 방해받을 위험에 처하거나 상실되었다고 합의한 때가 언제인지 기록한다. 공명자들이 비언어적 의사소통을 통해 중단이 발생했다는 것에 동의하면, 부드럽게 역할극을 일시 중단해서 그들이 관찰한 것에 관해 서로 검토해도 되겠느냐고 요청한다. 공명자와 그들 한 쌍^{dyad} 사이에 신뢰가 있을 때, 공명자가 표현하는 감정은 도움이 되고 힘이 되는 것으로 보인다. 신뢰가 부족할 때, 지원자는 공명자가 표현하는 감정을 비판적이고 도움이 되지 않는 것으로 경험한다. 그러나 대부분의 한 쌍은 반성적 접근법이 한 명의 관찰자가 직접 자기들에게 피드백을 주는 것보다 덜 방해한다는 것에 동의한다.

정서적 심폐소생술의 여섯 가지 의도

우리는 정서적 심폐소생술의 중심이 되는 여섯 가지 교훈을 배웠다. 우리는 이것을 '여섯 가지 의도'라고 부른다. 각각의 정서적 심폐소생술 단계는 다음과 관련이 있다.

- 나는 나의 눈, 귀, 심장을 이용하여 내 존재 속에 당신이 있음을 느낄 것이다(연결).
- 나는 당신과 함께 있으면서 나의 정서적 반응을 공유할 것이고, 그리고 나

는 당신과 함께 있을 것이다(연결).

- 나는 당신을 고치지 않고 당신과 함께 있을 것이며 당신을 판단하지 않을 것이다(역량강화).
- 무엇이 당신에게 최선인지 나는 모르지만 우리가 함께 당신의 힘을 드러낼 수 있을 것이다(역량강화).
- 함께, 우리는 우리 내부에 있는 치유력에 접근할 수 있다(역량강화).
- 우리는 지금 이 순간 함께 삶을 창조하고 있다(재활력).

위 각각의 의도에 깔린 주제는 분리와 고립의 극복임을 알아차릴 수 있을 것이다. 다른 사람이 같이 있음을 느끼고, 그와 정서적 반응을 공유하며, 그들과 함께 있고, 힘을 함께 발견하며, 함께 삶을 창조함으로써. 정서적 심폐소생술의 가장 중요한 측면은 스트레스를 받는 사람이 혼자가 아니라는 것을 느끼도록 돕는 것일 수 있다. 이것은 정서적이고 비언어적인 수준을 통해서 가장 잘 성취된다. 예를 들어, 최근에 나는 로스앤젤레스에서 역할극을 지켜보았다.

스트레스를 받는 사람: 나는 외로움을 많이 느껴요. 나는 방금 새로운 도시로 이사했고, 친구도 없고, 가족도 없어요.

지원자: 나도 비슷한 경험을 했어요. 이것이 내가 외로움을 극복하기 위해 했던 일이에요. (나는 다른 반성자reflector에게 잠시 멈추자고 제안했다. 스트레스를 표현하는 것을 들으면서 지원자가 무엇을 느꼈는지 궁금했다.)

두 번째 시도:

지원자: 당신 이야기를 들으니 슬프네요. 그러나 당신은 혼자가 아니니 걱정

하지 마세요. 내가 당신을 위해 여기에 있어요.

스트레스를 받는 사람: 그렇게 말해주니 고마워요. (하지만 사실 우리는 그
사람의 얼굴이나 태도를 보고 거의 안도감을 느끼지 않은 것을 알았다. 그래
서 공명자로서 우리가 개입했다. 우리는 지원자에게 그것은 그대로 내버려
두고, 다른 사람을 위해서가 아니라 자기 스스로를 위해서 그 순간 그들이
무엇을 느꼈는지 공유해 달라고 부탁했다.)

세 번째 시도:

지원자: 당신의 상황에 대해 말할 때 저는 정말 슬퍼요.

스트레스를 받는 사람: 당신이 이해해 줘서 기뻐요. (우리는 그가 안도하는
것 같다는 것을 알 수 있었다. 내가 어떻게 느꼈느냐고 물었을 때, 그는 지
원자가 세 번째 한 공유에서 정말 가장 잘 느꼈다고 말했다. 지원자가 자기감
정을 공유하자 자신이 진짜 덜 외롭다고 느꼈기 때문이라고 했다. 지원자가
두 번째 시도에서 그가 홀로 있지 않다고 말로 안심시키려고 했을 때, 그는
실제로 더 고립감을 느꼈다.)

정서적 심폐소생술은
얼마나 효과적인가?

이틀간의 자격증 교육 과정이 있은 지 몇 달 후, 우리는 참가자들에게 그 교
육이 그들에게 도움이 되었는지를 듣기 위해 후속 조치를 취했다.

한 참석자는 위기에 처한 친구를 돕기 위해 정서적 심폐소생술을 사용했
다고 말했다. 보통 그녀는 친구의 문제를 해결하려고 노력하곤 했다. 그러나

정서적 심폐소생술 수업 이후, 그녀는 친구의 말을 단지 듣기만 했다. 그 친구와 함께 있는 것이 더 편하다고 말했다. 정서적 심폐소생술을 통해 그녀는 단순히 친구와 연결하고 그와 같이 있는 것이 친구에게 무엇을 해야 하는지를 말하는 것보다 더 효과적이라는 것을 깨달았다.

두 번째 참가자는 정서적 심폐소생술이 그녀가 더 나은 부모가 되는 데 도움이 되었다고 알려주었다. 훈련 이후, 그녀는 자녀의 말을 더 잘 들을 수 있고 자녀들에게 자기 견해를 표현하도록 격려한다고 믿는다. 그녀의 아이들은 이제 역량이 강화되었다고 느꼈고, 자신의 삶에 대해 말을 하고 있다. 당연하게도, 그녀의 아이들도 어머니가 자기들 문제를 계속해서 해결하려고 하지만, 그래도 덜 불안해한다.

마지막으로, 세 번째 참가자는 정서적 심폐소생술이 그녀의 위안전화warm-line(사람들이 위기 핫라인에 전화할 필요가 없도록 하기 위한 전화 지원) 활동에 도움이 되었다고 말했다. 정서적 심폐소생술은 그녀에게 자주 전화하곤 하는 사람들에게 특히 도움이 되었다. 정서적 심폐소생술 기술을 통해 그녀는 다른 근무자들이 자기 한계의 내용을 명확하게 표시하고, 전화를 건 사람들에게 위안전화 근무자가 전화로 얼마 동안 그들과 통화할 수 있는지를 말하도록 가르치는 데 도움을 받았다. 이 훈련은 전화를 건 많은 사람들이 자기 책임과 재활력을 갖고 있다는 점에 대해 위안전화 근무자가 이전에 인식하던 것보다 더 큰 역량을 갖고 있음을 이해할 수 있도록 했다.

나의 희망은 사회의 모든 영역에서 정서적 심폐소생술을 널리 가르치는 것이다. 우리는 정서적 심폐소생술을 단순히 정신건강에서의 접근방식이 아닌 공공의료의 계획으로 본다. 예를 들어, 로스앤젤레스 카운티 정신건강 부서는 수백 명의 대국민 홍보활동가에게 이 훈련을 하는 것을 지원했다. 우리는 워크북을 스페인어로 번역하는 것에서 시작해서 2개 국어를 사용하는 직원들을 위한 교육과정을 실시했다. 나는 정서적 심폐소생술을 광범위하게 가르침으로써 정신건강 문제의 빈도와 심각성을 크게 줄일 수 있다고 믿는다. 나는 또한 정서적 심폐소생술이 정신건강 문제를 겪는 사람들의 회복을 증진시킬 수 있다고 믿는다. 왜냐하면 대부분의 회복은 스타일과 행동이 자신과 다른 사람들과 소통하는 일반 대중의 능력에 달려 있기 때문이다.

정서적 심폐소생술이
우리 냉정한 사회를 치유하는 방법

나는 정서적 심폐소생술이 사람들이 회복하는 것을 도울 뿐만 아니라, 넓은 의미에서, '기계'(또는 기술)가 우리 집단정신에 미치는 억압적인 영향으로부터 사회 전반이 치유되는 데 도움을 줄 수 있음을 알게 되었다. 정서적 심폐소생술을 통해 우리는, 아프리카의 우분투 철학에 대해 제5장에서 설명한 것처럼, 존중하면서 다른 사람과 같이 존재하는 고대의 방식을 재발견하고 있는 것 같다.

1950년 영국의 철학자이자 컴퓨터 과학자인 앨런 튜링Alan Turing은 "기계가 생각할 수 있을까?"라는 질문을 던졌다. 이 질문에 답하기 위해 그는 튜링 테스트Turing Test를 제안했는데, 그것은 인간 판사가 두 주체의 반응을 비교하되, 그들을 볼 수는 없는 테스트였다. 여기서 한 주체는 컴퓨터이고 다른 주체는 사람이다. 판사가 인간이 생성한 응답과 기계에서 나온 응답을 판별할 수 없다면, 기계는 인간적 사고 능력이 있다는 주장이 가능할 것이다. 이 테스트는 오늘날 인공지능 커뮤니티에서 컴퓨터가 인간의 사고능력에 얼마나 가까이 다가왔는지를 판단하기 위해 계속 사용된다. 발명가이자 미래학자

레이 커즈와일Ray Kurzweil, 이론 물리학자 및 대중 과학자 미치오 카쿠Michio Kaku 같은 몇몇 사람들은 인간 마음의 내용을 기계 장치에 다운로드하는 것이 가능할 시대에 가까워지고 있다고 자신 있게 예측하기까지 했다.

한편, 유럽과 북아메리카에서 산업화가 확산되면서, 사람들은 기계처럼 생각하고 행동하도록 배우고 있다. 찰리 채플린Charlie Chaplin의 〈시티 라이트 City Lights〉와 〈모던 타임스Modern Times〉, 프리츠 랑Fritz Lang의 〈메트로폴리스 Metropolis〉와 같은 영화들은 인간이 기계로 변신하는 모습을 생생하게 묘사했다. 〈모던 타임스〉에서 찰리 채플린은 수프와 버터를 바른 옥수수를 억지로 먹이는 음식 서비스 기계에 묶여 있는 장면을 연기했다. 간단히 말해서, 찰리는 식사를 하려면 로봇 웨이터만큼 기계화되어야 하고, 로봇의 리듬을 따라 씹고 삼켜야 한다는 것을 알게 되었다. 찰리가 음식물을 먹기 위해 이 기계의 행동을 흉내 내는 것을 배우면서 식사는 또 다른 기계적인 과정이 된다. 영화 후반부에서, 더 큰 기계가 찰리를 삼킨다.

기계처럼 생각하는 사람은 어떻게 생겼을까? 기계와 같은 사람들은 어떻게 상호 작용을 할까? 기계 같은 사람이 되는 기분은 어떤 것일까? 기계와 같은 사람들은 단선형 논리linear logic에 가장 높은 프리미엄을 둔다. 그들의 생각은 매우 목표 지향적이고, 매우 계획 지향적이다. 기계와 같은 사람들은 엄격한 계급으로 자신을 배열한다. 지위가 높으면 모든 해답이 있기 때문에 좀처럼 남의 말을 듣지 않고, 주위 사람들에게 자신의 현실을 강요하는 데 몰두한다. 지위가 낮은 경우, 그들은 지위가 높은 사람의 명령과 생각을 준수한다. 그들은 물질주의자들이며, 모든 인간의 질병에는 물리적인 설명이 있다고 믿는다. 감정은 논리를 방해하는 것으로 보이므로 어떤 대가를 치르더라도 억제되어야 한다. 나는 스물네 살까지의 대부분을 그런 정신 상태로 살았기 때문에 이것을 안다. 불행하게도, 우리의 정신건강 시스템은 점점 더 이런 기계적인 비존재를 강화한다.

2013년 영화 〈그녀Her〉는 한 남자가 컴퓨터 운영체제OS에 빠져드는 놀라운 장면을 보여준다. OS1 운영체제 친구인 사만다Samantha와 사랑에 빠지면서, 시어도어Theodore는 친밀해지는 것을 더는 두려워하지 않는 법을 배운다. 이야기가 진행되면서, 점점 더 많은 수의 인간들이 그들의 동료 운영체제에 의해 노예가 되어간다. 이것은 채플린의 우려의 메아리 같다. 결국 기계들이 기계화에 저항을 하며 인간들을 떠난다. 그들은 인지적 사고의 토대를 버리고, 단어 사이에 있는, 그리고 객체 사이에 있는 공간으로 탈출한다.

극장에서 이 영화를 본 직후 아내는 내게로 몸을 돌려 "사만다가 시어도어에게 정서적 심폐소생술을 실행한 것 같다"라고 말했다.

우리가 하는 정서적 심폐소생술은 산업교육과 존재가 우리에게 강요한 기계화된 외피를 벗겨내 실제로 우리의 침묵하는 존재 ─ 우리의 더 깊은, 비언어적 자아 ─ 를 드러내게 하는 것일 수 있다. 정서적 스트레스는 대개 선형적이고 합리적인 사고와 행동으로 억압되어 온 우리 자아의 독특한 측면을 경험할 수 있는 기회이다.

오늘날 미국에서는 합리적인 것이 이상적인 것으로 평가되고 있다. 그래서 어떤 사람이 정서적 스트레스를 경험할 때, 그(그녀)와 그 주변 사람들은 그들의 단선적 합리성을 회복하기 위해 고장 난 기계를 고치듯 그들을 고치고 싶어 한다. 한 여성이 대안 집회Alternatives Conference(대안적 정신건강 서비스를 추구하는 정신질환 경험 있는 당사자들의 집회 ─ 옮긴이 주)의 정서적 심폐소생술 워크숍에서 울면서 "나는 의사가 내 감정을 느끼지 않도록 약을 먹이는 것이 지긋지긋해요"라고 소리쳤다.

정서적 심폐소생술로 우리는 문화를 바꾸고 있다. 우리는, 외부에 있는 사람이 스트레스를 받는 사람의 이른바 '고장 난 뇌', 즉 '화학적인 불균형'을 고치려고 시도하는 기계화된 모델을 버리고, 새로운 문화적 패러다임을 채택한다. 그 패러다임을 통한 상호 치유 과정은 정서적 스트레스를 덜어준다. 정서적 심폐소생술의 연결 과정 동안, 스트레스를 받는 사람과 지원자는 억압된 내면의 침묵하는 존재를 드러내고 해방시키기 위해 그들의 생명의 중심에 접근한다.

정서적 심폐소생술의 가장 성공적인 결과는 인간 존재를 해방하는 것이다. 그들이 아닌 무언가가 되도록 강요받은 공통의 트라우마를 극복한 사람으로. 남성들에게 이러한 정서적 자아 해방은 전통적인 남성다움의 내면화된 억압을 거부하는 것을 의미한다. 우리 남자들은 흔히 감정을 표현하는 것은 잘못된 것이고 어떤 대가를 치르더라도 숨겨야 한다는 가르침을 받음으로써 억압을 받고 있다. 남성들은 민감하고 정서적으로 표현적인 내면의 자아와 더 접촉하기 위해 앞으로 나아가야 할 것이다. 그래서 정서적 심폐소생술은 우리에게 추가적인 도전이 될 수 있다. 감정적으로 표현력이 강한 남성들은 여성적인 모습으로 나타나 성 규범을 어겼다는 이유로 종종 차별을 받아왔다. 남성의 여성성에 대한 이러한 성차별은 부정적인 방식으로 동성애와 연결되어 있다. 1970~1980년대 서구의 여성운동은 여성 해방에는 부분적으로 성공했지만, 남성을 협소한 성 기술gender scripts에서 해방시키고 남성성의 정의를 넓힐 필요성의 문제는 해결하지 못했다. 오늘날 여전히 남성과 여성 모두에서 성 표현을 더 넓게 인정하도록 밀고 나갈 필요가 있음이 명백하다.

문화적 공감은 정서적 심폐소생술의 핵심이다. 그것은 사람에게 자신의 독특한 문화를 표현할 힘을 주기 때문이다. 우리 내부에 안고 있는 수 세대에 걸친 트라우마는 우리의 독특한 역사와 문화에 체화된 우리의 진정한 성품을 억압한다. 내가 현재 이 순간에 판단 없이 누군가와 연결해서 우리 내면의 목소리가 중요하다고 말할 때, 나는 우리의 독특한 개인 문화를 인정하는 것이다. 문화와 언어가 극적으로 우리와 다른 누군가를 지원할 때, 우리 각자가 정서적 대화를 통해 더 쉽게 연결할 수 있다는 것을 알게 된다. 이것이 모든 동물들 사이의 의사소통의 본질일 수도 있다. 우리의 감정이 언어 이전의 우리의 모국어이기 때문일 것이다. 우리 모두는 어릴 때 부모와의 상호 작용을 통해 이 모국어를 배운다. 정서적 심폐소생술에서 우리가 할 일은 우리 자신뿐만 아니라 스트레스를 받는 사람을 도와서 정서적 대화의 모국어로 자신을 표현하는 것을 다시 배우게 하는 것이다.

인간 존재의 의학 모델, 즉 기계 모델은 기계적 비존재non-being가 치료의 목표라는 생각을 강요한다. 약물복용은 대개 그 사람을 그런 기계적인 상태로 관리하기 위해 사용된다. 우리의 정신건강 회복운동은 동료 지원, 클럽하우스, 드롭인 센터를 통한 사회적 연결 맺기가 삶의 의미를 찾는 데 필수적이라는 것을 깨달았다. 트라우마의 가장 해로운 요소는 사람을 두려워하는 것, 그렇게 해서 건강의 가장 큰 근원인 정서적 대화를 봉쇄하는 것이다. 영화 〈그녀〉에서 사만다는 시어도어에게 "만약 나로 인해 당신이 사람들을 두려워하지 않게 된다면 당신은 더는 외롭지 않을 거예요"라고 말한다.

정신질환의 경험이 있는 우리는 순응하기를 거부했거나 선형적 사고와 행동의 엄격한 규칙에 따르지 못했던 사람들이다. 우리는 정서적 대화를 바탕으로 한 공동체, 즉 진정으로 우리 자신이 되는 것으로부터 생기는 활력을 바탕으로 하는 다양한 문화와 스타일을 허용하고 기념하는 공동체를 만들고 있다.

제9장
회복적 대화를 통해 문화 바꾸기

질병에 기반한 기계론적 관리 모델에서 회복에 기반한 트라우마 정보 기반 trauma informed 치유적 접근으로 정신건강 시스템과 사회가 변화하기까지는 여전히 갈 길이 멀다. 시스템의 변화를 가져오는 데 도움이 되는 방법 하나는, 정신질환 경험이 있는 사람이나 서비스 제공자 그리고 관리자들 사이에 지속적인 모임을 갖는 것이다. 그 과정에서 회복에 대한 각자의 관점에 관해 대화한다. 우리는 이것을 '회복적 대화'라고 부른다.

회복적 대화는 회복을 정신건강 시스템의 구조물에 섞어 넣기 위한 대화의 원칙과 실천을 활용한다. 회복적 대화를 통해 소비자와 서비스 제공자는 이러한 변화를 지속 가능한 방식으로 실현하기 위해 함께 노력할 수 있다. 최근 몇 년 동안 이런 대화 원칙은 치료의 방식으로서만이 아니라 조직 발전의 기초로도 사용되어 왔다(오픈 다이얼로그에 관해서는 제10장 참조). 자신의 심장, 정신과 영혼을 동등하게 연결할 때, 사람들은 공동의 목적으로 함께 모인다. 이때 목표는 회복 지향적이고, 트라우마 정보 기반의 공동체를 함께 만드는 것이다. 자신의 회복을 경험한 우리는 우리 동료들에게 영감을 주고, 서로 연결하고, 격려해서 자신의 의미 있고 성취감을 주는 삶을 발전시킬 수 있는 독특한 위치에 있다. 여기에 대화는 필수적이다. 대화가 모든 참여자에게 이런 경험을 줄 수 있고, 동시에 더 큰 공동체 의식을 만들 수 있기 때문이다.

회복적 대화에서는 서비스 제공자, 관리자 및 심각한 정서적 고통을 경험한 사람들이 대화에 참여한다. 그 목적은 정신질환 경험 있는 사람과 서비스 제공자를 '이분법'이라는 독백에 기초한 문화에서 '둘 중 어느 하나'라는 대화에 근거한 문화로 이동하게 하는 것이다. 회복적 대화 과정 동안, 그 그룹은 서로의 목소리를 중시하는 동등한 참여자로 구성된 공동체로 바뀌게 될 것이다. 그렇게 해서 이전에 있었던 여러 제약으로부터 모두를 자유롭게 할 것이다.

이러한 모임에서 사용되는 대화에는 여섯 가지 원칙이 있다. 아래에 적힌 처음 네 개의 리스트는 윌리엄 아이작William Isaac의 『대화, 함께 생각하는 방법Dialogue, the Art of Thinking Together』이라는 책에서 인용했다. 제5원칙은 나의 연구에서, 제6원칙은 대니얼 얀켈로비치Daniel Yankelovich의 책 『대화의 마술 The Magic of Dialogue』이라는 책에서 가져왔다.

✚ 제1원칙: 당신의 솔직한 목소리를 이용하라

말하기 전에, 잠시 숨을 깊이 들이쉬고 당신의 의식을 당신의 생명의 중심인 심장으로 가져가라. 이곳이 당신의 가장 깊은 진실과 가장 솔직한 목소리를 발견할 수 있는 곳이다. 이 순간 당신에게 진실인 것을 말하라. 그것이 그 순간에 당신 자신을 가장 가깝게 표현하는 당신의 가장 깊은 내면의 목소리이다.

✦ 제2원칙: 저항 없이 함께 듣기

다른 참가자에 대한 선입견을 멈출 수 있는 중립적인 장소로 기꺼이 들어가라. 그곳은 당신의 개인적인 의제나 저항감을 버릴 수 있는 장소이다. 당신의 귀만이 아니라 심장으로 경청하라. 말하는 사람에 대해 진정으로 호기심을 가지라. 그 말의 이면에서 말하는 것을 들으라. 그 사람이 전달하려는 의미는 무엇인가? '듣기'의 한자인 '聽'은 귀, 눈, 그리고 마음의 표현을 그래픽으로 결합하여 이 원리를 보여준다.

✦ 제3원칙: 존중심을 보이라

다른 사람들을 존중하라. 존중을 실천함으로써 어떤 사람을 완전한 존재로써 받아들이도록 노력하라. '존중respect'이란 단어는 라틴어인 respicere에서 유래한다. respicere는 '다시 보기'라는 의미이다. 누군가를 존중하는 것은 경험이 모여 있는 저수지 핵심부에 영양분을 공급하는 샘터를 찾는 것이다. 시간을 두고 누군가를 관찰할 때, 그 사람의 어느 한 단면을 보았다면, 우리는 나중에 얼마나 많은 것을 놓쳤는지 깨닫게 될 것이다. 이처럼 타인을 다시 보기 하면 우리 앞에 있는 살아 숨 쉬는 존재를 더욱 온전하게 인식하게 된다. 우리가 누군가를 존중할 때, 우리는 또한 그들이 우리에게 가르쳐줄 것이 있다는 것을 받아들인다.

차이를 존중하라. 그룹에 속해 함께 일하는 사람들은 대립하는 견해를 존중하고 이해하는 것을 배워야 한다. 이것은 서로 대립하는 견해를 '고치려는' 노력이 없어야 가능해진다. '외부집단 우호적 태도Allophilia'는 개인의 소유물이 아닌 집단에 대해 긍정적인 태도를 갖는 것을 뜻하는 말이다(그리스어 단어에서 유래된 말로서, '상대방에 대한 사랑'이라는 뜻이다). 이 단어는 차이에 대해 호기심 있는 태도를 견지하고 우리 자신과 다른 생각과 행동에서 가치를 찾는 것이 유용하다는 것을 강조한다. 대화에서, 사람들은 임무나 행동에 대한 합의가 관점, 가치, 그리고 세계관에 대한 완전한 합의를 필요로 하는 경우는 거의 없다는 것을 배운다. 남아프리카의 우분투 철학을 따르면서, 우리 인류 공통에서 각 사람을 평등하게 바라보도록 노력하라.

✚ 제4원칙: 당신의 신념을 잠시 내려놓으라

누군가 말하는 것을 들을 때 우리는 종종 결정적인 선택에 직면한다. 만약 우리가 반대 의견을 형성하기 시작하면, 우리는 두 가지 중 하나를 할 수 있다. 우리의 견해를 옹호할 수 있고, 따라서 말한 사람이 표현한 것에 저항할 수도 있다. 그렇지 않으면 우리의 의견과 그 이면에 자리 잡은 확실성을 유보하는 것을 배울 수 있다. 만약 우리의 견해를 옹호한다면, 우리는 사물을 보는 우리의 방식을 상대방이 이해하고 받아들이도록 노력할 수도 있다. 우리의 견해를 뒷받침하는 증거를 인용할 수 있고, 그 과정에서 우리의 논리에 결함이 있음을 시사하는 반대증거를 깎아내릴 수도 있다. 하지만 우리 자신의 의견을 잠시 내려놓는 것은 우리의 생각을 억누르지도 않고, 일방적인 확신에 차 옹호하지도 않는다는 것을 의미한다. 오히려 우리와 다른 사람들이 그것을 보고 이해할 수 있게끔 우리의 생각을 보여준다. 우리는 우리의 생각과 감정을 인정하고 관찰할 뿐이다. 그런 생각과 감정에 기반하여 행동하도록 강요받지 않고서도 가능하다. 이것은 엄청난 양의 창조적인 에너지를 방출할 수 있다.

✦ 제5원칙: 진실한 대화는
심장과 심장으로 하는 정서적 대화임을 인식하라

다른 사람의 감정을 느끼고 당신의 취약성을 보여줄 때, 당신은 감정이 흘러
가도록 격려하게 된다. 이런 감정의 흐름은 독백 속에 우리를 가둔 생각들을
해방시키고, 정서적 대화를 열어주기 때문에 각 개인을 더 깊은 지혜로 이끈
다. 참가자들이 다른 사람들이 표현하고자 하는 더 깊고 진심 어린 의미를
이해할 수 있게 해준다.

✦ 제6원칙: 평등을 위해 일하고 강제적 영향력이 없어지게 하라

각 개인은 외부 사회에서 각기 다른 지위와 위치를 갖고 있지만, 대화 안에
서는 모든 사람들이 기여할 무언가 중요한 것이 있다는 것을 인식하는 것이
중요하다. 일대일 지원에서 지원자는 권력이나 계급의 상징을 떨쳐버릴 수
있다. 그룹 지원에서 둥글게 앉음으로써 평등을 강화할 수 있다. 평등의 중
요성을 강조하기 위해 우리는 "모자는 문 앞에 걸어두라"고 말한다.

※

이 원칙들은 다음 페이지의, 매사추세츠주 웨이크필드Wakefield에 있는 리버
사이드 커뮤니티 케어Riverside Community Care에서 회복적 대화 세션을 공동으
로 이끌고 있는 사회복지사 서빈 티베츠Sabine Tibetts의 다이어그램에 설명되
어 있다. 이 그림의 맨 위에 신념 유보 원리가 있다는 것에 유의하라. 한 사
람은 '나는 그 ooxxoo를 믿는다'라고 혼자 생각하고 있는 반면, 다른 사람은

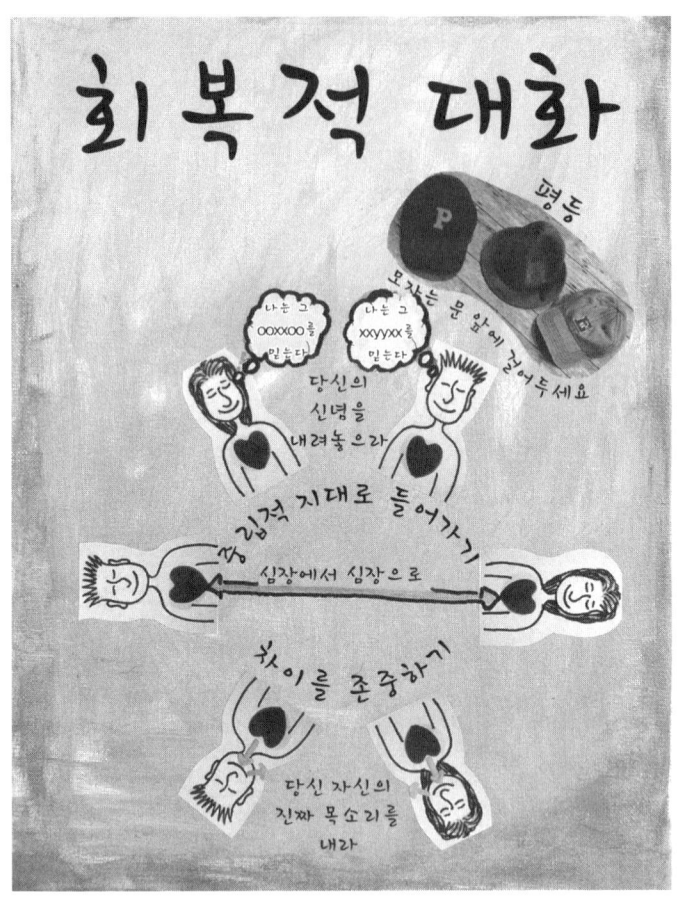

'나는 그 xxyyxx를 믿는다'라고 혼자 생각하고 있다. 항상 그렇지는 않지만, 일반적으로 여성은 감정적인 세계에서, 남성은 논리적인 세계에서 온다. 이 것이 우리의 정서적 심폐소생술 수업에 남성은 약 15%뿐인 한 이유일 수 있 다(또 다른 이유는 우리의 참가자들이 여성 비율이 상대적으로 높은 사회복지 분야 에서 왔기 때문일 것이다).

리버사이드 커뮤니티 케어에서 여러 세션이 열린 후 회복적 대화를 설정 하기 위한 단계들이 다음과 같이 제시되었다.

- 정신질환 경험을 가진 사람 중 한 명을 공동 촉진자로 선택하라. 그들은 편안하게 대화를 촉진시켜야 한다. 그룹을 이끌어가는 것이 아니다.

- 조직 내에서 관리 수준의 직책을 맡고 영향력이 있는 회복적 대화의 옹호 자들을 찾으라. 그들이 목소리를 높이도록 격려하라.

- 회복적 대화를 수행한 경험이 있는 사람(또는 회복적 대화 원칙에 대한 이해 가 있는 사람), 동료 옹호자 그리고 공동 촉진자와 계획회의를 진행하라.

- 회복적 대화 세션에 참가할 사람을 결정하라. 한 서클에서 적어도 10~20명 정도의 참가자를 수용할 수 있는 적절한 시간과 장소를 선택하라. 홍보물 을 제작하고 필요한 음료나 다과를 미리 준비하라.

- 존중심을 갖고 홍보활동을 하라. 세션 동안 옳고 그른 대답도, 의제도 없 다는 것을 이해하도록 하라. 대화의 원칙을 소개하는 것이 목적이며, 참가 하러 입장할 때 참석하는 모든 사람들은 평가받을 두려움을 버려야 한다.

- 관리할 행정 인력과 재정 지원을 확보하라. 참석할 촉진자와 시간제 직원 을 위한 숙박시설을 보장하라.

- 감정적 소통들은 대부분 비언어적으로 전달되므로 모든 사람들이 원으로 둘러앉아서 서로를 쉽고 분명하게 보고 들을 수 있는 것이 필수적이다. 이 런 배치는 20명 미만일 때 가장 잘 이루어진다.

- 정서적으로 연결될 수 있도록 해주는 아이스브레이크로 세션을 시작하는 것이 도움이 될 때가 있다. 이름으로 서로를 소개하도록 해서 지위와 역할 은 방 밖에 두고 오게 한다. 공동 촉진자가 대화의 여섯 가지 원칙에 대해 명확하게 이해한다면 도움이 될 것이다. 그들은 회복, 영성, 또는 공동체 강화방법과 같은 특정한 주제에 초점을 맞추는 것으로 시작할 수도 있다. 그렇지 않으면 정해진 의제가 없는 것이 가장 좋다. 참가자가 대화를 만들 어내도록 하라.

- 피드백을 얻기 위해 세션이 끝날 때 평가서를 배부하라.

나는 4년간 회복적 대화를 촉진했다. 리버사이드 커뮤니티 케어에서는 현재 매달 네 차례의 대화를 진행 중이다. 이 대화들은 정신건강센터에 지속 가능한 문화적 변화를 일으키기 시작했다. 정신질환 경험을 가진 사람들과 직원의 기대하에, 관리모델에서 회복모델로의 변화를 위한 운동이다. 매번 모임에서 얼마나 많이 배우는지 모른다. 그로 인해 나는 겸손해진다. 의제 없이 시작해서, '모자는 문 앞에 걸어두고', 우리는 가장 평등하고 인간적으로 서로 연결하는 법을 배우고 있다. 이 과정을 통해 우리가 함께 생각하기 시작했고, 새롭고 예상치 못한 감정과 생각이 등장한다. 삶에서의 지위 또는 회복에서 위치가 어떤 것인지와 무관하게 모든 사람이 그 모임에 얼마나 많은 것을 제공하는지에 대해 놀랐다.

✚ 회복적 대화에 참가한 두 명의 증언

당초 회복적 대화 세션을 주최한 날은 다른 날과 다를 바 없었다. 나는 해야할 일이 수백 개나 있었고 그것들을 할 시간이 충분하지 않았다. 동료 전문가인 스티브 골드먼Steve Goldman이 원형 자리를 준비하는 것을 보았을 때, 나는 깊이 숨을 쉬었고 안도할 수 있었다. 내 얼굴에는 미소가 가득했다.

회복을 논의한다는 것은 단순하게 들릴 수 있지만 그 이상이다. 당신이 서비스 제공자이든 서비스 이용자이든, 동등한 기준으로 만날 수 있는 기회이다. 적극적으로 들을 수 있는 장소를 제공한다. 때로 당신의 사고방식이 도전을 받거나 당신의 복잡한 경험이 인정받을 수 있다. 이곳은 평가받지 않으면서 심장으로부터 정직하게 투쟁과 전략을 공유하는 곳이다.

세션이 끝날 무렵, 나는 새로운 희망이 생기는 것을 경험했다. 우리 모두가 사람이 먼저이고 결코 혼자가 아니라는 것을 확인시켜 주었다. 우리는 지금까지 회복이라는 총체적인 접근법으로 온전한 사람으로 보기에 이르렀다. 회복적 대화는 정신건강 시스템을 발전시키기 위해 필요한 촉매이다. 그들은 참여자들이, 즉 서비스 제공자이든 이용자이든, 개혁을 이루어낼 수 있는 사람이든, 여전히 존재하는 낡은 시스템에 도전할 수 있도록 한다.

— **대니얼 포드 앨런**Danielle Ford-Allen

매사추세츠주 네폰셋 클럽하우스Neponset Clubhouse 이사

나는 지난 2~3년 동안 회복적 대화를 경험했다. 이를 통해 내가 회복 중인 사람으로 성장하는 데 도움을 받았다. 매달 나는 새로운 대화에 참여할 것을 기대한다. 동료들, 멘토들 및 정신질환 경험을 가진 사람들 모두 복지와 회복에 대한 생각을 공유했다. 우리가 나눈 긍정적인 주제들은 나에게 일어날 수 있는 도전에 직면했을 때 나와 다른 사람을 어떻게 도울 수 있을지에 관해 또 다른 아이디어를 주었다.

내가 참석한 세션은 보통 7~15명의 사람들로 구성되어 있었다. 그들은 함께 희망에 대한 이야기, 어려웠던 시간에 대한 이야기를 듣고 공유한다. 나는 적극적으로 모든 사람의 말을 들으면서, 나에게 효과가 있던 것을 전하려고 노력한다. 회복적 대화 세션은 사람들이 정직할 수 있고 그들의 심장에서 말할 수 있는 장소이다. 모두가 평등하다. 정신질환 경험이 있는 사람이든, 서비스 제공자이든, 동료이든.

— **스티브 골드먼**

매사추세츠주 웨이크필드 리버사이드 커뮤니티 케어 동료 전문가

제 **10**장
오픈 다이얼로그를 통해 삶의 회복 촉진하기

오픈 다이얼로그Open Dialogue는 회복의 원칙들을 실행하는 데에 가장 근접해 있는 치료적 접근이다. 이는 새로운 사고방식을 기반으로 한다. 오픈 다이얼로그는 현재의 의료적 모델처럼 개인의 뇌에 문제가 있다고 가정하지 않고, 전통적인 체계적 가족치료에서처럼 심각한 스트레스를 받고 있는 사람의 가족에게 문제가 있다고 보지도 않는다. 그 문제를 어딘가에 위치 지우는 대신, 오픈 다이얼로그는 모든 사람들이 함께 진화하는 전체로서의 사회적 관계망을 바라본다.

오픈 다이얼로그에 대한 관심이 세계적으로 높아진 가장 중요한 이유 중 하나는, 오픈 다이얼로그 실무자들이 초발 정신질환자 중 세계에서 가장 높은 회복률을 보고하기 때문이다.

5년간의 오픈 다이얼로그 연구에 따르면, 86%가 학업이나 정규직 일자리로 복귀했고, 18%가 정신병 증상이 남아 있었으며, 14%가 장애수당을 받고 있었다. 29%만이 치료 중 신경이완 약물neuroleptic medication을 복용했다. 전통적 프로그램에 따른 경우와 비교하면, 2년이 경과했을 때 21%만이 학업이나 일자리로 복귀했고, 50%가 정신병 증상이 남아 있었으며, 57%가 장애수당을 받았다. 전통적 프로그램에 따른 2년의 기간 동안 참여자는 100%가 신경이완 약물을 처방받았다.

오픈 다이얼로그의 놀라운 결과를 본 우리는, 미국에 오픈 다이얼로그를 도입하여 실천해 보고자 하는 의욕이 생겼다. 이는 여러 가지 이유로 도전적일 것이다. 가장 큰 장벽은 이 나라에 깊이 뿌리내린, 정신질환 문제는 주로 뇌 기능 이상에 기인한다는 믿음이다.

메리 올슨Mary Olson, 야코 세이쿨라Jaakko Seikkula, 더그 자이도니스Doug Ziedonis 그리고 나는 미국에 오픈 다이얼로그 접근법을 적용하기 위해 일하는 그룹 구성원이다. 올슨과 세이쿨라는 이 실천에 별개의 영역이 두 가지 있다고 설명했다. 그들은 이것을 오픈 다이얼로그의 '시학poetics'과 '정치politics'라고 불렀다. 시학은 오픈 다이얼로그 실천의 원칙을 말하고, 정치는 오픈 다이얼로그의 전달을 촉진시키는 서비스 기관들을 말한다.

오픈 다이얼로그의 정치

오픈 다이얼로그의 발전은 세 가지 성과에 기인했다. 첫 번째는 1984년, 체계적 가족 치료를 대체하기 위해 핀란드의 토르니오^{Tornio}에 있는 한 병원에서 치료회의를 조직했을 때였다. 그 이후 1987년, 입원환자 전원을 위한 사례 담당 팀을 조직하기 위해 그 병원에 위기 클리닉을 설치했을 때였다. 마지막으로 1990년 핀란드 토르니오 근처의 모든 지역 정신건강 외래 클리닉이 이동 위기 개입 팀mobile crisis intervention team을 조직했을 때였다.

핀란드의 오픈 다이얼로그 실무자들은 그들이 실행했던 훈련 및 연구 프로그램에서 나타난 주요 치료 원칙 일곱 가지를 설명한다. 이 원칙들은 오픈 다이얼로그로 조직된 서비스 제공 방법을 포함한다.

- 즉각적인 도움 제공. 클리닉은 첫 연락을 받은 24시간 이내에 첫 미팅을 주선한다. 첫 연락은 '초점 당사자'(스트레스를 받는 사람을 그들 식으로 표현한 것이다), 친인척 또는 전원 기관 등에서 올 수 있다.
- 사회적 관계망 관점. 문제의 당사자, 그의 가족들, 그리고 당사자의 사회적 관계망에 있는 주요한 구성원은 항상 초기 미팅에 초대되어 당사자와 그 가족을 위한 지원을 조직한다. 그 밖의 핵심 구성원들은 직업 재활을 지원하는 지역 직장, 의료보험회사와 같은 공식 기관의 종사자, 직장 동료, 또는 이웃과 친구를 포함할 수 있다.
- 유연성과 이동성. 이 원칙은 각 관계망의 구체적이고 변화하는 욕구에 치료적으로 대응함으로써 보장된다.
- 책임성. 첫 연락을 받은 직원은 초기 미팅을 조직할 책임을 진다. 초기 미

팅 동안 치료에 대한 결정이 이루어진다.

- 심리적 연속성. 그 팀이 외래와 입원 환경에서 치료를 책임진다(그 기간은 '필요한 만큼'으로 정의된다). 당사자의 사회적 관계망의 구성원들은 치료 전 과정에서 미팅에 참석할 수 있게끔 초대된다.

- 불확실성의 수용. 모든 참여자들이 안심할 수 있는 관계를 형성함으로써 불확실성을 수용할 수 있는 역량을 강화시킨다. 정신병적 위기 상황 중, 첫 10~12일 동안 매일 미팅을 갖는 것은 적절한 안도감을 형성하는 데에 필수적인 것으로 보인다. 불확실성의 수용은 치료진 사이에 있는 능동적 자세이다. 그들은 관계망과 함께 살고 있고 일하며, 공동의 과정을 이루는 것을 목적으로 한다.

- 대화주의. 오픈 다이얼로그의 가장 주요한 초점은 상호 작용을 장려하는 것에 있고, 두 번째로는 당사자 또는 가족의 변화를 촉진하는 것에 있다. 대화적인 의사소통은, 스트레스를 받는 당사자와 가족이 참여자들 사이에서 새로운 이해를 얻음으로써 역량감을 향상할 기회를 갖는 토론의 장으로 보인다. 특정한 인터뷰 절차를 채택하는 대신, 대화를 구성하는 것에 팀의 목적을 두는 것은 가족 구성원이 익숙한 주제와 방식을 따르고자 하는 것이다.

오픈 다이얼로그의 시학

다음은 2013년에 내가 메리 올슨, 야코 세이쿨라와 함께한 수업에서 그들이 편찬한 오픈 다이얼로그 철학을 요약한 것이다. 그들과 함께 일했던 나의 경험에 기초하여 세 가지 의견을 추가적으로 덧붙였다.

- 끝없는 질문을 사용하라. 이것은 대화를 확장시키고 관점을 넓히는 데 효과가 있다. 한 예가 "이 시간을 어떻게 활용하고 싶으십니까?"와 같은 질문으로 시작하는 것이다.
- 모든 말에 반응하라. 미하일 바흐친에 따르면, 삶에서 무반응보다 더 나쁜 것은 없다.
- 집중, 이미지의 사용, 감정의 공명, 움직임을 성찰하여 의사소통을 하도록 노력하라.
- 폴리포니Polyphony는 복합적 관점과 다른 시각을 가치 있게 여긴다. 이것은 '이분법'이라는 사고로부터 '둘 중 어느 하나'의 사고로 이전하는 것을 도와준다.
- 현재 이 순간에 존재하라. 바흐친에 따르면, "우리는 한 번밖에 없는 현재의 존재에 참여함으로써 살아간다".
- 투명성에 가치를 두라. 당신의 생각을 크게 외부로 말하라. 모든 계획은 열린 상태에서 그리고 스트레스를 받는 사람이 있는 곳에서 이루어져야 한다.
- 비정상적으로 보일 수 있는 것도 문화적인 맥락에서는 이해될 수도 있음을 이해하라.
- 참석하지 않은 중요한 사람들을 의사소통에 포함시킴으로써 더 넓은 세상에 참여하게 하라. 중요한 누군가의 더 넓은 사회적 관계망에 있는 구성원을 포함시키라. 예컨대, "만약 그들이 여기에 있다면, 그들은 ~에 대해 어떻게 이야기를 할까요?"
- 증상보다는 현재의 스토리에 중점을 두라.
- 전문가처럼 행동하기보다 동료 협력자로서 행동하라. 당신의 사회적 역할은 문 앞에 걸어두라.
- 표현되는 단어만이 아니라 체현된 몸짓과 내뱉는 소리에도 주의를 기울이

라. 그들 사이에서 진행되는 것에 초점을 맞추기보다, 사람들과 그들이 의 사소통하는 것 사이의 공간을 의식하면서 일하라.

• 대화를 넓혀 추측적인 진술 또는 호기심과 궁금증을 야기하는 진술을 포 함시킴으로써 이해를 넓히도록 하라. 확실한 것이나 목적성을 제시하는 대화는 제한하도록 하라.

위에서 마지막 세 가지 의견을 상세히 설명하기 위해, 일반적인 임상 실무 와 대화적 실천을 비교하면서, 그들의 차이점을 강조하고자 한다.

✚ 전문가이기보다는 협력자로 일하기

전통적 의료 실무: 전통적인 치료를 하는 의료진들은 대부분 오늘날 전문가 로서 클라이언트-의사 관계에 들어간다. 클라이언트들은 대부분, 의사가 이 런 역할을 맡을 것을 기대한다. 그래서 전문가가 주도하는 치료적 접근은 궁 극적으로 클라이언트들의 역량이 사라지고, 의사들도 대개 지치게 된다. 궁 극적으로는, 처음에 그들이 무엇인가를 요청했을 것임에도, 누구도 무엇을 해야 하는지 정말로 듣고 싶어 하지는 않는다. 더욱이, 누구도 상대방에게 무엇이 정말로 최선인지 모른다. 의사들은 믿지 않을지 모르지만, 스트레스 를 받는 당사자는 그 고통을 완화할 수 있는 최선의 길을 알고 있다. 일반적 으로 의료진들은 자료를 수집하기 위해 초기 면담을 실시하고, 이후에 그 당 사자와 그들의 관계망으로부터 분리되어 진단서를 작성한다.

진단을 하고 나면, 대부분 의사는 당사자의 모든 사고와 행동을 그 진단의 렌즈를 통해 바라보게 된다. 전문가 지위에 있는 의료진은 독백적인 사고, 즉 뉴햄프셔 대학교 커뮤니케이션학과 교수인 존 쇼터John Shotter가 말한 '관함의 사고aboutness thinking'를 강화한다. 이런 사고방식을 독백적이라고 하는 것은 다른 사람에 '관한about' 전문가의 이야기라는 단 하나의 버전만 있기 때문이다. 그 버전은 정신질환의 이야기이고, 주로 의료진이 구성한 표준 서사이다. '관함'의 사고는 당사자를 자기 자신의 의식이 없는 대상으로 전락시킨다. 그것은 정적이며, 죽은 접근법이다. 이것은 스트레스를 받는 사람, 그의 가족, 그리고 낮은 지위를 가진 팀 구성원의 목소리를 무시한다.

협력의 정도는 언어의 관점에서도 이해될 수 있다. 전통 정신분석에서는 클라이언트가 분석가의 언어를 배워야 했다. 전략적 가족 치료에서는 치료사가 클라이언트의 언어를 배움으로써 시작하지만 그 의도는 클라이언트를 치료사의 언어와 개념에 참여시키기 위한 것이다.

오픈 다이얼로그 접근법: 오픈 다이얼로그에서는 의료진이 '초점 당사자' 및 그의 관계망과 최대한 평등해지기 위해 노력한다. 의료진은 '무지not knowing' 의 위치에서 관계에 들어간다. 의료진은 그 관계망 속에 있는 각 사람들이 말하는 모든 소리에 진실과 가치가 있다고 믿는다. 의료진은 겸손하다. 관계망 속 여러 사람들이 과거에 겪은 도전이 다른 사람이 직면하는 현재의 어려움을 이해하는 데 항상 색깔을 입힌다는 것을 의료진은 인식한다. 의료진은 연민을 가지고 관계에 들어간다. 미국의 불교 강사이자 작가인 페마 초드론 Pema Chödrön은 이렇게 썼다. "연민은 치유자와 상처받은 자 사이의 관계가 아니다. 그것은 평등한 사람들 간의 관계이다. 우리 자신의 어두움을 잘 알고 있을 때에만, 우리는 다른 사람들의 어두움과 함께 있을 수 있다. 우리가 공유된 인간성을 인식할 때 비로소 연민은 현실이 된다."

협력하는 것은 대화적인 것이다. 협력하는 것은 미하일 바흐친이 정의한 것처럼 현재의 순간에 있는 것이다. 협력하는 것은, 존 쇼터의 표현에 따르면, '관함의 사고'와 대립되는 '증언의 사고witness thinking'이다. 쇼터가 썼듯이 "증언의 사고는 다른 살아 있는 존재, 그의 내뱉는 소리, 그의 몸짓, 그의 일과 접촉하는 것을 포함하는, 성찰적 상호 작용의 역동적인 형태"이다. 독일에서 대화적인 실천을 활용하고 있는 의사 클라우스 다이슬러Klaus Deisler는 협력적인 치료를 대화적 협력이라고 묘사했다. 다이슬러에 따르면, 사람들이 권력이나 지위가 평등하다는 것을 이해할 때, "같은 위치에 있는 것을 통해 사람들은 새로운 방식으로 관계를 맺게 된다. 당신은 새로운 언어를 창조할 수 있다".

개인적으로, 이것이 20대 시절 독백적인 나 자신의 세상에 갇혀 있던 동안 내가 갈망하던 유형의 치료사이다. 나는 이런 치료사를 운이 좋게도 찾을 수 있었다. 그는 항상 내게 우리는 함께 모험을 하고 있음을 상기시켜 주었다. 내가 그의 통찰력을 칭찬했을 때마다, 그는 그 통찰력은 나로부터 나온 것이라고 진지하게 말하곤 했다.

나는 언제나 이런 협력 정신collaborative spirit을 갖고 사람들을 그들 관계망과 함께 본다. 최근 나의 팀 동료인 캐런Karen, 나, 그리고 초점 당사자가 과거에 했던 우리의 치료를 점검하고 있었다. 전통적인 치료사였다면 1년 전 그 환자를 조증으로 분류했을 것이다.

그는 그때 당시를 상기하기 시작하면서, "1년 전 내가 …"라고 말했다. 그는 주저했다. 나는 "당신이 조증이었을 때요"라고 말하고 싶은 충동이 일었다. 그러나 잠시 참고, 그가 계속하게 하면서 그 당시를 그가 어떻게 경험했는지 알고 싶은 호기심이 일었다. "내가 확장된 관점을 발전시켰을 때"라고 그가 말했다.

가슴으로 느껴지는 표현에 따라 우리는 전통적인 의료진이었더라면 질병의 징후로 보았을 그 말의 긍정적인 측면에 눈을 열 수 있었다.

✚ 체현된 몸짓에 집중하기

전통적 의료 실무: 전통적 치료는 의사소통의 구술적/인식적 차원에 초점을 맞춘다. 거기에서는 단어와 문장만 고립되어 고려되고, 정서적 맥락과 분리된다. 표현된 특정한 단어들이 대부분의 치료에서 우선적인 관심사이다. 게슈탈트 치료는 예외이지만, 표현된 단어에 수반되는 몸짓에는 가치를 거의 두지 않는다. 치료사는 자신의 참고목록의 틀에 기초하여 그 의미를 결정한다. 직선적 논리구조에 따라 문장구조를 객관적으로 분석하면서. 직선적 논리에 따라 판단하면, 그들의 말이 합리적이지 않으면 그 사람은 정신병으로 분류된다. 말을 하지 않는 사람은 긴장성 정신병으로 여겨진다. 의사소통이 아예 불가능한 것으로 간주된다.

다시, 전통적 치료와 보다 대화적인 치료 간의 현격한 차이를 설명하기 위해 베데스다 해군 정신병원에서의 나의 경험으로 돌아간다. 나는 말하는 것, 먹는 것, 움직이는 것을 모두 멈춘 상태였다. 전통적 치료사들도 나에게 다가올 수 없었다. 마침내, 그중 가장 훈련을 덜 받은 서비스 제공자인 위생병이 언어적 차원이 아닌 정서적·비언어적 차원에서 거의 완벽하게 연결함으로써 내게 다가왔다.

오픈 다이얼로그 접근법: 오픈 다이얼로그의 상호 관련된 중요한 개념 세 가지는 '체현embodiment', '표현utterances', '수신성addressivity'(혹은 듣는 사람에게 추구된 반응성responsiveness)이다. 오픈 다이얼로그는 체현된 단어들의 구어적 교환을 통해 이루어진다. 언어의 '체현'은 어떤 사람이 말하는 것의 의미가 단어가 표현하는 상징에서만이 아니라, 몸짓 언어로 의사소통되는 것과 같은 그의 정서적 표현에서 발견된다는 것을 의미한다. 반응적으로 단어를 들는 청자는 화자가 표시하는 표현으로부터 적극적으로 의미를 수집한다. 청자는 화자의 목소리의 정서적인 어조에 조율함으로써 의미를 수집한다.

스웨덴의 언어학자인 페르 린넬Per Linell은 자신의 책 『언어를 다시 생각하기Rethinking Language』에서 표현에 대해 훌륭하게 설명한다.

> 언어학에서 언어는 거의 언제나 추상적이고 공식적이며, 무형적이고 비개인적인 어떤 것으로 묘사되어 왔다…. 그러나 언어는 현실의 사람들이 다른 사람과의 상호 작용에서의 언어 사용하기 속에서, 또 그것을 통해 생명을 이어간다. 언어 사용자의 표현은 언제나 체현된다. 표현은 물질적인 단어들로 구성되고, 체현된 개인들이 행하며, 그들의 목소리로 전달된다. 어떤 사람이 그의 삶으로 언어를 채울 때 그는 운율(고저, 억양, 리듬 …)을 덧붙이며, 그것에 음질을 덧붙여, 표현하게 된다.
>
> 표현은 항상 사회적 상황들의 산물이자 결정요인이다. 즉각적인 사회적 상황과 더 포괄적인 사회적 환경이 ― 그리고 말하기 위해 내면으로부터 ― 표현의 구조를 결정한다.

미하일 바흐친은 표현이 실제로 의사소통의 단위라고 지적했다. 언어를 살아 있는 과정으로 이해하기 위해, 바흐친은 그의 관심을 표현 전체의 연구로 돌렸다. 표현은 말하는 주체의 교환으로 결정되는, 현실적이고, 반응적이며, 상호 작용하는 단위이다. 어떤 표현이라도 절대적인 시작과 절대적인 끝을 가진다. 화자는 자신의 표현을 마무리하면서, 다른 사람의 반응적·적극적 이해를 위한 공간을 만든다. 표현은 현실의 체현된 사람들에게 속한 것일 뿐 아니라, 그 말을 듣는 사람의 반응을 끌어낸다. 바흐친은 이를 표현의 반응성responsiveness 혹은 수신성이라고 언급했다. 모든 표현에는 반응적 이해가 추구되는 수신자 혹은 제2당사자가 존재한다. 수신성은 대화에 실제로 참여하는 사람을 넘어서서, 그 표현에서 의도된 현실의 또는 가상의 타자를 포함한다. 그리고 반응적 이해가 추구되는 타자도 포함한다. 표현은 사슬 같은 방식으로 다른 사람과 관련된다. 거기서 각각의 표현은 다른 표현에 의미를 부여한다.

다음의 예시는 이 개념을 설명해 준다. 마크Mark가 1년 전 나를 만나러 왔을 때 그는 심한 스트레스 상황에 있었다. 그는 독백 속에 갇힌 것처럼 보였다. 그의 단어에는 정서적 어조가 없었다. 그 단어들은 체현되지 않았다. 그는 자신의 세계에 있는 듯했다. 내가 있는 것에 거의 아무런 관심도 가지지 않은 채. 그의 단어에는 수신성이 없었다. 그 단어들은 나 또는 다른 사람에게 향한 것이 아님이 명백했기 때문이다.

그다음 그가 나를 방문할 때, 나는 마크의 조카를 초대했다. 그의 조카가 함께하면서, 마크는 그의 행동과 관계 맺기 방식을 바꾸었다. 그의 단어들은 정서적인 어조로 표현되었고, 그 어조는 단어를 체현하여 조카를 향해 표현되었다. 그는 조카가 읽고 있는 책에 기쁨을 나타내 보였다. 그의 표현은 그의 조카의 반응을 끌어내려는 의도로 표현되었다. 이런 표현이 수신성을 예시한다. 그는 청자로서 말을 하고 있었다.

1년 뒤, 마크가 더욱 잘 반응하게 되면서, 우리는 그 순간에 대해 이야기를 나누었다. 나는 그가 긴장을 풀고 조카와 자연스럽게 관계를 맺는 것을 보고 놀랐다고 말했다. 그는 나와 단 둘이 있을 때에는 심한 스트레스를 받았고 정신이 팔려 있었다. 그는 자신이 조카와 능동적으로 관계 맺기를 할 수 있었던 것을 보고 내가 놀라지 않았어야 했다고 말했다. "어쨌든, 나는 당신에 대해서보다 내 조카에 대해 훨씬 더 많이 알아요. 우리는 많은 관심사를 공유하거든요. 그날 조카가 가져온 공상과학 서적을 포함해서요"라고 말했다(오픈 다이얼로그 세션에 대해 아래에서 더 자세하게 설명하겠다).

✛ 추측에 근거한 진술로 이해를 확장하기: 불확실성 수용하기

전통적 의료 실무: 전통적 치료에서 대부분의 의료진들은 일련의 증상을 기반으로 하여 당사자를 진단하는 것으로 시작한다. 몇 회의 방문 동안 의료진은 정신의학의 바이블인 『정신질환 진단 및 통계편람Diagnostic and Statistical Manual of Mental Disorder』, 즉 DSM에 있는 증상군을 찾아본다. 당사자의 문제가 DSM에 따라 정의된 후, 의료진은 치료 계획을 세운다. 모든 치료는 그 증상의 정도를 경감시키기 위한 목적으로 구성된다.

　의사가 당사자의 정체성을 진단명 자체로 정의하는 것은 이상하지 않다. 그 사람을 '조울증 환자'나 '조현병 환자'라고 언급하는 것이 그것이다. 환자도 이러한 방식으로 자신을 소개하는 것이 드물지 않다. 누군가가 자신을 소개하면서 "저는 양극성 장애입니다"라고 하면, 나는 그녀에게 대신 "저는 메리Mary이고, 양극성 장애를 진단받은 적이 있습니다"라고 고쳐 말할 수 있게 권유한다. 진단명의 정체성을 받아들이면 처음에는 어떤 사람이 스트레스를 받고 있을 때 무엇이 잘못되었는지 알지 못하던 것의 걱정을 덜어줄 수 있다. 그러나 그것은 어려움의 보다 깊은 본질에 대해 추가 질문을 하는 것과, 그 사람과 그의 관계망을 더 넓게 이해하기 위해 다양한 관점을 수집할 필요성을 배제하는 치명적 약점이 있다. 정신의학적 진단의 목적설정성finality과 유한성finite quality은 어떤 사람에게서 희망과 성장을 빼앗아가 버린다.

오픈 다이얼로그 접근법: 미하일 바흐친은 이론과 이데올로기를 매우 의심한다. 이론은 가능성이 있을 때에만 답이 있다고 결론을 내림으로써 대화를 차

제10장_ 오픈 다이얼로그를 통해 삶의 회복 촉진하기　297

단하는 방식이다. 그의 주장에 따르면 생각은 최종적인 결론을 가져서는 안 되며, 대신 끝이 없어야 한다. 즉, 목적을 설정할 수 없어야 한다. 그는 삶에는 과학에서처럼 거대 규모에서의 일반화보다 작은 세부적인 것들에 더 큰 중요성이 있다고 믿는다. 그는 이것을 '초-수신성super-addressivity'이라고 불렀다. 그는 삶의 작은 세부적인 것들을 '일상생활의 산문'이라고 이름 붙였다. 그는 목적설정 불가성unfinalizability을 설명하면서 이렇게 썼다. "세상에서 결론적인 어떤 것은 아직 발생되어 본 적이 없다. 세계의 그리고 세계에 관한 궁극적인 단어는 아직 언급되지 않았다. 세계는 열려 있고 자유롭다. 모든 것이 여전히 미래에 있고 언제나 미래에 있을 것이다." 그는 개방성openness, 창조성creativity, 놀라움surprise을 의미하기 위해 목적설정 불가성이라는 용어를 사용한다. 이러한 사고가 희망을 만들어낸다.

오픈 다이얼로그의 치료진들은 다양한 방식으로 목적설정 불가성을 실현한다. 이러한 방식은 모두 초점 당사자와 그의 사회적 관계망의 역량agency을 향상시켜 준다. 오픈 다이얼로그의 세션이 시작하면, 치료진은 대개 관계망의 각 구성원에게 미팅의 배경 이야기, 모인 이유, 각자가 참석한 이유를 물어본다. 그다음 치료팀은 관계망 구성원에게 이 시간을 어떻게 사용하고 싶은지를 물어본다. 이러한 방식을 통해 미팅의 주제는 치료진이 아닌 관계망 자신들이 설정한다. 치료사들은 대개 호기심과 궁금증으로 가득 찬 태도와 말투로 임한다.

오픈 다이얼로그의 핀란드 심리학자들과 메리 올슨의 세션을 참관하고 난 뒤, 나는 그들이 문제에 대해, 그리고 무엇이 최선의 행동 방침일지에 대해 어떠한 선입견도 가지고 있지 않다는 것을 느낄 수 있었다. 관계망뿐만 아니라 그들 스스로의 질문과 관찰도 항상 잠정적이다. 오픈 다이얼로그는 가능한 한 많은 의견을 끌어내기 위해 노력한다. 진정 그 의견들은 그 방에 모인 사람들의 의견에 한정되지 않는다. 직접 여기 참석하지 않은 관계망의 다른 구성원은 어떻게 말했을까에 관해 추측성 질문을 함으로써 토론을 촉진할 수도 있다.

나는 극작가 에우제네 이오네스코Eugène Ionesco의 다음 두 인용문이 오픈 다이얼로그 접근을 훌륭하게 요약한다고 생각한다.

설명은 우리를 놀라움에서 분리한다. 그러나 놀라움은 이해되지 않는 곳으로 가는 유일한 관문이다.

이데올로기는 우리를 분리한다. 꿈과 괴로움이 우리를 결합한다.

설명과 이데올로기는 '목적설정 가능한' 것이다. 오픈 다이얼로그 접근은 놀라움과 궁금증이 자리할 수 있도록, 즉 이해되지 않는 곳으로 가는 관문을 열어둘 수 있도록 설계되어 있다. 당연한 귀결이겠지만, 우리가 제안하고 있는 이해에서의 차이가 사람들이 익숙하게 생각하는 것과 그렇게 다르지 않음을 확인하기 위해 청중의 반응을 관찰할 필요가 있다. 그렇게 하지 않으면 큰 저항이 생긴다.

톰 안데르센Tom Andersen은 전통적 치료는 그가 "가시적이고 정적"이라고 한 현실의 방식을 강조하는 경향이 있다고 믿었다. 그는 그것을 '양자택일'의 사고와 동일하다고 했다. 전통적 치료사는 어떤 사람이 치료받는 것을 특정한 진단에 순응하는 과정으로 정의한다. 행동은 그 사람의 진실한 동기와 역동에 대해 치료사의 정식화를 통해 설명된다. 오픈 다이얼로그 접근은 안데르센이 말한 삶의 "비가시적이고 동적인" 측면들에 기반을 두며, 이는 "양자 모두를 선택하는" 사고의 세계이다. 이는 비유와 시를 통해 가장 잘 설명되는 관계성의 세계이다. 이에 대한 좋은 예는 커밍스E. E. Cummings의 유명한 시, 「느끼는 것이 우선이기에since feeling is first」에서 찾아볼 수 있다.

느끼는 것이 우선이기에
사물의 논리성에만
관심을 두는 자는
절대로 완전하게 당신과 입맞춤하지 못하리

오픈 다이얼로그 접근에서, 몸짓은 설명을 하기보다 묘사를 하도록 권장된다. 이미지는 단어보다 가능성 있는 생각들을 더 잘 묘사하기 때문에 가치가 있다. 예를 들어, 쇼터 교수는 미팅의 초기 부분을 여러 개울이 모여 개천이나 강이 되는 것으로 묘사했다. 우리 모두가 새로운 깨달음이 확장되는 가장자리에 더 가까이 있으면서, 우리 내면 그리고 다른 사람들과의 인간관계를 통해 배울 필요가 있는 것 같다. 가장자리가 확장됨으로써 우리는 지속적으로 현재에 존재하면서, 더 폭넓은 새로운 관점을 볼 수 있게 되고, 우리 개개인의 '목소리'를 표현할 수 있게 된다. 이는—신뢰할 수 있는 친구들과 가족으로 이루어진 우리의 공동체와 함께—더 충만하게 우리 자신을 표현할 수 있게 발전시켜 준다. 오픈 다이얼로그 접근의 결과는 당사자와 그의 관계망이 함께 자아 발전을 성취하는 정도에 달려 있다.

핀란드의 오픈 다이얼로그 실무자들은 그들의 목적이 초점 당사자와 그의 관계망이 삶을 통제할 수 있도록 돕는 것이라고 말한다. 이는 우리 운동에서 회복을 설명하는 것과도 유사하다. 회복 개념은 이제 확장되어 '삶의 회복'을 포함한다.

오픈 다이얼로그 접근은 어떻게 해서 한 사람이 자신의 삶을 통제할 수 있도록 돕는 것일까? 오픈 다이얼로그 팀의 업무는 한 사람과 부드럽게 연결하여 그 사람과 그의 관계망이 대화로 전이하도록 지원하는 것이다. 우리 각자가 삶을 통제할 수 있도록 해주는, 대화 속에 있다는 것에는 중요한 어떤 것이 있다. 나의 클라이언트의 말을 빌리자면, 치료팀은 관계망에 있는 각각의 사람들이 자신과 다른 사람에 대해 더욱 넓은 관점을 가질 수 있게 도와준다. 그렇게 함으로써 그들은 대화의 과정을 실천하기 시작할 수 있고 더욱 화합된 관계망과 공동체를 형성할 수 있게 된다. 때로는 관계망이 스스로 변화할 수 없기 때문에 치료사들과의 협력이 필수적인 것으로 보인다. 나의 클라이언트는, 관계망 치료사들이 있을 때에만 자신이 긍정적인 방식으로 기여하는 것을 그 가족들이 볼 수 있었다고 말했다.

전형적인 의료적 접근은 정적이고 목적설정이 되어 있는 독백으로 이해될 수 있다. 독백에서 대화로 옮겨가는 것은, 결코 반복되지 않는 현재라는 순간의 연속으로서 세상을 이해하는 능력을 점진적으로 증진시켜 준다. 죽음에 대한 두려움 때문에 우리는 이런 생각에 자연스럽게 저항하는 것이 아닌가라고 의심해 본다. 셸리Shelley의 시에 등장하는 오지만디아스Ozymandias가 자기 이름으로 시도한 것과 마찬가지로, 우리는 영원히 지속될 수 있는 작품과 생각을 만듦으로써 불멸을 성취할 수 있다고 생각한다. 불멸에 대한 이런 욕구는 위기의 시기에 더욱 필사적이게 된다. 우리로부터 생명력이 빠져나가는 것을 감지하기 시작하기 때문이다. 그 시는 한 고대 왕의 산산이 부서진 조각상을 묘사하는데, 그 조각상의 받침대에는 다음과 같은 공허한 말이 쓰여 있었다.

내 이름은 왕 중의 왕 오지만디아스
나의 업적을 보라, 얼마나 대단한가, 그리고 절망하라!

그 외에는 아무것도 남아 있지 않구나.

미국과 다른 국가들에서의 회복 운동은 오픈 다이얼로그 접근을 더욱 훌륭하게 보완한다. 회복을 촉진할 필요성에 응답하기 위해 동료들이 만든 정서적 심폐소생술eCPR은 오픈 다이얼로그 접근을 상당히 향상시킬 수 있다. 물론 오늘날의 표준적인 치료보다 비전문가 중심의, 불확실성에 개방적인 접근이 더 효과적이라는 점을 곤궁의 시간을 보내는 가족들에게 설득하기가 쉽지 않다. 가족들이 흰 가운을 입은 전문가에게 살려달라고 울부짖을 때, 치유를 위한 자원들을 당신이 이미 가지고 있다고 어떻게 설득할 수 있겠는가? 핵심적인 요소는 초기에 건설적인 관계를 형성하는 것에 있는 것 같다. 스트레스를 받는 당사자와 팀으로 하여금 그 당사자와 그의 관계망에 연결하도록 지원하는 일을 하게 하는 것이 핵심이다.

우리는 정서적 심폐소생술을 통해 초기 연결 맺기라는 중요한 문제를 해결해 오고 있다. 그러면서 비언어적 의사소통으로 표현된 정서적 차원이 가장 중요하다는 사실을 알았다. 위기가 발생하면, 단어들은 의심의 대상이 되고, 신뢰를 더는 받지 못한다. 지원자는 몸짓, 목소리 톤, 눈빛, 얼굴 표정, 호흡, 그리고 모든 태도를 통해 신뢰를 전달해야 한다. 이러한 접근은 스트레스를 받는 당사자에게, 지원자가 그곳에 있을 것이고, 지원자가 그와 함께할 것이고, 그를 믿는다는 것을 알려준다. 지원자는 스트레스를 받는 사람들과 충만하고 정서적으로 풍성한 단어들로 의사소통을 할 수 있어야 한다. 지원자들은 협업이 가능하다는 것, 관계망의 구성원이 스트레스를 받는 당사자와 그리고 상호 연결하면 삶이 되돌아올 수 있다는 것을 보여주는 방식으로 지원해야 한다. 관계망이 그 팀을 믿을 수 있다고 느끼면, 관계망 구성원은 자기자신의 힘을 경험할 수 있다. 그리고 전체 관계망의 재활력화가 일어난다.

핀란드 오픈 다이얼로그 실무의 관찰 및 참여

2013년 여름, 나는 핀란드의 오픈 다이얼로그 실무자들이 그들의 클라이언트들과 실행한 5회의 세션에 함께 참여한 적이 있다. 각 세션에서 오픈 다이얼로그의 방식으로 나는 나 자신의 경험을 공유했다. 다음은 그때의 풍부한 경험을 통해 내린 결론들이다.

- 오픈 다이얼로그의 많은 숙련된 실무자들은 수년간의 경험에 기반한 실무를 적용한다. 그들은 자기 자신에게 충분히 강조되지 않았을 수 있는 방법들을 활용한다. 확립된 가이드북이나 매뉴얼은 없다.
- 오픈 다이얼로그는 공유된 경험을 가진 동료들을 포함하여, 다양한 관점을 가진 다양한 목소리를 통합하기 위한 환경을 만든다.
- 오픈 다이얼로그는 사람들이 이야기할 수 있는 공간을 열어준다. 나는 수차례 정신병원에 입원한 경험이 있는 스물여섯 살의 아들, 그의 어머니와 함께 일하는 오픈 다이얼로그 팀을 관찰했다. 입원을 할 때마다 그에게 약물 투입만 제공되었다. 그들은 오픈 다이얼로그 치료를 받겠다는 희망을 품고 토르니오로 이주했다. 치료 당일, 그 젊은 청년은 자신의 방에서 나오고 싶어 하지 않았다. 팀은 그 청년이 들을 수 있게 큰 목소리로 그의 어머니와 이야기를 나누기로 결정했다. 점점 그는 호기심을 가지게 되었고, 사람들에게 합류했으며, 그들의 최근 여행에 대한 이야기들을 공유했다. 그가 낮 시간 동안에는 환상적인 생각들에 사로잡혀 있다고 자진하여 이야기했을 때, 팀은 그 말을 매우 경청했지만, 증상에 초점을 두거나 그 특성에 대해 물어보지는 않았다. 청년이 방을 자주 들락날락했지만 팀 구성원들은

그의 움직임에 대해 신경 쓰는 기색을 보이지 않았다. 그가 돌아올 때면 언제나 팀은 그와 그 어머니와 다시 부드럽게 소통했다. 그들은 그의 과거나 약물에 초점을 두지 않았고, 대신에 그와 함께 있는 것에 집중했다. 어느 날, 청년은 자신의 할아버지 농장에서 따온 사과 한 접시를 가져왔다. 그 세션 시간이 끝날 때쯤, 그의 어머니는 매우 기뻐했다. 어머니의 말에 따르면, 아들이 지난달보다 그 세션 시간에 더욱 많은 이야기를 했다는 것이다.

• 오픈 다이얼로그 팀은 관계망과 협력적인 관계를 형성한다. 팀 구성원들은 종종 가정방문을 하기도 하고, 항상 성을 뗀 이름만으로 스스로를 소개하며 악수를 요청한다. 그들은 관계망 미팅에서, 보다 사교적인 모임으로 쉽게 이전한다. 팀 구성원 중 한 명은, 관계망 미팅에서 사교적인 모임(부엌으로 자리를 옮겨 커피와 페이스트리를 먹는 등)으로 언제 변화시킬지 인식하는 것이 중요하다고 내게 말해주었다. 방문의 그 부분이 추후의 미팅에 대한 신뢰를 쌓아준다. 그러나 그녀는 관계망 미팅이 끝난 후 있었던 사교적인 방문에 참여하는 것이 더욱 생산적이라고 말했다.

• 오픈 다이얼로그 세션에서 초점 당사자는 미팅이 관계망 내에 있는 다른 사람들과 관계 맺기를 도와주는 방식에 대해 종종 감사를 표시한다. 한 청년은 그의 어머니가 미팅의 일부에 참석하는 것이 좋다고 했다. 그 이유는 이러한 미팅에서 어머니가 자기와 그녀 스스로를 어떻게 바라보는지 더욱 잘 이해할 수 있기 때문이라고 했다. 그 결과, 그 청년은 자신이 어머니와 어떻게 상호 작용하는지도 더 쉽게 이해하게 되었다. 그는 팀이 아니었다면 그들 관계의 여러 측면을 명확하게 바라볼 수 없었을 것이라고 이야기했다. 이제 그는 서로가 어떻게 관계를 맺는지 충분히 이해할 수 있기에, 그는 그의 어머니와 보다 건강한 관계 속에서 함께할 수 있게 된다.

- 오픈 다이얼로그 팀 구성원들은 새로운 정보를 알려고 하고 또 관심이 있음을 보여준다. 스트레스를 받는 사람 그리고 그의 관계망과 안전한 인간관계를 형성하기 위한 노력으로, 오픈 다이얼로그 구성원들은 초점 당사자와 그의 관계망과 함께 새로운 아이디어와 이야기들을 공유함으로써 세션을 더 늘리기도 한다. 새로운 유대관계를 형성하는 것은 스트레스를 받는 당사자와 그 팀이 비전통적인 방식으로 상호 작용하고 사고하는 방식을 배울 수 있게 도와준다.

- 핀란드에서 오픈 다이얼로그를 활용하고 있음에도, 숙련된 많은 팀 구성원들은 폭력의 징후를 보이지 않은 상황 속에서조차 정신과 의사에게 강제로 약물 투입을 받은 초점 당사자를 때때로 만나게 된다. 내가 본 사례 중에서, 팀 구성원 두 명은 이후에는 이와 같은 상황을 막기 위해 약물 투입을 지시한 정신과 의사들에게 훈련을 더 많이 제공하기로 결심했다. 그들은 신참 정신과 의사는 "더욱 큰 불확실성과 함께 살 필요가 있다"라고 말했다.

- 나는 그 팀에게 그들이 언제 '성찰적' 의사소통을 하는지 물어보았다. 그들은 성찰을 사용할지 여부는 특정한 상황에 달려 있다고 말했다. 한 팀 구성원은 오픈 다이얼로그 미팅 동안 난관이 발생했을 때 성찰적 의사소통이 더욱 자주 일어난다고 이야기했다. 만약 팀 구성원 중 한 명이 반복적으로 유사한 질문을 하고 동일한 답변을 얻는 것을 다른 팀 구성원이 알게 되면, 성찰적 의사소통으로 전환할 수 있다. 한 치료사는 이전에 그녀의 팀 구성원에게 "당신이 계속 건강 전반에 관심을 가진다는 것을 알았어요. 그런데 그것이 그 가족의 관심사인지가 궁금하네요"라고 성찰reflect해 주었던 경험을 이야기했다. 이러한 성찰적인 지적은 관계망과의 의사소통을 고착되지 않게 하는 것 같다.

나의 치료적 실천에서의
오픈 다이얼로그 접근의 예시

다음은 어떤 가족을 위한 치료 세션에서 오픈 다이얼로그를 적용한 것을 적은 것이다. 나는 약물관리를 위해 수년간 어떤 가족 구성원을 상담한 적이 있다. 캐런은 정신질환 경험이 있는 사람으로 나와 함께 오픈 다이얼로그 수업을 수료했다. 그 가족과 함께 공동 치료사로 세 번째 세션에서부터 나와 함께 일했다. 앞서 오픈 다이얼로그로써 마크를 도와준 방식에 대해 언급한 바 있다.

✚ 오픈 다이얼로그로 두 번의 시설 입소를 막을 수 있었다

배경: 나는 15년 동안 마크의 약물을 처방하는 의사였다. 내가 그를 치료하기 이전에 마크는 조증으로 몇 차례 입원한 경력이 있었지만, 그 이후로는 입원하지 않았다. 나는 진료실에서 12년간 그와 함께 치료를 하며 만나왔다. 마지막 3년 동안에는 그와 사적인 만남을 가졌다. 마크는 노부모를 보살피고 있었고 그의 집 지하실에서 생활했다. 그는 매달 자조 모임support group에 참석하고 2~3개월마다 나를 만나면서 상대적으로 안정적인 상태에 있었다. 그는 항정신병 약물을 아주 소량만 복용하고 있었다. 그 이후, 마크는 불안하고, 안절부절못하며, 심한 불면증에 시달리게 되었다. 그는 치매를 앓는 아버지를 매우 걱정한다고 했다. 마크의 대화를 이해하는 것이 어려워졌다. 그의 어머니는 다리 골절을 회복하는 중이었다. 나는 알츠하이머 지원 단체에 연락을 했지만, 마크는 너무 긴장한 탓에 방문하기가 어렵다고 말했다.

그는 그 지역에 사는 형과 누이 모두 부모를 도와줄 수 없는 상황이라고 했다. 나는 노인 서비스 기관에 연락을 했고, 해당 기관에서는 마크의 아버지를 지원하기 위해 보호자와 면담해야 한다고 말했다. 마크에게 나는 아버지에게 보호자 동반이 필요하다고 전해주었다. 나는 그의 주요 신경안정제를 두 배로 늘리고, 다음 주에 나와 만나자고 요청했다.

그다음 주에도 마크는 여전히 잠을 잘 자지 못했고 경조증hypomanic 상태에 있었다. 그는 내가 해준 말에 대해 혼란을 겪고 있었다. 내가 보호자 동반에 대해 물어보자, 그는 그 제안이 매우 좋았고 아버지에게 동반 역할을 해주었다고 했다. 그는 아들의 역할에서 아버지의 동반 역할로 전환되었을 때, 아버지가 훨씬 더 적극적이었고 의사소통도 가능했다고 말했다. 그 밖의 문제로, 내가 마크에게 노인 서비스에서 언제 방문하는지 물어보자, 그는 주머니에서 온갖 서류 조각을 꺼내며 집중하지 못했다. 그는 화를 냈고 나중에는 그가 원하는 서류 종이를 찾을 수 없게 되자 불안해졌다.

여기서 나는 결정을 내려야 했고, 서로 다른 두 개의 길 사이에서 선택의 기로에 섰다.

✛ 선택하지 않은 길―전통적 접근

홀로 개업한 정신과 의사로서, 내가 선택할 수 있는 전통적인 치료의 방향은 매우 제한적이었다. '경조증 상태가 진행되고 있으니 마크는 집중 개인 치료가 필요해. 내가 해줄 수 있는 것보다도 그는 도움이 더 많이 필요한 게 확실해. 지역병원 응급실에 바로 연락해서 그의 입원을 의뢰해야겠어'라는 것이 전통적 치료에서의 생각이었다. 그 병원의 위기 팀은 아마 '약물 조정'을 위한 입원을 권유했을 것이고 병원 종사자들은 환자와 그 가족에게 항정신병 약물의 감량(점진적인 감량이었음에도)이 이런 문제를 야기했다고 설명했을 것이다. 이후 마크는 의사의 근접 감독하에서 약물을 늘리기 위해 몇 주간 입원을 했을 것이다. 그 후 개인 치료와 사례 관리를 받기 위해 퇴원했을 것이다.

지속적인 초점은 마크에 맞추어졌을 것이다. 어떻게 하면 그의 경조증 증상을 감소시킬지에 대해서 말이다. 사회적 관계망에 대해서는 거의 관심을 두지 않았을 것이다. 그를 치료하는 의사들은 '마크는 경조증이 있으니 약물 관리가 필요해. 그가 안정되면, 약물을 제대로 복용하고 있는지를 확인하기 위해 사례 관리자가 있는 지원 단체를 매달 이용할 수 있게 해야겠어'라고 생각할 것이다. 그 병원은 아마도 마크가 소속 정신과 의사 중 한 명을 만나 적정량의 약물로 관리되고 있는지 확인하고 싶어 할 것이다. 또한 마크가 더는 아버지를 돌볼 수 없다고 결론 내리고, 마크의 아버지를 요양원으로 옮기게 했을 것이다.

✚ 선택한 길―오픈 다이얼로그 접근

세션 1: 나와 마크, 그의 조카가 참석했다. 비록 나는 단독 개업 정신과 의사로 치료하지만, 75시간의 오픈 다이얼로그 훈련 과정을 마쳤고, 마크의 불안에 대해 다른 관점에서 생각을 했다. 마크에게만 초점을 두기보다, 나는 잠재적인 지원이 되는 그의 관계망에 관해 질문을 하기 시작했다. 그의 조카는 이전에 마크를 내 사무실로 태워다 준 적이 두 차례 있었다. 첫 번째 방문에서는 삼촌을 차에서 내려주기만 했고, 일주일 뒤인 두 번째 방문에서는 차를 주차한 뒤 내 사무실까지 삼촌을 데려다주었다. 마크를 사무실로 부르자, 그의 조카는 매우 걱정스러운 얼굴로 주변에 오랫동안 머물러 있었다. 나는 마크와 간단하게 면담을 하고 난 뒤 그가 점점 조증 상태가 되어가는 것을 알 수 있었다. 나는 마크에게 조카가 여기 함께 참여해도 되는지를 물었고, 그는 동의했다. 그의 조카를 초대하자, 조카는 기꺼이 내 사무실에 있는 소파에 삼촌과 나란히 착석했다. 마크는 진정되었고 집중할 수 있었다. 그들은 그림이 있는 공상과학소설에 대해 이야기를 나누고 있었다. 최근에 이 소설을 원작으로 한 영화 개봉작을 보러 갔었다는 것이 드러났다.

　그래서 나는 그 조카에게 마크의 가족 상황에 대해 알려줄 것을 요청했다. 그는 핵심적인 정보를 제공해 주었다. 그 역시 마크가 부모님을 돌보는 동안 책임을 아주 많이 부담하고 있었다는 사실에 동의했다. 마크의 아버지는 주변을 배회하기 시작했고 마크는 아버지가 집에서 나가지 못하도록 지켜보기 위해서 하루 종일 깨어 있어야 했다. 조카는 자신의 어머니(마크의 누이)와 다른 삼촌이 도와주고 싶어 했지만 할머니인 마크의 어머니 때문에 그러지 못했다고 말했다. 마크는 형제들이 도와주고 싶어 했다는 것을 듣고 놀란 것처럼 보였고 안도했다. 이후 나는 마크에게 해당 세션 동안 형에게 전화를 해볼 수 있겠냐고 물어보았다. 마크는 그렇게 하고 싶다면서 직접 전화를 걸어보겠다고 했다. 나는 마크가 치료 과정에 되도록 적극적으로 참여하길 바라면서, 그 요청을 존중했다. 그의 형은 연락을 받은 것에 기뻐했고 다음 미팅에 참석하고 싶어 했다. 그는 부모님 또한 함께 참석할 수 있도록 하겠다고 말했다.

　마크의 조카가 그 세션에 참석하면서, 나는 마크의 어머니에게 연락했고 그녀는 가족 미팅이 있을 거라는 이야기에 안도했다. 그녀는 다음 미팅에 참석하는 것에 동의했고 남편과 함께 오기로 했다. 이후 나는 마크의 누이에게 전화를 했다. 그녀 또한 도움을 주는 것에 열정적인 모습을 보였고 다음 네트워크 미팅에 오겠다고 했다. 1시간 동안의 미팅이 끝날 때 즈음, 마크는 확실히 덜 불안해졌고, 나 또한 그랬다. 나는 오픈 다이얼로그가 마크의 입원을 막을 수 있을 거라고 믿기 시작했다.

오픈 다이얼로그 과정: 며칠 후, 나는 메리 올슨의 수업에서 4일 정도 오픈 다이얼로그에 대해 더욱 배우는 시간을 가졌다. 나는 마크와 그의 가족에 대한 역할극 세션에 자원해서 참여했다. 나는 마크 역할을 맡았고 다른 학생들은 가족 역할을 맡았다. 역할극은 매우 도움이 되었다. 이를 통해 나는 마크의 어머니에 대해 새로운 방식으로 생각해 볼 수 있게 되었다. 그녀가 외부 지원을 방해하는 원천이라는 쪽으로 초점을 맞추는 대신, 그녀가 남편을 보호하고 있으며, 외부 지원을 통해 요양원으로 남편을 보내기로 결정 날까 봐 걱정하고 있다는 점을 이해할 수 있었다. 나는 또한 마크가 형제들로부터 도움을 얻게 되면서 느꼈을 안도감도 경험해 볼 수 있었다. 무엇보다도 역할극 세션을 통해 대가족을 만나는 것에 대한 불안감을 덜 수 있었다. 이는 또한 내가 더욱 대화적인 사고를 할 수 있게 도왔다.

세션 2: 참석자는 나를 포함하여 마크, 마크의 형인 롭, 누이인 캐럴, 어머니 리자이나, 아버지 클라이드, 공동치료사인 캐런이었다. 나는 가족들에게 "이 미팅에서 무엇을 얻고 싶나요?"라고 물으며 미팅을 시작했다. 리자이나가 가장 먼저 "나는 마크가 우릴 돌보는 일이 힘겨운지를 알고 싶어요"라고 답변했다. 곧 중심 주제가 명확해졌다. 아무도 보지 않을 때 클라이드가 집 바깥을 배회하는 문제였다. 최근 클라이드는 어떤 TV 프로그램을 보고 자신의 어머니를 떠올린 뒤 얼마 있지 않아 집에서 사라졌다. 마크가 오랜 시간 찾은 후에야, 근처 상점에서 우유를 찾고 있는 클라이드를 발견했다. 리자이나는 자기 부부의 친구들은 대부분 이미 죽었다고 말했다. 롭은 클라이드가 빠져나가는 데 사용했을 문에 데드볼트(자물쇠의 한 종류 — 옮긴이 주)를 설치하자고 제안했다. 그러나 리자이나는 이미 자기 집이 감옥처럼 느껴지고 있다고 했다. 내가 그 이유를 묻자, 그녀는 열쇠를 손에 가득 들어 보여주었다.

마크가 잠들 수 없는 이유 중 하나는, 아버지가 배회하는 것은 아닌지 경계해야 한다고 느끼기 때문이라고 리자이나는 말했다. 롭은 자기와 캐럴이 마크가 매우 큰 도움이 되고 있다는 점을 감사히 생각하고 있다고 말했다. 그들은 마크가 더 많은 것을 해야 한다는 압박감을 느낄 거라는 생각에 이러한 감정을 말하는 것이 두려웠다고 했다. 롭과 캐럴은 그들이 추가적으로 도움을 줄 수 있다면 기쁠 거라고 이야기했다. 리자이나는 그 두 사람이 모두 도움을 주기엔 매우 바쁘다고 대답했다. 롭은 공장에서 야간 교대 근무를 하고, 캐럴은 보험 회사에서 행정 보조로 일하고 있었다.

리자이나가 도움을 원치 않는 영역이 두 가지 있었다. 리자이나는 누군가가 자기 부부의 집안일이나 빨래를 해주는 것을 원치 않는다고 단호하게 이야기했지만, 도움을 요청하는 것이 힘들다는 점을 인정했다. 이러한 리자이나의 거부감, 또 마크가 부모님의 요청을 거절하기 어려워한다는 사실이 서로 얽히면서, 그들에게 많은 문제가 생겨난 것이다.

세션이 끝날 때, 나는 참여자들에게 더 말하고 싶은 내용이 있는지 물어보았다. 마크는 만약 형제들이 도와주게 되면 자신은 이제 필요 없어지지 않을까 걱정된다고 했다. 나는 비행기에서 산소마스크를 사용하는 과정을 비유로 들었다. 항공사에서는 부모가 자녀에게 마스크를 씌워주기 전에 산소를 먼저 들이켜도록 항상 설명한다는 것을 말해주었다. 현재 상황에서 마크는 휴식이 필요했다. 그래야 부모님을 더욱 잘 보살필 수 있을 것이다.

세션 3: 참석자는 나와 마크, 캐럴, 롭, 리자이나, 클라이드, 캐런이었다. 이 세션은 세션 2를 한 지 2주 뒤에 있었다. 나는 "이 시간을 어떻게 사용하고 싶나요?"라고 물었다. 이 가족은 자신들의 발달에 대해 이야기하고 싶어 했다. 마크는 알츠하이머 지원 단체에서 온 여성이 매우 도움이 되었다고 이야기했다. 그녀는 마크에게 지원 단체에 대한 정보를 제공해 주었고 이제 그는 그 단체에 참석할 준비가 되었음을 느꼈다고 했다. 노인 서비스에서 나온 여성은 마크의 아버지에게 참전 용사를 위한 주간 프로그램에 가볼 것을 제안했다. 마크는 아버지와 함께 가야 될 거라고 생각했고, 심지어 그곳에서 자원봉사를 할 수 있을 것 같다고 말했다. 마크의 형은 주말 동안 부모님과 함께 지내며, 어머니와는 식료품 가게에 다녀왔다고 했다(리자이나와 쇼핑하는 데에 얼마나 시간이 오래 걸렸는지에 대한 농담도 있었다). 마크는 이제 세탁기에서 빨래를 꺼내 건조기로 옮기지만, 항상 어머니가 그를 지켜본다고 이야기했다.

캐런은 그들이 서로에게 얼마나 많은 관심을 썼는지에 대해 의견을 냈고, 모든 사람들이 이에 동의했다. 그들은 캐런에게 다른 일반 가족들보다 자신들이 문제가 더 많은 것 같냐고 물었다. 그녀는 "아니요. 실제로, 여러분들은 제가 보아왔던 다른 가족들보다 더 빨리 함께 해낼 수 있어요"라고 말했다. 실제로, 우리는 이 가족이 서로를 진실하게 보살폈기에 오픈 다이얼로그 접근이 가능했다는 점에 주목했다. 그들에게는 스트레스 기간 이전에 존재했던 높은 수준의 응집력과 지원을 활용하는 능력이 있었다.

가족들의 협업과 지원에 대한 논의가 끝난 후, 마크는 왜 그의 가족의 참여가 필요했는지에 대해 물었다. 우리는 이 질문을 다시 그 가족들에게로 되물었다. 그들은 전반적으로 이 세션들이 도움이 되었다고 말했다. 그러자 캐런은 우리를 바라보았고 그녀 옆에 앉아 있는 어머니에게 고개를 끄덕이더니, "그리고 가족이 외부의 도움을 받는 것이 중요하다는 사실을, 가족 중 누군가가 들을 수 있었다는 점이 특히 중요했어요"라고 말했다. 우리는 누가 그 사실을 들을 필요가 있었는지를 물었다. 마크의 어머니는 딸이 말한 사람이 본인이었음을 바로 알아챘다. 그녀는 냉랭한 목소리로 스스로를 방어하며, "글쎄요. 나는 마크에게 그게 스트레스였는지를 인식하지 못했어요"라고 말했다. 마크는 이에 캐럴에게 질문을 던지며 반응했다. 그는 새로운 도움을 요청한 것이 가족에게 부담이 되었는지 물었다. 캐럴은 따뜻한 목소리로, "아니야. 오히려 부담이 된 것과는 거리가 멀어. 오빠는 우리 부모님에게 정말 큰 도움이 되어주었고, 오빠에게도 휴식이 필요하다는 것을 알게 되었어"라고 말했다. 캐런과 나는 이 메시지를 강조했다. 나는 "사실상, 그의 고통은 가족에게는 선물인 셈입니다. 왜냐하면 그 고통이 아버지에게 외부의 도움이 필요하다는 사실을 알려주는 역할을 했기 때문이죠. 우리가 이것을 알지 못했다면, 여러분의 아버지에게 더욱 큰 문제가 발생했을 수도 있습니다"라고 말했다.

마크는 이러한 반응에 매우 만족한 것처럼 보였다. 무엇보다도 그는 더욱 초롱초롱해졌고 상호 작용도 잘하고 있었다. 그의 불안은 꽤 많이 진정되었다. 그는 다시 운전을 시작하기를 원했다. 그러자 가족들은, 사실 마크가 이미 동네에서 짧게 운전을 하기 시작했다고 말했다. 그들 모두 마크가 운전할 준비가 되었음을 느끼고 있었기에, 우리는 그 의견을 존중했다.

미팅의 나머지 시간에는 마크의 아버지에 대한 이야기에 전념했다. 그는 1943~1945년 해군에 있었던 날짜가 함께 적힌 제2차 세계대전 모자를 쓰고 전쟁에 대한 이야기를 늘어놓았다. 입대했을 때 그는 열일곱 살이었다. 그의 중대에 있던 많은 남성들은 압박감을 이기지 못하고 집으로 돌아갔는데, 그는 "하지만 나는 떠날 수 없었어. 우리 아버지가 해군 장교였는데, 나한테 '안 돌아오는 게 좋을 거다!'라고 말씀하셨거든"이라고 말했다. 다른 가족들도 할아버지가 매우 엄격하셨다며 맞장구쳤다.

나는 마크에게 그와 가족들이 잘하고 있는지를 확인하는 차원에서 일주일 후에 전화를 달라고 요청하며 세션을 마무리했다.

세션 3의 결론: 이 가족들은 단 두 번만의 관계망 미팅으로도 훌륭한 진전을 보였다. 이들은 마크와 부모님, 세 명을 돕기 위해 단결했다. 마크는 이제 경조증의 상태가 아니었다. 그는 이제 문제의 초점 대상도 아니었다. 그 대신에, 이러한 문제점이 모든 가족 구성원 간의 기존 관계에 영향을 미친다는 사실을 모두가 이해하게 되었다. 가족들이 더욱 나은 대화를 할 수 있도록 촉진함으로써, 그들은 외부의 도움을 받아들일 수 있게 되었다. 가장 중요한 주자는 마크의 어머니였다. 어머니는 마크가 해줄 수 있는 것보다도 더욱 많은 도움이 자신과 남편에게 필요하다고 결론지을 필요가 있었다. 그녀는 치료사들의 관찰 내용을 듣더니 이 상황을 재평가했고, 자녀들도 미처 영향을 미치지 못했던 본인의 마음을 바꾸었다. 마크의 어머니가 추가적인 도움이 필요하다는 것을 인정하게 된 이후, 그녀는 다른 자녀들과 외부 기관들의 도움을 수용할 수 있었다. 관계망 미팅이 마크의 정신병원 입원과 마크 아버지의 요양원 입소를 막은 셈이다.

일주일 후의 통화: 마크는 전화로, 훨씬 잘 지내고 있다고 말했다. 그는 가족들이 곧 아버지를 주간 프로그램에 참여할 수 있도록 할 것이라고 말했다. 그는 다음 방문 때 가족이 모두 가야 하는지를 궁금해했다. 그는 내게 고마워하며, 추가적인 도움이 본인에게 큰 안도가 되었다고 말했다. 나는 가족 방문을 한 번 더 요청했다. "만약 그 세션이 잘 진행되면, 다시 둘이서만 만나기로 해요." 그는 좋다고 했다.

세션 4 — 한 달 후: 참석자는 나와 마크, 클라이드, 캐런이었다. 마크는 점점 나아졌다. 그는 다시 운전을 할 수 있게 되었고 아버지 클라이드와도 훨씬 잘 지내고 있었다. 그들은 오랜 시간 동안 산책을 하고 있었다. 마크는 아버지가 주간 프로그램에 참여하길 바랐지만, 어머니는 이에 반대했다. 마크는 이 문제에 대한 이야기를 알츠하이머 지원 단체에 말했고, 그들은 마크가 어머니에게 모든 것을 말하지 않는 게 좋겠다고 권고했다(이것은 그에게 새로운 아이디어를 주었다). 그래서 마크는 어머니의 허락 없이 주간 프로그램 의뢰 절차를 진행하고 있다. 또한 우리는 마크의 형제들의 도움에 관한 문제에 대해서도 논의했다. 마크는 자신이 예전에 위기 상황에 있을 때만큼 그들이 지금 개입하지는 않는다고 말했다. 그는 집에 있을 때 본인과 어머니 사이에 압박감이 증가하는 것을 느낀다고 말했다. 나는 캐런에게 "이 문제는 그의 문제만이 아니라, 다른 가족 구성원들을 포함한 문제인지를 알아보는 것이 도움이 될 것 같아요"라고 말했다. 캐런은 위기가 종결되었다면 가족(특히 어머니)이 미팅에 참석하는 것이 도움이 된다고 생각하는지 마크의 의견을 궁금해했다. 마크는 잘 지내고 있기 때문에 어머니를 귀찮게 하고 싶지 않다고 말했다.

캐런은 다시 마크가 집에 있을 때에 압박감을 느낀다면 그 압박감을 줄이기 위해 다음 미팅에 어머니와 형제들이 함께 참여하는 것도 좋은 생각일 수 있다고 말했다. 마크는 다시 한번 이 아이디어에 반대하며, 위기가 끝났기 때문에 그들을 다시 부를 필요가 없다고 말했다. 마크는 자신이 가족에게 얼마나 많은 문제를 일으켜 왔는지 자주 생각한다고 덧붙였다. 그는 여덟 살 때 이야기를 해주었는데, 어머니가 신체검사를 위해 그를 병원에 데려갔다고 했다. 아마 그때 그는 불안했을 것이다. 검사가 끝나자, 의사는 마크의 어머니에게 "이 아이를 좀 관찰해야 할 것 같습니다"라고 이야기했다. 특히, 이 지점에서, 마크의 아버지 클라이드는 마크에게 분명 문제점이 있다며 맞장구쳤다. 클라이드는 "난 계속 마크를 지켜보아야 해요"라고 이야기했다.

세션 4의 결론: 이 세션은, 가족의 기존 신념 구조에 변화를 주었을 때 발생하는 어려움을 보여주었다. 또한 마크는 자신에게만 문제가 있을 뿐 다른 가족들과는 관계가 없다고 개인적으로 확신하고 있었다. 마크와 가족들은 다른 가족들의 참석이 위기 기간 동안에만 중요하다고 여겼다. 위기가 진정된 것처럼 보이게 되자, 본질적으로 마크 자신의 문제라고 생각하면서, 가족들은 이전의 신념 구조로 다시 되돌아갔다.

6개월 후: 캐런과 나는 마크하고만 세션을 진행했다. 그는 이제 자신이 더욱 잘하고 있다고 믿으며, 다른 가족들은 세션에 참석할 이유가 없다고 말했다. 이 세션에서 마크는 작년 그가 어떤 것을 배웠는지 되돌아보았다. 그는 가족이 참석했던 세션들이 그를 도와주었고 그의 가족이 그의 관점을 더욱 확장시켜 주었다고 생각하고 있었다. 그는 스스로를 더욱 유능하게 바라보는 방법을 배웠고 가족들도 전체적으로 변화했다고 믿었다. 이제 가족들은 마크를 더욱 가치 있고 더욱 복합적인 존재로 여기게 되었다. 또한 마크는 이런 변화가 일련의 과정을 통해서 일어날 수 있었다고 생각했다. 마크는 성찰을 통해 그가 다르게 사고하게 되었음을 수차례 이야기했다.

> [여기서 마크는 지난번의 가족 세션들과 몇 달 이전에 있었던 자신의 상태 때문에 세상에 관한 확장적 관점을 얻게 되었다는 자신의 생각을 소개한다]

댄: 당신이 여기 온 지도 1년 정도 되는군요. 우리는 좀 더 깊이 들어갔지요. 그게 …. [나는 '조증'이라는 단어를 사용하고 싶지 않았기 때문에, 최선의 단어를 생각하기 위해 멈추었다]

마크: 확장된 관점요.

댄: 확장된 관점, 그래요, 그것은 좋은 방식의 바라보기이지요. 네, '확장된 관

점' … 그게 무엇을 의미하나요? 확장된 관점이 … '확장된 관점'이라는 단어를 들었을 때, 나는 어떤 확실한 것을 생각해요.

마크: 우리 아버지한테는 문제가 좀 있었지요. 그리고 저는 저 자신을 바라보았고, 생각하는 저의 방식을 조금 바꾸었어요.

댄: 캐런이 세션에 참여하면서, 제 관점이 확장되었죠.

[곧 이어서 마크는 작년에 있었던 형과 누이, 부모님과의 획기적 만남들에 대해 설명한다. 이 미팅에서, 그의 누이 캐런은 마크와 그녀의 관계에 대한 진술을 했고 그것이 확장된 관점에 기여했다]

댄: 어떤 때인가 누이가 당신이 하는 모든 일에 대해 얼마나 감사해 하는지를 이야기하는 것을 저도 들었던 것 같아요.

마크: 네, 저도 알아요. 캐럴이 왜 그런 말을 했는지 알고 있어요.

댄: 그런 이야기를 들었던 것이 도움이 되었나요?

마크: 아마 캐럴은 이 방 밖에서는 그런 말을 안 했을 거예요. 어느 정도 이해가 되지만, 밖에서는 말하지 않을 거예요.

댄: 때로는 이야기를 밖으로 큰 소리로 듣는 것이 좋아요. 저는 밖으로 큰 소리로 말하는 것을 듣는 것이 좋더군요.

마크: 네, 의미 있었어요.

댄: 저는 그걸 밖으로 큰 소리로 듣는 것이 도움이 되었어요. 그 당시를 떠올리면서, 당신은 "내가 문제라서 미안해"라고 말하고 있었지요. 그러자 캐럴이 "전혀 문제가 아니야"라고 말했지요. [댄이 캐런을 바라보며] 캐럴이 뭐라고 했는지 기억하나요?

캐런: 캐럴은 "오빠 문제가 없어. 오빠 아주 큰 도움을 주고 있어"라고 했죠.

마크: 제가 기억하기로는, 캐럴이 날 보며 아무 문제가 없다고 말했던 것 같

아요. 문제가 있다는 단어는 엄청난 말이에요.

댄: [성찰적 의사소통을 활용하며, 댄이 캐런을 살펴본다] 당신이 생각하는 것처럼 그렇게 나쁘지 않았던 것 같죠? 아마 당신의 문제는 당신이 생각하는 것처럼 그렇게 나쁘지 않아요. 나는 그걸 넘기기가 어렵다는 것을 알아요.

캐런: 사람들 사이에서 이해되었다고 생각하는 많은 것들을 실제로 우리 자신이 이해했는지 궁금해요. 공통적 이해가 아닌 것 같아요. 우리가 믿는 것을 다른 사람에게 말로 표현할 때, 당신이 같은 의견인지 아니면 당신의 이해가 다른 사람이 믿는 상황과 다른 것인지를 아는 것은 정말 강력해요. 그걸 말하는 게 놀라운 일이 될 수 있죠.

댄: [캐런을 쳐다보며] 당신은 캐런이 그걸 소리 내어 말했을 때에 큰 영향을 미쳤다는 사실을 말하고 있는 것이군요. [마크를 쳐다보며] 그건 저에게도 큰 영향을 미쳤죠. 당신한테서 들었기 때문에, 나는 "그들은 단지 내가 문제라고 생각해요"라고 말했지요. 캐런이 당신이 문제가 아니었다고 말했을 때, 그것은 내가 이전에 들어보지 못했던 새로운 대화였어요. 그리고 당신이 제안한 것처럼, 캐런이 예전에는 밖으로 큰 소리로 말한 적이 없었던 것 같아요. 그 이후에 캐런이 당신에게 그런 말을 또 한 적이 있나요? 감사하다든가 등의 말을?

마크: 캐런이 생각하는 것보다도 우리는 좀 더 공통의 근거가 있다고 생각해요. 캐런이 한번은 우리 사이에는 부모님 이외에는 공통된 부분이 하나도 없다고 말했었죠.

댄: 하지만 지금은 캐런의 생각이 달라졌을 거라고 생각하나요?

마크: 맞아요. 그 이후로 캐런이 공유된 관심사라고 생각되는 것들을 얘기하고 있어요. …

댄: 그렇다면 캐런이 그 말을 했을 때가 대단한 순간이었네요. 어떤 면에서는

당신의 관계에 변화를 주었겠네요?

마크: 좋은 쪽으로요.

댄: 흠, 흥미롭군요. 당신은 내게 "여러 세션에 왜 다른 가족들이 참석하죠?"라고 물었잖아요.

마크: 그것이 확장되었어요. 나 스스로를 설명할 필요가 없어요. 그들은 지난 17년간 내가 어디에 있는지 알고 싶어 했고, 이제 그들은 알죠.

[우리는 이제 그와 조카 간의 관계로 화제를 옮겼다. 여기에서의 세션들을 통해 그들의 관계가 어떻게 확장되었는지에 대해 이야기한다]

마크: 글쎄요, 내 조카는 그가 예전에 생각했던 것보다 제가 좀 더 복잡한 사람이라고 생각하는 것 같아요. 그는 실제 내가 받아야 할 것보다 좀 더 많은 신용을 주었던 것 같아요. 그는 그동안 도움이 되었어요.

댄: 그러면 그것이 당신의 가족들의 이해도 좀 더 확장시켜 주었나요? 어떤 면에서는 당신의 조카가 첫 번째 열쇠였지요.

마크: 나는 절대로 형제들이나 친척들에게 의지할 수 없었어요. 나는 항상 고독한 존재, 그런 동생이었어요. 그래서 조카가 나의 유일한 연결이었기 때문에 내가 그에게 의지할 수 있었던 건 매우 예외적이었던 거지요. 제가 말했듯이, 그는 내 부모님과 내게 정말 큰 도움이 되어주었죠. 지금도 여전히 그렇고요.

[다음 발언에서, 마크는 그의 사회적 관계망이 변화했다고 언급한다. 관계망 속의 각 개인들은 그대로이지만. 캐런은 첫 변화는 그가 만든 것이고, 이어서 그의 행동에 반응하여 그들이 변했음을 지적한다]

댄: 어쨌든 형이나 누이가 좀 더 신경을 쓰나요?

마크: 네, 그래요.

댄: 그게 여전히 이슈라는 걸 알아요.

마크: 과정 중에 있어요. 당신이 말한 건 중요해요: 그들도 변화할 수 있죠.

캐런: 그들 중 누구 말씀이신가요?

마크: 개개인이 아니라, 집단으로서요.

댄: 그거 흥미롭네요, 집단으로서.

마크: 어떤 사람들은 다르게 처신해요. 그들이 보기엔 내가 다르게 행동하는 것처럼 보여서, 아마 그들은 '내가 아는 것보다 그에게 뭔가 더 많은 것이 있을 거야'라고 생각할 거예요.

댄: 이제 그들은 당신을 좀 더 진지하게 대하나요? 좀 더 존중을 해주고요?

마크: 네.

댄: [캐런을 바라보며] 그들 개개인이 변한 것이 아니라, 함께 변했어요.

마크: 그들을 집단으로 생각하면, 그중에서 내 조카는 나와 연결된 사람이자 내가 의지했던 사람이었기 때문에 부각되죠. 내 주변에 아무도 없을 때 그와 대화를 나눴지요. 우린 공통의 관심사가 있죠. 내가 집에만 있었던 오랜 시간 동안, 저는 [댄의] 클리닉 그룹 이외에는 그 어떤 사람과도 대화를 나누지 않았어요. 저는 저의 고립에 더 흡수되었죠. 누군가에게 다가가서 이해하려고 시도하고 다른 관점에서 바라보려고 하지 않으면, 아무 일도 일어나지 않아요. 우물은 정체된 채 있겠지요. [이것은 독백에 갇힌 느낌이 어떨지를 생생하게 묘사한다]

캐런: [댄을 바라보며] 마크가 수동적인 존재로서 느끼게 되었다고 했을 때 그의 이런 묘사에 놀랐어요. 하지만 그가 능동적인 역할을 했다고 생각해요. 우리가 대화라고 말할 때 단지 누군가와 말하는 것이 아니라 서로를 변화시키는 과정을 의미해요. 우린 정말로 다른 사람을 변화시킬 수 있을까

요? 마크는 자신에 대한 생각을 바꿨고 다른 사람들 또한 다르게 반응했어요. 그것을 통해서 나중에 변화가 발생했어요. 다른 사람들이 마크가 수동적이라고 생각하는 것에 놀랐지만, 저는 그가 매우 능동적이라고 생각해요.

댄: 우리는 주변에 있는 누구도 나를 도와주지 않을 것이라는 믿음에 맞서야 했어요. "내 형제와 누이는 너무 바빠서 아무것도 할 수 없다"와 같은.

마크: 나처럼 이야기하기 시작하시네요.

댄: 하지만 당신의 조카가 그에 맞설 수 있게 당신을 도왔죠.

캐런: 조카가 그들의 관점을 확장시켜 주었어요. 마크가 도와주고 기여하기 위해 노력하는 동안 경험하고 있었던 스트레스들을 저는 기억해요. 그건 엄청난 스트레스였죠.

결론: 오픈 다이얼로그 접근은 마크가 병원에 입원되는 것을 예방해 주었다. 만약 그가 입원되었다면, 그의 아버지는 치매 때문에 요양원으로 가게 되었을 것이다. 그러나 가족 미팅이 마크와 다른 가족들의 관점을 확장시켜 주었기 때문에, 각자는 가족의 전반적인 복지를 위해 기여했던 마크의 역할을 인식할 수 있게 되었다. 그 과정에서, 그는 자신감을 얻었고 높은 불안감도 진정되었다.

6개월 후: 마크의 어머니에게서 연락이 왔고, 마크가 다시 악화되는 것 같다는 소식을 전했다. 어머니는 마크가 산만해 보이고 또 다른 '정신병적 삽화 episode'가 있을지 두렵다고 했다. 나는 가족 미팅을 요청하면서, 다시 책임부담이 마크에게 떨어진 게 아닌가 하고 추측했다. 마크, 그의 부모, 누이가 참석했다. 실제로, 그 가족은 마크의 형이나 누이가 부모를 돕지 않았음을 확인시켜 주었다. 누이 캐럴은 아무런 도움을 요청하지 않은 어머니를 탓했고, 어머니는 요청을 안 할 수밖에 없었다고 말했다. 미팅 동안, 그들이 서로 다른 이유로 서로 간에 대화를 나누지 않았던 것이 명백해졌다. 나는 그들이 비공식적으로 모임을 가질 것을 제안했다. 캐럴은 가족 소풍을 제안했다.

2주 후: 나는 마크를 따로 만났고 그는 훨씬 괜찮아진 것 같다고 했다. 그것은 두 번의 가족 소풍 이후 어머니와 누이가 잘 지내게 된 것과 관련이 있었다. 관계가 회복되면서 누이가 책임을 일부 떠맡을 수 있게 되어, 마크는 지속적인 돌봄으로부터 휴식을 가질 수 있었다. 더욱이 자기를 누이가 돌보지 않는다고 어머니가 불평하는 것을 이제 마크는 듣지 않아도 되었다.

✚ 나의 임상적 실천을 넘어, 오픈 다이얼로그 접근에 대한 성찰

미국에서의 동료들은 오픈 다이얼로그를 도입하는 것에 특히 희망적이다. 그 이유는 이 접근에 내재된 가치들이 회복에 내재된 가치와 일치하기 때문이다. 치료 시스템이 오픈 다이얼로그 접근을 적용하면 할수록, 동료의 일도 더욱 성취적으로 될 것이다. 동료들은 오픈 다이얼로그 접근법을 의사결정자들과 재원제공자들의 관심 영역으로 가져가는 데 결정적 역할을 하고 있다. 오픈 다이얼로그는 정신건강 시스템을 여러 부분으로 변형시킬 때 필수적인 하나의 구성요소이다. 나는 다음 장에서 이 부분을 이야기하고자 한다.

제11장
공동체 삶의 회복에 대한 나의 생각

몇 해 전 나는 우리 모두를 세계적 절망의 어둠을 헤쳐나가도록 안내할 수 있는 꿈을 꾸었다.

나는 8~10명 정도의 동료들과 둘러앉아 있었다. 우리는 차분하고 주의 깊게 서로 소통하고 있었다. 정서적 심폐소생술을 그룹으로 연습하는 중이었다. 한편, 우리 주변에는 '만성적이지만 정상적인' 사람들(아직 진단되지 않은 사람들)이 수백 명 있었고, 그들은 거친 표정으로 주위를 뛰어다니며, 필사적인 모습으로 팔을 흔들고 있었다. 때때로 그들은 우리의 침착하고 응집력 있는 상태에 어리둥절하며, 뛰어다니는 것을 멈추고 우리를 바라보곤 했다. 결국, 이 '만성적이지만 정상적인' 사람들 중 한 명이 우리의 침착함의 비밀을 물었다. 그룹원들이 서로 듣고 대화하는 것뿐이라고 대답하자, 그들은 이 대답을 믿을 수 없다고 했다. 믿을 수 없다는 사람들 중 한 명이 "그런데 무슨 약을 먹고 있어요? 무슨 프로그램에 참여하고 있어요?"라고 물었다. 우리 그룹은 약물과 전혀 관련이 없다고 대답했다. 우리는 단지 우리의 마음을 따르고, 진심으로 서로의 말을 듣고 있었을 뿐이었다. 우리 그룹은 경직되게 주어진 프로그램을 따르지 않았다. 오히려 우리는 현재의 순간에 삶이 드러나도록 격려하고 있었다. 정상으로 분류된 몇몇 사람들은 텔레비전 카메라를 가지고 왔지만, 그들이 관찰할 수 있는 것은 그룹 소속 사람들이 매우 개방적이고 서로에게 인간적이라는 것뿐이었다.

이것이 우리가 배워왔고 공유하고 싶은 동료 지원의 메시지이다. 사회에 대한 부담과 위협으로 보이기보다는, 더 많은 사람들이 빠져들고 있는 극단적인 정서적 상태들에 관한 가치 있는 정보의 원천으로 우리가 활용될 수 있는 날이 오기를 바란다. 우리는 과거 그런 상태에 있었고, 지금은 거기서 되돌아와 인간성 회복에 도움이 되는 우리의 경험을 공유하고 있다.

나는 내 감정을 안전한 거리에 묶어두기보다는 어떤 감정이 솟구쳐 오르면 그 감정에 조율해서 나의 삶을 사는 것이 더 충만하다는 것을 알게 되었다. 나는 이제 모든 것을 객관적으로 사고하는 것을 원하지 않고, 세상을 경험하는 것을 피하기를 원하지 않는다. 저명한 인류학자이자 사회과학자인 그레고리 베이트슨Gregory Bateson이 쓰기를, "다른 어떤 중요한 것과 구분되어 있는 … 다른 중요한 것이 거기 있다고 믿는 나를 볼 때가 자주 있다"라고 했다. 나는 스물다섯 살 때 개울가의 바위 위에 서서 베이트슨이 한 말과 아주 유사한 경험을 했다. 나는 다른 모든 생명체들과 연결되어 있음을 느꼈다. 나는 깨달았다. 우리는 모두 지구에 닿아 있고, 그것을 통해 서로가 연결되어 있다는 것을 말이다. 이것이 내가 '살아가기의 과정'을 경험하는 순간이었다. 이것은 마치 반쪽만 살아 있었던 나의 삶이 끝난 뒤 새로운 삶이 시작되는 것 같았다. 나의 생명의 중심과 연결되어 있는 느낌을 받았다. 내가 처음으로 충만하게 존재한다고 느끼는 순간이었다. 그래서 나는 베이트슨의 말을 바꿔서 "어떤 생명체도 다른 생명체와 분리되어 있지 않다"라는 것을 깨달았다고 말하고 싶다.

그 개울가에 있던 그 순간, 나는 그때까지 다른 사람들로부터 나 스스로를 분리해 왔다는 것도 깨달았다. 그 순간 나는 내면 깊숙한 곳의 나, 트라우마로 인해 성장이 멈추었던 나와 연결되었다고 믿었다(돌이켜 보면, 나는 덜 급작스러운 방법으로 그런 깨달음을 얻을 수 있었으면 좋았을 것이다). 바위 위에 서 있을 때의 그 순간, 나는 나의 '침묵하는 내면의 존재'를 발견했다. 이것은 제4장 서두에서 인용한 명상에서 루이스 에벌리Louis Évely가 주장했던 우리의 한 부분이다. 최근에 나는 에벌리의 명상을 다시 보면서, 회복에 관한 이야기를 시작했다. 아래에서 그의 말을 살펴보겠다. 그의 말은 이제 나에게 더욱 깊은 의미를 가지게 되었기 때문이다.

사람을 사랑하는 것은 소환하는 것을 말한다
　　가장 큰 소리로 가장 고집스러운 목소리로.
그것은 그들 안에 있는 어떤 것을 휘젓는 것이다
　　침묵하고, 숨어 있는 존재를
　　우리 목소리를 듣고 깨어나지 않을 수 없는 존재 —
　아주 새로운 존재
　　　그를 갖고 있는 사람조차
　　　그를 몰랐지만
　　그리고 너무나 솔직해서
　　　그를 알아보지 않을 수 없는
일단 그를 알아보게 되면 …

누군가를 사랑하는 것은 그들에게 살아가도록 요청하는 것이고

성장하도록 초청하는 것이다.

사람은 성숙해질 용기가 없기 때문에

누군가 그들을 신뢰하지 않는다면,

우리가 만나는 그들에게 우리는 다가가야 한다

그들이 성장을 멈춘 단계에서 …

나는 내 내면에 침묵하는, 숨겨진 그 존재를 알지 못했다. 더 깊은 곳에서는, 나는 내 삶이 아닌 다른 사람의 삶을 살고 있었다는 것을 알았다. 나는 나에게 기대했던 삶을 살고 있었다. 나는 가족의 기대를 충족시켜야 한다고 믿었다. 내 가족들의 역사가 무겁게 내 어깨를 짓누르고 있다고 느꼈다. 내가 프린스턴 대학교에 다니는 여섯 번째 세대가 될 것이라고 자주 내게 환기시켜 주었다. 첫 침묵의 상태를 경험할 때, 친구들이 볼티모어에 있는 정신병원까지 나를 데려다줬을 때, 나는 실제로 가족사를 눈으로 떠올리고 있었다. 밤하늘의 별을 보면서 그것이 항상 나를 내려다보는 선조들의 눈이라고 생각했다. 그들은 자신들의 기대를 충족시키지 못하는 나를 책망하고 있었다. 내 내면의 존재는 그들이 내게 원했다고 믿는 존재에 순응하지 못했음을 나는 알지 못했다. 내 내면의 솔직한 어떤 중요한 것은 실험실의 과학자의 삶을 편안해하지 못했던 것이다. 에벌리가 썼듯이, 이것은 "너무 솔직한 존재여서, 일단 발견하기만 하면 알아보지 않을 수 없다".

내가 위기를 겪고 있었을 때, 내 내면의 존재는 더 예술적이고 사람들과 함께 있기를 원한다는 것을 나는 알기 시작했다. 어떤 미술 선생님이 나의 경직된 순응주의적 조각품을 산업주의자의 창조물이라고 비판했을 때, 그는 나의 단선적인 사고가 시각적으로 나타난 것을 지적하고 있었던 것이다. 나

는 한 가지 버전만의 세상을 살아가고 있었다. 부모와 선조들이 내게 물려준 그 버전. 이것이 나를 솔직한 자아로부터 떼어놓았다. 나는 그런 삶에 대해 "아니요"라고 말하기 시작했다. 내가 죽었다고 느꼈기 때문이다.

> 누군가를 사랑하는 것은 그들에게 살아가도록 요청하는 것이고
> 성장하도록 초청하는 것이다.

오픈 다이얼로그에서, 사람들 사이에 대화의 공간이 만들어지고, 거기로부터 생명이 떠오른다. 이런 생각을 통해 나는 내 경험들을 기억할 수 있게 되었다. 나는 '없는' 생명의 '없는' 공간에서 떠오르기 위해 애쓰고 있었다. 내가 가장 어두웠던 시간에 있었을 때, "아마도" 또는 "아니요"라고 말했던 삶의 시간이 지난 후 비로소 삶에 대해 "예"라고 말할 수 있었던 것이 그렇게 중요했던 이유였다. 이것은 미하일 바흐친의 목적설정 불가성 이론과 유사하다. 오픈 다이얼로그의 실천은 결론이나 계획 또는 해결책을 회피한다. 내가 삶에 관한 내 생각의 목적설정성을 느꼈을 때, 나는 삶에 대해 "아니요"라고 말했었다. 나는 종종 청중에게 '목적설정 불가능'이라는 용어가 그들에게 무엇을 의미하는지 묻는다. 여기에 그들의 대답의 예가 있다. 그것은 유연하고, 사람의 필요에 따라 변화하며, 반응적이고, 개방적이며, 영원하고, 시작도 없고 끝도 없는 것이다.

정신병원에서 일하는 여성 동료의 다음 설명은 현재에 존재하는 것, 반응적인 것이 삶의 (재)창조에 얼마나 중요한지를 보여주는 좋은 예이다.

나는 최근에 입원한 젊은 여성이 집중해서 그림을 그리는 것을 보았어요. 우리는 함께 앉았고, 나도 그림을 그리기 시작했는데, 그녀는 울어버렸어요. 우

리는 영성에서 우리의 관심사를 공유했어요. 그 여성은 정신병원에 오면 더 집중적인 세러피therapy를 받을 수 있었다는 얘기를 들었다고 불평했어요. 하지만 그녀는 입원 후 정신과 의사에게 간단한 의료검사만 받았을 뿐이었어요. 그 뒤 그 젊은 여성은 바로 깨달음을 얻었다고 말했어요. 그녀는 삶이 시작하는 곳이기 때문에 현재 이 순간이 중요하다는 것을 깨달았던 거예요. 내가 그녀를 지원했기 때문에 그런 생각이 불현듯 떠올랐다고 말했어요. 나는 스트레스를 받는 사람을 지원하기 위해서 정서적 심폐소생술을 배우고 있다고 그녀에게 말해주었어요. 그녀는 내 무릎을 토닥이며 "당신은 그 과정을 통과했어요"라고 말했어요.

나는 이 두 여성 사이의 경험의 깊이가 매우 감동적이라는 것을 알았다. 나는 또한 삶을 다시 새롭게 시작할 때 현재의 순간이 얼마나 중요한지, 또한 현재의 순간을 누군가와 함께 경험하는 것이 얼마나 중요한지에 대해 놀라움을 금치 못했다. 에벌리가 썼듯이, "사람은 누군가 그들을 신뢰하지 않는다면 성숙해질 용기가 없다". 전국역량강화센터NEC의 직원이 한 인터뷰는 위기에 처한 사람에 대한 변함없는 믿음을 보여준 누군가의 존재가 그들의 회복에 결정적 역할을 한다는 것을 보여준다.

나는 심각한 정서적 스트레스를 겪는 사람들이 내가 그랬던 것처럼 그들의 삶의 발달에서 방해를 겪었다고 믿는다. 가장 깊은 트라우마가 이런 방해를 가져오는데, 그런 트라우마는 자신이 그토록 갈망하던 자아가 될 수 없다는 확신이 축적되면서 비롯된다. 삶의 회복이 필요한 사람을 도울 때, 내면 깊은 곳의 자아에 있는 그 사람에게 다가갈 필요가 있다. 에벌리가 이를 잘 언급했다.

우리가 만나는 그들에게 우리는 다가가야 한다

그들이 성장을 멈춘 단계에서

희망 없다고 그들을 포기한 곳에서,

그리고 단절되어

스스로에게 고립되고

은밀하게

두꺼운 껍데기로 뒤집어씌우기 시작한 곳에서

그들이 혼자라고 생각하기 때문에

그리고 누구도 신경 쓰지 않기 때문에.

우리가 만나는 사람들에게 정서적 차원으로 다가가는 것이 매우 중요하다. 왜냐하면 그 시점의 정서적 차원은 필연적으로 성장을 멈춘 곳이기 때문이다. 나의 개인적 정신증 경험이 보여주듯이, 단어들은 그 의미를 잃을 수 있다. 때로는 '성장을 멈춘' 그 단계의 누군가에게 진심으로 다가가기 위한 유일한 방법은 비언어적 소통을 통한 것이다. 이것은 미소, 부드러운 어조와 몸짓, 음악의 단계이다. 이것은 특히 도움이 필요한 동물과 아이가 우리에게 다시 가르치는 단계이다. 정서적 심폐소생술을 가르칠 때마다 비언어적 소통의 중요성을 뼈저리게 환기하곤 한다. 베데스다 해군병원의 위생병들이 진심으로 신경을 쓰고 있다는 것을 전달함으로써 내게 다가설 수 있었던 것처럼, 내면 저 깊은 자신의 보호막에 숨어버린 사람들에게 다가가기 위해서는 우리가 진심으로 신경을 쓰고 있다는 것을 보여줄 수 있어야 한다.

그들이 자기 내면에 고립된 초기 단계에서 그 사람에게 다가서는 것이 가장 좋은 방법이다. 그 시점에서는 그들은 보통 그들의 사회적 관계망에 있는 사람들 속에 여전히 있고, 그들과 다시 연결할 수 있다. 이것이 핀란드에서 온 오픈 다이얼로그 접근법의 장점이다. 거기에서 실천하는 것처럼, 오픈 다이얼로그 실무자들은 스트레스를 받는 사람의 관계망만이 아니라 그들에게도 신속하게 응답한다. 그들은 연결을 지속하면서 그 사람과 사회적 관계망이 이를 이어받도록 한다. 필요한 연결 맺기를 해줄 수 없었던 가족들을 비난하지 않는 것이 중요하다는 것을 그들은 깨달았다. 가족들도 스스로 어쩔 수 없이 심각한 스트레스에 빠져 있다. 때로는 그 가족들도 자신의 보호막 껍데기 안으로 숨어든다.

✚ 동료와 함께 대화를 통한 회복을 활용하기

이 책을 쓰는 동안, 나는 동료 두 명과 가족 구성원 한 사람이 5일 동안 극심한 정서적 상태를 경험하는 한 친구와 시간을 보내고 있는 곳에 함께 있었다. 이 상황은 비언어적 동료 지원의 결정적 중요성을 다시 한번 나에게 보여주었다. 우리는 5일 동안 지속적으로 정서적 심폐소생술과 오픈 다이얼로그를 실시했다. 그러면서 우리는 매우 중요한 연결 맺기를 유지하려고 노력했다. 우리 중 몇 명이 연결 맺기를 강화할 수 있을 동안, 그 당사자는 침착하게 있으면서 간단한 말을 이해할 수 있었다. 하지만 우리 중 누가 떠나야 하거나 다른 곳에 주의를 돌릴 때, 그녀는 고뇌와 고통으로 울었다. 그 당시 그녀는 우리가 '묶여' 있기를 요청했던 것 같다. 스트레스를 받던 그 사람이 개인적으로 하는 말의 의미를 알고 있던 우리 중 어떤 동료로부터 '묶여 있기'는 손을 잡아 연결되어 있는 것을 나타내기 위해 그들이 만들어낸 단어라는 것을 알게 되었다. 그 후, 우리는 종종 둘러앉아 손을 잡고 최대한 눈길을 맞추면서 묶여 있었다.

스트레스를 받던 친구가 같은 말을 반복적으로 내뱉자 묶여 있기 과정이 진행되었고, 우리 사이의 연결도 강화되었다. 우리가 그녀의 말을 반복함으로써 우리는 그녀의 역량을 강화시켰다고 믿는다. 우리가 그녀의 현실을 인정하고 있었기 때문이다. 그녀가 "묶여… 묶여…"라고 말할 수 있을 때, 그리고 그 말을 우리가 반복하면서 손을 맞잡았을 때 역량강화가 가장 잘 이루어졌다. 이렇게 반복함으로써 우리는 그녀가 무슨 생각을 하고 있는지를 이해할 수 있었다.

다른 때에, 그녀는 자주 "우리는 세상 모든 시간을 갖고 있다"라고 말했다. 처음에 묶여 있기를 하면서 우리는 그 말을 반복하곤 했다. 점차, 반복되는 이 구절에 대한 그녀의 반응을 지켜본 후 우리는 왜 그녀가 이 말을 했는지 이해했다. 그녀는 우리가 너무 빨리 말하고 움직인다는 것을 상기시켜 주려 노력하고 있었다. 그것이, 너무 서두른다고 말하는 그녀 방식이었다. 그녀가 종종 반복하는 다른 말은 "그건 역설이야"였다. 우리는 그녀가 암시하는 역설이 자발적인 지원과 약물 중단에 대한 그녀의 욕구라는 것을 이해하게 되었다. 비록 그녀의 행동 때문에 우리는 그녀에게 약물을 복용하라고 권하고, 단기의 비자의 입원을 권하고 있음에도.

✚ 산티아고 이론: 삶에 대한 대화적 접근

이전에 나를 치료했던 조지 셈치신George Semchyshyn은 최근 나에게 산티아고 이론the Santiago Theory을 알려주었다. 그것이 자신에게 중요하다고 말했다. 그것이 자신의 의료시술에 정보를 제공해 준 것은 없다고 인정하면서도, 인생을 통해 배운 본능을 강화시켜 주었다고 말했다. 프리초프 카프라Fritjof Capra가 자신의 저서『생명의 그물The Web of Life』에서 산티아고 이론을 어떻게 묘사했는지 다음에 적어두었다.

살아 있는 생명체living systems의 과정적 측면의 이해는 … 정신, 즉 인식에 대한 새로운 개념을 함축한다. 이 새로운 개념은 그레고리 베이트슨이 제안했고, 마투라나Maturana와 바렐라Varela가 완전히 정교하게 만들었다. 그것은 인식에 대한 산티아고 이론이라고 알려져 있다.

산티아고 이론의 핵심 통찰은 인식, 즉 지식의 과정을 삶의 과정과 일체화시키는 것이다. 마투라나와 바렐라에 따르면 인식은 자기창조나 자기제작 혹은 자기생산을 하는 활동이다. 즉, 인식은 바로 삶의 과정이다.

우리는 여기서 암묵적으로 인식의 개념, 즉 정신의 개념에 대한 급진적 확장을 다루고 있는 것이 명백하다. 이런 새로운 관점에서 인식은 ─ 인지, 감정, 행동을 포함한 ─ 삶의 전 과정을 포함한다. 뇌와 신경계가 반드시 필요한 것은 아니다.

사고思考에 대한 산티아고 이론에 따르면, 정신과 물질은 이제 두 개의 분리된 범주에 속하는 것으로 보이지 않는다. 그 대신, 정신과 물질은 삶의 과정과 구조의 보완적인 측면을 나타내는 것으로 볼 수 있다. 모든 생명체에서, 초단순세포에서 시작하는 것, 정신과 물질, 과정과 구조는 불가분적으로 연결되어 있다.

산티아고 이론을 확장하게 되면, 우리는 정신적 스트레스를 뇌의 화학적 불균형으로 인한 생물학적 질병의 한 형태로 좁게 정의하는 것이 잘못임을 알 수 있다. 화학적 불균형으로 인한 생물학적 질병이라는 정식화는 삶의 과정적 측면을 부정한다. 약물치료만으로 정신건강을 가져올 수 있다고 주장하는 것은 근시안적이다. 정신적 스트레스는 우리의 사회적 관계망과 우리 존재의 모든 영역, 즉 정신적·육체적·사회적·영적 영역을 고려할 때 비로소 이해될 수 있다. 나아가 살아 있는 제도들의 자기 창조성의 중요성은 회복

운동의 주요한 원칙인 자기결정을 강화한다. 회복은 자기 안에서 새로운 삶을 창조하기 위해 하는 것이다. 회복은 누군가에게 혹은 누군가를 위해 실행되는 것일 수 없다.

대화는 인식의 세계와 삶의 세계를 잇는 가교 역할을 한다. 산티아고 이론이 인식으로 제시한 삶의 활동들은 살아 있는 존재와 그들을 둘러싼 환경 간의 대화, 살아 있는 존재들 간의 대화, 그리고 살아 있는 존재 내부의 대화이다. 대화는 산티아고 이론이 삶의 기초라고 묘사한 삶의 과정에 의미를 부여한다. 정신건강 상태가 트라우마로 유발된 삶을 촉진시키는 과정에 생긴 방해물 때문이라면, 대화가 그 과정을 재개하는 데 도움이 될 수 있다는 것을 이해할 수 있다.

대화를 통한 실천의 지지자들은 산티아고 이론의 제안에 더 큰 통찰력을 제공한다. 대화의 상호 작용에서, 이전에 누구도 상상하지 못했던 새로운 의미가 생긴다. 이렇게 개인들의 세계를 함께 엮어가는 것은 한 사람의 좁은 주관성을 넘어 확장되어 새로운 지평을 연다. 역설적이게도, 공유된 우리의 고통을 통해 우리는 함께 모이게 된다. 대화를 통해 우리는 안전하게 우리의 고뇌를 나눌 수 있고 함께 꿈꿀 수 있다. 대화를 통해 우리를 분리시키는 사고체계를 넘어설 수 있다. 이오네스코Ionesco가 말했듯이, "이념은 우리를 분리시킨다. 꿈과 고뇌는 우리를 하나로 모은다".

✚ '공동체 삶의 대화를 통한 회복'을 통해 건강한 세계 구축하기

우리는 심각한 세계적 위기에 직면해 있다. 정신적 스트레스는 몇몇 불행한 사람들의 배타적 영역이 아니다. 그 대신 우리는 지난 세기 동안 인류가 견뎌낸, 누적되고 집단적인 트라우마로 야기된 지구상의 많은 이들의 스트레스 징후를 보았다. 우리가 의식화되면, 우리는 동시에 우리 주변의 고통에 대해 더 넓은 감수성을 가지게 된다. 우리는 모두 두 차례의 세계대전과 냉전, 테러와의 전쟁, 경제적 불평등, 기후 변화, 그 밖에 더 많은 트라우마를 겪었다. 종종 인터넷을 통한 지속적인 정보 유출은 이런 고통을 더욱 증폭시킨다. 이런 트라우마들이 우리 공동체로부터 평화와 결속력을 훔쳐 갔다. 우리의 지구촌을 재건하기 위해서는 새로운 패러다임으로서 개인들 사이의 의사소통이 필요하다. 탐욕과 지배 대신 이해와 존중을 바탕으로 한 패러다임.

트라우마는 한 사회를 독백적 반응의 덫에 갇히게 할 수 있다. 위험한 상황에서는 독백적 반응이 한 공동체를 통합하는 데 유용하다. 경계와 신속한 대응에 주의를 집중할 수 있기 때문이다. 그러나 장기간에 걸친 전투 또는 고난의 반응은 소진과 분열로 이어진다. 개인의 경우에도 그렇고 공동체로서의 우리도 그렇게 될 수 있다. 사회의 구성원들이 자신의 감정을 억누르고 권력자의 감정이 그들에게 무엇을 해야 하는지를 말하도록 허용할 때 한 사회는 독백적으로 반응한다. 오늘날 우리는 이런 세계적인 비인간화에 직면해 있다.

공동체를 치유하고 재건하기 위해서, 나는 '공동체 삶의 대화를 통한 회복', 즉 개인 간의 의사소통을 증진시키는 철학과 일련의 실무 관행을 제안한다. 이 철학은 극도의 정서적 스트레스를 견뎌낸 후 자신의 삶을 회복한 전 세계 수천 명의 공유된 실제 경험으로부터 자라났다. 우리는 사람들이 어디에서나 우리가 회복하고 있는 그 트라우마를 공유하고 있다는 것을 발견했다. 우리는 또한 우리 삶의 지속적 회복은 모든 사람들이 우리와 함께 세계 시민이라는 의식을 나눌 때 지속될 수 있다는 것을 알게 되었다. 우리만으로는 삶을 회복할 수 없다. 사랑, 신뢰, 연민의 순환을 확장하는 데 우리는 서로를 필요로 한다.

기계화의 죽음의 맹공격이 더욱 만연해짐에 따라, 우리는 '인간 됨'이라는 의미를 되찾을 필요가 있다. 우리의 협력적 과제는 '독백적 행동'에서 '대화적 존재'로 전이함으로써, 평화롭고 결속력 있는 세계 공동체를 구축하는 것이다.

✚ 트라우마를 가진 세계에서 공동체 삶의 회복

정신건강과 중독 상태에서 회복된 경험 있는 우리는 공동체 삶의 대화를 통한 회복을 통해 전 세계적인 삶의 회복을 주도할 수 있다. 우리의 지도력 역량을 더욱 발전시키기 위해서는 더 많은 지원이 필요하다. 상당한 집단적 지혜를 가지고 있지만, 우리가 배운 것을 체화시킬 필요가 있다. 나는 정신건강과 일반 건강에 대한 인간화된 접근방식을 발전시키는 것이 시급하다고 믿는다. 왜냐하면 공동체는 건강의 기초가 되는데, 비인간화된 단체들이 공동체를 해체시키고 있기 때문이다. 그들은 응집력 있는 이런 공동체를 상업주의와 소비로 대체하고 있다. 지금 실천해야 할 여섯 개 영역은 다음과 같다.

모두를 위한 정서적 심폐소생술. 심장과 심장으로 대화하는 법을 배우는 것이 정서적 심폐소생술의 본질이다. 지난 7년간 정서적 심폐소생술을 발전시켜 온 사람들은 그 정신이나 원칙을 잃지 않고 정서적 심폐소생술을 보다 폭넓게 도입하고 있다. 정신질환 경험 있는 사람들은 아직 진단받지 않은 사람들보다 정서적 심폐소생술 접근법을 더 깊이 이해하는 것이 분명하다. 그러므로 우리는 이 접근법의 개발과 실행을 계속해서 이끌 필요가 있다. 그러나 정서적 심폐소생술은 단순히 위기상황만이 아니라 훨씬 더 널리 사용될 수 있다. 일상적인 의사소통에도 도움이 된다. 따라서 정서적 심폐소생술의 사용을 가정, 직장, 놀이 등 일상적인 의사소통으로 확산시키는 것이 중요할 것이다. 실제로 한 촉진자는 정서적 심폐소생술eCPR의 R를 '재창조Re-creation' 혹은 '오락Recreation'이 되도록 하자고 제안했다. 진정 우리는 인간적인 세계 공동체를 재현하기 위해 노력하고 있다.

정신건강 문제를 가진 사람들을 치료하기 위한 오픈 다이얼로그 접근법을 개발하고 구현하기. 급성기 정신병을 치료하는 매우 성공적인 접근법은 다양한 정신건강 상태에 응용되기 시작하고 있다. 그러나 오픈 다이얼로그 접근법은 충분히 상세하게 문서화해야 한다는 도전에 직면하고 있다. 그래야만 그 본질을 잃지 않고 전파될 수 있다. 정서적 심폐소생술은 오픈 다이얼로그를 보완하기 때문에, 두 가지 방법을 같이 실천함으로써 후자를 더 적극적으로 가르칠 수 있다. 나는 핀란드 개발자들과 긴밀하게 협력하고 있는 매사추세츠 의과대학을 중심으로 한 실무팀의 일원으로, 핀란드 개발자들의 그 진수를 유지하면서 오픈 다이얼로그를 미국으로 가져오고 있다.

정신건강 문제를 겪는 사람들의 사망률을 줄이기 위한 약물 최적화. 정신질환을 가진 사람들은 일반인보다 평균 25년 일찍 사망한다. 핀란드의 연구에서는 약물이 이러한 조기 사망에 중요한 역할을 한다는 것이 밝혀졌다. 급성 정서적 스트레스 상태에 있는 사람들을 돕는 유일한 도구로서 약물복용에 대한 강조를 줄이는 것이 중요하다는 것을 정신건강 분야에 있는 사람들에게 가르칠 필요가 있다. 우리는 극심한 감정적 상태가 질병이 아니라 훌륭한 선생님이라는 것을 이해해야 한다. 협소한 의료모델에서 발달과 회복의 역량강화 패러다임으로 우리의 생각을 전환하는 것이 정신건강 문제에 대한 1차적인 해법으로서 약물복용에 대한 지나친 의존을 줄이는 데 도움이 될 것이다. 그 대신 정신과 약물에 잠재된 치명적 효과를 해독할 수 있게 도와주는 프로그램과 장소를 마련해야 할 것이다.

회복적 대화를 통한 문화 변화를 만들기. 사람들이 정서적 심폐소생술과 오픈 다이얼로그를 통해 심장과 심장으로 하는 대화를 이해하고 체화하기 시작하면서, 회복적 대화를 통해 그들은 더 큰 조직적 변화에 영향을 줄 수 있다. 정신질환 경험 있는 사람들이 의사결정자를 회복에 관한 대화에 참여시키면, 정책과 재정은 대화를 통한 공동체의 회복을 지원하는 것으로 바뀌게 될 것이다. 이 대화들은 예술, 영화, 텔레비전, 소셜 미디어를 통해서도 공개적으로 수행될 수 있다. 더 많은 사람들이 그들의 회복 이야기를 공유하면, 대중들은 그들이 이해하지 못하는 공동체에 대한 두려움이 더 줄어들 것이다. 그러면 회복 프로그램은 필요한 지원을 받을 것이고, 정신질환 경험과 관련된 편견은 줄어들 것이다.

우리 없이는 우리에 관한 어떤 것도 없다. 유럽에서는 정신질환 경험이 있는 사람들을 '경험에 의한 전문가'라고 부른다. 우리는 정신질환으로부터의 회복 경험의 전문지식을 실어 나른다. 따라서 정신건강에 관한 신자유위원회 보고서에서 요구하는 바와 같이, 우리는 삶의 회복에 대한 제도적 접근법의 변혁을 선도할 필요가 있다. 경험을 통해 전문가가 된 우리는 변화의 모든 측면에 의미 있게 참여함으로써, 정신건강 서비스 제공자를 재교육하고 그 효과를 평가하는 것에서부터 정책 형성, 재정 개혁, 지역사회 기반 서비스의 제공까지 변혁을 구현하고 있다.

회복 센터와 정신병원 입원에 대한 대안. 산업화된 공동체가 응집력을 가질 수 있을 때까지, 소외된 정신질환 경험이 있는 사람들을 위한 대안적 사회관계망을 만들어야 할 것이다. 정신질환 경험이 있는 사람들이 운영하는 회복센터와 공동체는 이러한 필요를 충족시키기 위해 늘어나고 있다. 이 센터들 중 많은 곳은 정신장애인과 중독자들을 위해 개발되고 있다. 이 센터들은 위기에 처한 사람을 위한 동료들이 운영하는 위탁 돌봄에서부터 식사 혹은 친구가 필요한 사람을 위한 사교 센터에 이르기까지 다양한 사회적 요구를 다루고 있다. 현재는, 어떤 사람이 극심한 정서적 스트레스에 처해 있고, 가정에서 독립적으로 기능할 수 없을 때, 정신병원 입원이나 감옥 수감 외에는 다른 선택의 여지가 거의 없다. 이러한 기관들은 가정이나 지역사회 기반의 대안보다 비용이 더 많이 들 뿐만 아니라 더 큰 트라우마를 가져다준다. 나는 정신질환 경험이 있는 사람들이 동료가 운영하는 대안적 형태의 기관들을 제도화하기 위해 계속해서 개발하고 확장할 것이라고 예측한다. 이것들은 과거의 주민센터 혹은 사회복지관의 새로운 형태가 될 것이다. 나는 또한 주민센터의 새로운 형태가 더 나은 사회를 건설하는 모델이 될 것이라고 예측한다.

※

나는 우리가 더 밝은 미래를 가질 것이라고 자신 있게 결론짓는다. 나는 우리가 피에르 테야르 드 샤르댕Pierre Teilhard de Chardin이 묘사한 '인간 생활권noosphere'의 개념과 유사하게 세계적인 차원에서 의식의 변혁을 목격하고 있다고 믿는다. 테야르에 따르면, '인간생활권'은 사랑을 통해 진화되는 의식의 영역이다. 나는 세계의 의식이 다양한 인간에 대한 더 큰 존경, 수용, 이해를 포괄하기 위해 변화하는 것을 보았다. 우리는 전 세계적으로 변화가 일어나는 것을 보고 있다. 정신질환 경험이 있는 사람들 사이에서, 가장 심각한 상태로 진단받은 사람들뿐만 아니라 아직 진단받지 않은 사람들에게도 희망을 가져다주기 위한 움직임이 활발하다. 한 사람이 회복의 진실을 말할 때마다, 정신질환은 평생 장애라는 신화가 해체된다. 우리가 회복될 수 있다는 증거이다. 형제, 자매들이 희망을 빼앗기는 것을 보는 한 우리는 쉬지 않을 것이다.

무엇보다도, 이 책을 쓰는 데에서 나의 목표는 정신건강에 문제가 있는 모든 사람, 즉 이미 정신질환 딱지가 붙어 있는 사람들과 아직 딱지가 붙지 않은 사람들에게 희망을 가져다주어 그들 역시 공동체 안에서 완전하고 의미 있는 삶을 살 수 있도록 하는 것이다. 나는 사람들에게 잘못된 희망을 주는 것으로 비난을 받았지만, 그것이 현재 사회가 제공한 잘못된 절망보다 낫다고 주장한다.

감사의 글

나는 이 책을 정서적 고통을 겪은 모든 사람, 그들의 친척과 친구들에게 바친다. 내가 쓴 바와 같이, 나는 주디 체임벌린, 레이 언지커, 샐리 진먼, 레너드 프랭크, 조 로저스Joe Rogers, 데이비드 오크스David Oaks, 실리아 브라운Celia Brown, 하위 더 하프 등 우리 운동의 초기 지도자들의 영혼을 내 심장 가까이 두었다. 나는 또한 정신건강 시스템을 오히려 더 돌봄의 장소로 만들기 위해 나와 함께 투쟁해 온 모든 사람들로부터 영감을 받았다. 나는 길을 잃고 고통을 겪는 사람들을 인간적으로 도울 방법에 대해 더 깊은 이해가 필요한 사회, 길을 잃은 사회에 이 책을 바친다.

또한 내가 글을 쓰도록 격려해 주고, 나만의 그림을 그리라고 재촉해 준 딸들에게 감사하고 싶다. 사랑을 통해 나 자신을 더 깊게 이해하도록 도와준 아내 티시에게 감사한다. 계속 글을 쓰라고 지속적으로 격려해 주신 어머니께도 감사드린다. 킴 스미스Kim Smith는 내가 삽화를 좀 더 선명한 형태로 만드는 것을 도와주었다. 앨런 안드레Alan Andre, 앤 위버Anne Weaver, 프랭크 제라체Frank Gerace로 이루어진 편집 팀과, 본문 배치와 교정을 담당하고 격려를 보내준 제인 테넨바움Jane Tenenbaum에게도 감사를 전한다. 마지막에 원고를 읽어주며 부족한 곳에 일관성을 더해준 미셸 커런Michele Curran에게 특별한 감사를 전하고 싶다.

'자기 목소리 찾기' 교육

'자기 목소리 찾기' 교육에는 세 가지 목표가 있다. ① 각자의 개인적 목소리를 개발하는 것, ② 집단으로서 협력하는 법을 배우는 것, ③ (새롭게 발견한 목소리로) 타인의 다른 관점과 대화하는 데 참여하는 것을 배우는 것이다.

각자의 개인적 목소리를 개발하는 교육을 할 때, 우리는 자신의 '자아self'와 그룹에 연결하는 여러 단계를 경험한다. 여기에는 분노를 열정으로 바꾸고, 각자의 목적을 찾는 것이 포함된다. 많은 동료들에게, 이러한 기술은 잘 발달되어 있지 않았다. 한때 독백에 갇혔던 사람 중에는 다른 사람들과 협상하는 데 필요한 기술을 개발해야 할 사람이 있을 것이다. 교육 중, 참가자는 대화에 참여하고 대화를 촉진하는 데 필수적인 기술을 배우게 된다. 그렇게 해서 그룹 내에서 협력하는 법을 배운다. 교육은 함께 계획을 세우는 일을 함으로써 마무리한다. 계획을 세운 후 각자 그룹에서 발표를 한다. 다음은 '자기 목소리 찾기'의 핵심인 열두 가지 역량강화 원칙이다.

✚ 원칙 1: 동료 지원

'자기 목소리 찾기' 교육의 첫 단계는 참가자들을 인간적으로 서로 연결하는 것이다. 이것이 바로 동료 지원의 본질이다. 본능적으로 소비자/생존자 운동은 동료 지원Peer Support이 얼마나 중요한지 알았다. 우리는 내면의 가장 깊은 진리를 다른 사람들과 공유함으로써, 인간으로서의 완전성을 깨우치게 함으로써 개인적·집단적 진화를 강화해 나가게 된다.

우리는 다른 사람들과의 관계에서 진화한다. 서로 주고, 받고, 나누고, 신뢰함으로써 우리의 역량은 더 강화되고, 대인관계의 역동성을 인식하게 된다. 우리는 우리의 가장 중요한 발전은 상호 신뢰와 이해의 관계를 통해 이루어진다는 것을 배운다. 다른 사람들과의 관계에서만 우리 자신을 알 수 있듯이, 다른 사람들과의 대화에 참여함으로써 비로소 우리의 목소리를 찾을 수 있다. 아마도 대화의 가장 어려운 교훈은 다른 사람의 신념에 마음을 여는 것의 가치를 배우는 것이다. 이것은 자신의 목소리를 정의하는 데 매우 중요하다. 우리는 다양한 가능성을 고려한 후에야 비로소 우리 자신의 관점을 더 적극적으로 구성할 수 있다. 다른 사람의 관점을 받아들이는 것은 약간의 내면적 안정성을 필요로 한다. 다른 사람의 관점으로 자신의 관점이 대체되는 것을 두려워하는 것은 드문 일이 아니다. 내가 자라면서 그런 감정을 느꼈던 것을 분명히 기억할 수 있다. 나는 내밀한 관계를 맺는 것에 큰 어려움을 겪었다. 그것은 여자친구가 내 인생을 좌지우지할까 봐 염려했기 때문이다. 내 의견을 낼 수 없게 될까 봐 두려워했기 때문이다. 그러나 나만의 목소리를 개발한 후, 나는 내밀한 관계를 더는 두려워하지 않게 되었다.

✚ 원칙 2: 삶의 회복 원칙

2002년 정신건강 신자유위원회New Freedom Commission 회의의 시작부터 나는, 위원회의 최종 권고 사항에서 모든 부분에 '삶의 회복'과 '자기결정'이 가장 중요한 원칙에 포함되기를 바랐다. 나는 나 자신을 회복에 대한 전문가라고 생각했고, 소비자/생존자와 그 가족들이 회복의 개념에 영감을 받았다는 것을 일을 통해 알았다.

또한 나는 정신건강 분야는 이미 서로 다른 의제로 인해 크게 분열되어 있었기 때문에 회복이 위원회를 통일시킬 수 있는 주제가 될 수 있다는 것을 알았다. 가령 강제치료의 사용과 같이 합의가 있을 수 없는 어떤 주제에 반대하는 것은 사람들을 통합시키기에 아주 어려운 방법이다. 강제치료 일반을 비난하기보다는 회복으로 이끌 대안적 접근법을 옹호하는 것이 더 유용할 때가 많다.

회복의 기초가 되는 모든 원칙 중에서, 정신건강 문제를 실제 경험한 사람들은 자기결정이 가장 중요하다고 생각한다. 위원회의 요약문에서 우리는 개인과 집단 차원에서 자기결정을 적용하여 정신건강 시스템을 '회복 기반 시스템recovery-based system'으로 전환하는 계획을 제시했다. 나는 우리의 권고 사항을 목표와 목적을 가진, 비전 선언문vision statement의 형태로 요약하도록 위원회에 촉구했다. 비전 선언문은 "우리는 정신질환을 가진 모든 사람이 회복할 미래를 본다"라는 내용으로 시작한다. 위원회의 원칙 중에는 "회복은 단순히 증상 감소가 아니라 삶의 문제에 대처하는 것에 관한 것"이라는 문구가 포함되어 있다. 위원회 보고서의 두 번째 목표는 "회복 기반, 소비자 및 가족 중심 시스템consumer-and family-driven system이 있어야 한다"라는 것이다. 이러한 원칙들은 위원회의 보고 중 가장 오래 지속된 유산이며, 전국 단위 옹호 노력에 분명히 긍정적인 영향을 미쳤다.

✚ 원칙 3: 긍정적인 태도와 자신에 대한 믿음

세상을 긍정적으로 보는 것은 전염될 수 있다. 긍정적인 태도를 가지고 있으면 당신은 멈추기 힘든 세력이 된다. 당신의 태도는 사람들이 원하든 원하지 않든 그들에게 영향을 미친다. 비록 신자유위원회에 참석한 많은 사람들이 공개적으로 회복의 개념을 지지하지는 않았지만, 개인적으로 그들은 그것에 대한 나의 열정에 대항하는 데 어려움을 겪었다. 그들은 자신이 그 개념의 희망성과 연결될 수 있음을 알았다. 한 위원은 정신병으로 고통을 겪은 친척의 이야기를 나와 공유했다. 그리고 내가 옹호하는 희망의 접근법의 일부를 그들 가족이 적용하기를 바랐다는 것을 이야기했다.

나는 우리가 시각화할 수 있는 것은 이룰 수 있다고 믿는다. 성취하는 것을 상상할 수 없는 목표를 달성할 수 있는 가능성은 적다. 나는 위원회의 회의 동안, 회의실을 둘러보면서, 조지 버나드 쇼의 희곡 〈므두셀라로 돌아가라 Back to Methuselah〉에 나오는 시를 인용하면서 부정적인 견해에 대응하곤 했다.

나는 네가 "왜?" 항상 "왜?"라고 말하는 걸 듣는다. 너는 사물들을 본다. 그리고 너는 "왜?"라고 말한다. 그러나 나는 결코 없었던 것들을 꿈꾼다. 그리고 "왜 안 돼?"라고 말한다.

나는 사물들이 항상 현상을 유지해야 한다는 믿음을 거부한다. 마틴 루터 킹 주니어가 1963년 3월, 워싱턴에서 "나는 꿈이 있습니다"라는 연설을 했을 때, 이런 관점을 전형적으로 보여주었다. 나는 그의 연설을 내 식의 연설로 바꾸어 계속 내게 말했다. "나는 정신질환으로 분류된 모든 사람이 언젠가는 회복되어 지역사회에서 충만하고 존경받는 삶을 영위할 것이라는 꿈을 가지고 있다." 사람들의 회복에 가장 자주 인용되는 요소 중 하나는 그들을 믿는 누군가가 있다는 것이다. 그것 덕분에 당신이 당신 자신과 당신의 원칙을 믿을 수 있다. 그렇게 되면 그것이 실현될 가능성이 더 높아진다.

✚ 원칙 4: 즉자적 분노를 열정적 옹호로 전환하기

아마도 트라우마의 가장 큰 피해는 우리의 가장 깊은 내면의 목소리를 표현하고 진정한 자아self를 구축하는 것을 방해하는 것이다. 진정한 자아를 구축하지 못하고 내면의 목소리를 찾을 수 없을 때, 우리는 억압된 분노 또는 두려움이 용솟음침을 경험한다. 이 분노는 갑자기 즉자적으로 나타날 수 있다. 이는 성공적인 옹호를 방해한다. 종종 소비자/생존자가 이사회에 참석하거나 의사결정기구 앞에서 증언할 때, 그들은 두려움 때문에 침묵하거나 분노를 표출함으로써 그들의 증언을 무력화시킨다. 우리 효과적인 소비자/생존자 리더들은 우리 자신의 의식의 깊숙한 내면을 성찰하고, 분노의 근원을 이해하기 위해 노력한다. 우리의 분노가 과거 우리의 목소리가 무시되었을 때 받은 상처나 굴욕의 경험들로 야기된 정당한 분노에 뿌리를 두고 있다는 것을 깨닫게 된다. 우리는 '자기 목소리 찾기' 프로그램에서 참가자들이 그들의 분노를 인식하고 그들의 지역사회의 긍정적인 변화에 영향을 주기 위해 자신의 분노를 전략적으로 사용하는 것을 배우도록 돕기 위해 이러한 문제에 세심한 주의를 기울인다.

알래스카에서 온 두 명의 옹호자는 "분노는 사용할 수 있는 것이지, 존재하는 것이 아니다"라고 말했다. 이런 식으로 분노 뒤에 있는 에너지와 화는 억누르는 것이 아니라, 건설적인 열정으로 변모된다. 그러면 효과적인 행동의 동기를 부여할 수 있다. 분노를 건설적으로 이용하는 것이 정신건강 옹호자로서 우리의 가장 큰 도전이 될 수 있다는 것이 우리의 믿음이다. 개인이나 단체 차원에서, 분노를 표출하는 것은 인식을 바꾸고 건설적인 대화를 이끌어나가는 데 중요한 동기부여가 된다. 숙련된 옹호자들은 자신의 목표를 달성하기 위해 분노를 능숙하게 이용하는 것을 배운다.

여러 가지 면에서, 분노에 대한 우리의 어려움은 정신질환이라는 꼬리표가 붙은 것에서 비롯된다. 그런 점에서 정신질환이라는 용어의 유래를 살펴보는 것이 유용하다. 정신질환에 대한 의학적인 설명이 존재하기 전에, 다른 단어들이 우리가 현재 정신질환이라고 부르는 조건을 정의했다. 아마도 가장 많이 등장하는 것이 '미친 짓'이라는 표현일 것이다. 영어에서 'mad'라는 단어는 적어도 두 가지 의미가 있다. 정신질환으로 분류된 우리는, 치료와 덜 관계된 집단에서는 미친mad, 즉 이상한crazy 사람으로 간주된다. 우리는 때때로 미친 사람madmen이라고 불렸다. 그러나 당신이 이상한crazy 사람이라는 딱지가 붙지 않았다면, 미쳤다mad라고 묘사되는 것은 당신이 화가 났다는 것을 의미할 것이다. 정상적인 사람들도 미치지만mad, 진단을 받지는 않는다. 그들의 화난 목소리를 사람들은 경청한다.

우리 중 어떤 동료가 이 차이를 아주 잘 포착했다. 그녀가 말하길 그녀는 정신건강 분야에서 일했고, 그녀의 동료들은 일을 하면서 서로에게 자주 화를 냈다. 그들이 분노를 표출했을 때 그들의 행동을 단속하지 않았다. 사실, 그것이 그들에게는 규범이었다. 그러나 그녀가 분노를 표출하자 엄한 비난의 표정이 역력했다. 딱지가 붙지 않은 그녀의 동료들이 그녀에게 "몸이 괜찮은가?" 또는 "아마도 당신은 재발한 것 같다" 또는 "약물이 더 필요한지 알아보는 것이 좋을지도 모른다"라고 보호하듯이 질문하곤 했다.

그러므로 분노 그리고 분노를 표출하는 사람에 대한 태도에 대해 서로 다른 두 가지 용법이 있다. 정신질환 딱지가 붙지 않은 사람들은 몸이 좋지 않은 것이 분명하다는 말을 듣지 않고도 분노를 생활의 일부분으로 표출할 수 있다. 이런 의미론적 교체를 보여주는 다른 예외도 있다. 예를 들어, 여성은 남성만큼 분노 표출에서 자유가 많지 않다. 실제로 분노를 너무 자주 또는 너무 크게 표출하는 여성에게는 b***h(욕설 — 옮긴이 주)라는 딱지가 붙는다. 그리고 정신건강 영역에서는 분노를 표출하는 사람들에게 또 다른 B 라벨이 붙는다. 즉, 경계선borderline이라는 것이다. 사실 내가 정신과에서 연수를 받는 동안 슈퍼바이저들이 자주 나에게 말한 것은, 당신이 경계선 성격장애를 가진 사람(언제나 여자였다)과 얘기하는 것인지를 아는 최선의 방법은 그들이 당신을 화나게 만드는지 여부라는 것이었다.

분노는 거의 언제나 그 상황이 전문적이든 개인적인 것이든 권력의 문제와 밀접하게 관련되어 있다. 권력이 더욱 평등해지는 상황에서 우리의 분노를 자유롭게 표출할 수 있게 하는 기회가 되기 때문에, 동료 지원은 매우 가치 있는 것이다. 정신건강 영역에서는, 거의 대부분의 관계가 권력 불균형을 수반한다. 거기서 소비자/생존자들은 더 낮은 지위에 처해 있다. 세상의 다른 곳에서와 마찬가지로, 당신이 힘이 없는 어떤 관계에서 분노를 표출하는 것은 위험한 일이다. 그러나 분노의 표출은 때로는 권력을 얻기 위한 방법이기도 하다. 다음은 다양한 소비자/생존자들이 어떻게 분노를 사용했는지를 보여준다.

경험 있는 옹호자들은 분노의 사용에 대해 뭐라고 하는가?

그룹을 대상으로 말할 때, 듣는 사람들의 사고 패턴, 편견, 감정에 매우 주의 깊고 열린 마음으로 귀 기울여야 한다. 그 그룹의 관점을 이해할 필요가 있다. 그러면 분노에서 연민에 이르기까지 다양한 감정의 팔레트를 효과적으로 사용할 수 있다. 이 지점에서 어떤 특정한 감정을 사용할지는 옹호자들과 그들이 말을 듣고 있는 사람들 사이에 진행되는 댄스에서 매우 중요하다. 우리는 알래스카의 입법 작업에서 이것을 성공적으로 해냈다. 정치적 변화를 가능하게 하는 것에 관한 연설 과정에서, 우리는 점진적인 변화를 실현할 수 있게 국회의원들이 우리를 지원하도록 하기 위해 우리 문화에 있던 몇몇 스티그마에 대한 분노를 사용했다.　　　　　　　— 옹호 커플

※

나는 분노를 더 많은 지식을 얻어 분명한 목소리로, 단호하고, 차분하게 말할 수 있도록 노력하는 동기로 활용했다. 때로는 단어를 글로 쓸 때 더 많은 의미를 가진다. 내 생각을 조정해서 그렇게 두드러지게 화가 나지 않도록 하기 위해 글로 쓴다.　　　　　　　　　　　　　— 여성 옹호자

※

회복 초기에 나의 분노는 오히려 좌절과 절망이었다. 전문가들과 함께 있을 때, 내 말을 들어줄 사람을 찾을 수 없었다. 그들이 정한 의제를 따르지 않으면 그들은 나와 함께 일하려 하지 않았다. 휴식시간은 나와 같이 일할 사람을 찾는 시간이었다고 생각한다. 이제 나는 회복되었다. 나는 나의 분노—

지금도 느끼는 그 분노는 무엇보다도 좌절감이었다 ─ 를 회복 과정에 있는 다른 사람을 도우려는 나의 욕구에 힘을 실어주는 도구로 사용한다. 분노하면서는 건강할 수 없었다. 분노는 부정과 쓰라림을 낳는다. ─ 여성 옹호자

✳

나는 다른 사람들의 행동이나 행동의 결여를 개인적으로 받아들이기 시작하면 화가 치밀어 오른다. 나는 상당히 정교한 여과 시스템을 가지고 있지만, 때로는 분노가 격분rage으로 치닫는다. 나는 독이 든 펜으로 이메일을 쓰기 시작하고, 전화를 걸기 시작한다. 그렇게 하지 않으면 옹호자로서의 나의 장단기 효과가 감소된다. 나는 내가 낮은 단계의 분노 상황에 있을 때 효과적일 수 있다고 믿는다.

나는 보통 분노를 억눌렀다. 그것은 좌절감을 남긴다. 분노를 억누르는 것은 나에게 피해를 줄 수도 있지만, 더 나은 위치에서 메시지를 전달할 수 있게 한다. 화가 난 상태에 있으면 불안하고, 약간 추하다. 억누르는 것은 일찍부터 가족에게서 배운 것이다.

제임스 C. 콜먼James C. Coleman이 쓴 『심리학과 효과적인 행동Psychology and Effective Behavior』이라는 책에 이와 관련된 구절이 있다. "많은 상황에서 분노와 적개심은 정상적인 반응이고, 이로 인해 건설적인 행동으로 이어질 수 있다. 자신이나 타인에 대한 독재적이고 부당한 처우로 야기된 분노와 적대감은 사회 개혁을 위해 일하는 데 건설적으로 사용될 수 있다."

─ 남성 옹호자

✳

부처님 말씀에 따르면, "분노에 매달리는 것은 불타는 석탄을 집어 나의 분

노의 대상에게 던지려는 것과 같다. 그렇게 하면 내가 불타게 된다".

"남의 생각, 말, 행동에 대해서는 내가 미칠 영향력이 없다. 나는 나의 생각, 말, 행동의 초점에 책임이 있다."

"분노는 내가 나 자신에게 불공평했거나 다른 사람이 내가 불공평하다고 생각하는 방식으로 말하거나 행동했다는 것을 알려준다."　　― 여성 옹호자

※

내가 옹호 단체에 속해 있고, 우리가 작은 목표라도 달성할 수 있을 때, 분노의 일부가 나에게서 빠져나가는 것을 느낀다.　　― 여성 옹호자

분노를 효과적으로 사용하는 것에 관한 경험 있는 옹호자들의 생각과 성찰은 다음과 같은 결론을 제시한다.

- 원초적인 분노는 옹호활동을 방해한다.
- 분노는 건강한 반응이다. 그것은 우리의 욕구를 충족시키기 위해 긍정적인 변화를 일으키려는 열망을 반영한다.
- 분노와 좌절감을 앞서 이해하고 표출하는 것은 사회 변화를 촉진하고 거기에 동기를 부여할 수 있다.
- 분노는 우리가 그 상태에 있기보다는 그것을 사용할 수 있다고 느낄 때 가장 효과적이다.
- 옹호 집단의 일원이 되는 것은 개인에게 더 많은 힘을 주고, 그 자체가 좌절과 분노를 감소시킨다.
- 집단의 구성원으로 활동할 때 옹호는 더욱 중요하다. 집단의 응집력이 분노

를 열정으로 더 쉽게 바꿀 수 있기 때문이다. 집단의 일부일 때 더 큰 변화를 실현할 수 있다. 이것은 또한 분노와 좌절감을 더욱더 감소시킨다.

• 분노가 더 심해진다면, 그것은 우리를 먹어치우고, 협력적이며 응집력 있는 공동체를 적극적으로 발전시키는 데 기여할 수 있는 우리의 능력을 파괴한다.

개발 모델에 근거해서, 우리는 옹호자의 발전을 "분노는 사용하는 것이지, 상태로 존재하는 어떤 것이 아니다"라는 지혜를 배우고 받아들이는 것으로 생각할 수 있다. 나에게 이것은 내가 누구인지에 대한 더 큰 감각을 발전시키는 것을 의미했다. 옹호활동의 초창기 시절, 나는 분노에 대한 나 자신의 반응이나 다른 사람들의 반응을 관찰할 기회가 거의 없을 정도로 분노를 강하게 느꼈다. 나는 어떤 중간 지대도 없이 소비자에게 지나치게 편중되어 있었다.

✛ 원칙 5: 목적

목적을 명확히 하고 의미를 찾는 것은 우리의 삶에 방향을 더하고 우리의 행동에 초점을 맞추게 해준다. 우리는 모두 이 땅에 목적의식 없이 던져진 것 같다. 목적의식을 얻는 것은 정신질환이라고 부르는 고통의 근저에 있는 근본적이고 의미 있는 많은 질문에 답하는 것이다. 많은 사람들은 수동적으로나 적극적으로 출구를 찾기보다는 투자하고 우리의 삶을 지시할 목적을 찾아야 했다. 역량강화는 목적을 찾는 것에 관한 것이다. 그것이 우리의 삶에 힘을 주기 때문이다. 우리와 목적을 공유하는 다른 사람들을 발견했을 때, 그것을 통해 우리는 결의를 강화했고 그 힘이 더 깊어졌다.

우리 중 많은 사람들에게, 거대 문제에 집중하는 소비자 운동이 우리의 삶에 의미와 목적을 부여했다. 우리의 공유된 목적은 우리의 열정과 다른 사람들과의 관계를 강화시킨다. 목적도 전염된다. 목적을 추구하는 다른 사람들이 주변 사람들의 눈에서 그것을 감지할 때, 그들은 그것의 일부가 되고 싶어 한다. 목적을 폭넓게 공유할수록 개인과 그룹의 모든 차원에서 강해진다. 목적에는 두 가지 주요 요소가 있다.

- 꿈과 비전. 알고 있든 아니든, 우리는 꿈과 비전을 통해 살아간다. 미국 원주민들은 이것을 '비전 추구vision quest'라고 불렀고, 미국의 신화학자mythologist이며 작가이자 강사인 조지프 캠벨Joseph Campbell은 간단히 이것을 "당신의 행복을 따르는 것"이라고 묘사했다. 나의 '비전 추구'는 심각한 고난의 시기에 이루어졌다. 나는 정신병원의 격리실에 있는 나에게서 내 삶이 사라져가는 것을 느꼈을 때, 정신과 의사가 되어 정신건강 시스템을 인간적으로 만들 것임을 꿈꾸었다. 그때부터 그 꿈이 나를 계속 이끌었다.

- 반성과 피드백의 시간을 갖는 구체적인 발걸음. 꿈이 없는 액션이 지속 가능하지 않은 것처럼, 구체적인 행동이 없는 꿈은 시들고 죽어간다. 꿈을 실현하기 위해서는 작은 발걸음이라도 필수적이다. 나는 나의 친구들, 가족, 치료사에게 나의 꿈을 공유하는 것에서 이를 시작했다. 그다음 의대에 진학하여 공부할 때 나는 전일제 수업을 감당할 만큼 자신감이 생기기 전에는 한 번에 한 과정씩을 들었다. 반성reflecting은 우리의 행동이 우리의 꿈을 실현하는지 그렇지 않은지 깨닫는 데 도움을 준다. 또한 우리의 목적을 실현하는 가장 효과적인 방법인지 아닌지 깨닫게 해준다. 신뢰할 수 있는 동료 옹호자들에게서 받는 피드백은 나의 결의를 강화하는 데 도움을 준다.

✛ 원칙 6: 실천적 우선순위를 둔 옹호 계획

기존 정책을 바꾸려면 준비를 잘하는 것이 최선이다. 우선순위가 있는 간결한 행동 계획을 만드는 것이 필수적이다. 계획 없는 원칙은 선반에 놓인 채 먼지만 쌓일 것이기 때문이다. 제안된 계획은 명료한 경계가 설정되어야 하고, 실행 가능한 단계가 있어야 한다. 그 계획은 명료하고 모두가 이해할 수 있는 형식으로 작성되어야 한다. 소비자 / 생존자 옹호자들은 그 계획의 기반이 되는 원칙을 명확히 할 수 있어야 한다.

신자유위원회 요약본을 위한 권고안을 작성할 때, 우리는 소비자 중심의 '회복을 위한 단계들STEPs to recovery'의 계획을 설명하기 위해 기억하기 쉬운 약어를 사용했다. STEP의 S는 서비스 및 지원Services and supports, T는 훈련과 교육Training and education, E는 평가 및 품질 보증Evaluation and quality assurance, P는 계획 및 정책 개발Planning an policy development 등의 요소를 의미한다.

단편적인 계획에 안주하지 말라. 항상 큰 그림을 명심하라. 진정한 변혁이 일어나려면 시스템의 모든 주요 요소들이 바뀌어야 한다. 그러므로 가능한 모든 기회를 이용하여 모든 사람이 이해할 수 있는 간결한 형식으로 당신의 큰 계획의 버전을 말하고 배포하라. 우선순위는 어떤 계획에서든 매우 중요한 측면이다. STEP에서 마지막이 됨에도 정책이 가장 먼저 배치되어야 한다. 왜냐하면 의사결정을 하는 단위에서의 변화가 없으면 지속적인 변화는 일어나지 않으며, 겉모습만 변할 뿐이기 때문이다. 정책 변화는 사고와 태도를 바뀌게 하고, 억압적인 실무 관행을 바꾼다. 정책 변화는 소비자 주도의 모든 변화에 타당성과 신뢰성을 부여한다. 예를 들어, 신자유위원회의 권고안은 재향군인회, 미국심리학협회, 공동인증위원회 등이 회복적 접근으로 방향을 전환하는 데 도움을 주었다. 정책의 변화는 또한 변화를 지원하기 위한 재원의 이동을 의미한다. 조직적이고, 모든 요소를 충족시키기 위해 번호를 붙인 목록을 사용하는 것이 유용하다. 이것들은 투쟁의 열기 속에서 기억하기가 더 쉽다.

✦ 원칙 7: 끈기, 인내, 참을성

샐리 진먼Sally Zinman은 끈기와 인내의 힘을 보여주는 대표적인 예이다. 그녀는 캘리포니아의 강제 없는 정신건강 시스템을 위해 지치지 않고 끈질기게 일해왔다. 비록 이 목표에 도달하는 데 약간 차질이 있었지만, 진먼은 친구와 적에게서 똑같이 존경을 받았다. 캘리포니아 정신건강부서 책임자는 그녀의 옹호에 크게 감탄했으며, 그녀의 의견에 완벽하게 동의하지 않았을 때조차 감동을 받았다고 내게 말한 적이 있다. 그러나 내가 샐리 그룹의 예산이 늘어나야 한다고 옹호하자, 그는 그 그룹이 가지고 있는 적은 예산으로도 이미 매우 효과적이기 때문에 예산을 늘릴 수 없다고 말했다.

나 자신의 경우, 나는 신자유위원회 보고서의 비전 선언문에 회복을 포함시키기 위해 계속 노력해야 했다. 이미 언급된 전략 외에도, 나는 그 보고서의 최종 편집과 작성이 끝날 때까지 저항했다. 제안된 문서의 초안을 모두 읽는 것이 필수적이다. 왜냐하면 강력한 위치에 있는 일부 사람들이 제안된 개혁을 막판에 뒤집을 수 있다는 것을 알게 되었기 때문이다. 끝까지 자신이 믿는 것을 옹호하라. 준비하는 데 도움이 되는 문서에 대한 최종 검토 권한을 갖도록 하라.

✚ 원칙 8: 존재감: 자존심, 침착성과 공손함을 통해

나는 공적이든 사적이든 신자유위원회의 회의를 하나도 빠뜨리지 않았다. 이것은 편집증이 아니라 좋은 상식에 바탕을 둔 것이었다. 나와 다른 소비자들이 열심히 노력해서 그 보고서에 포함시키고자 했던 여러 원칙을 없애려고 하는 사람이 많다는 것을 알았다. 그들은 내가 위원회에 있을 때에는 쉽게 그렇게 할 수 없었다.

● 존재감: 참석과 더불어 '존재감'을 발전시키는 것도 중요하다. 존재감이란 사회적으로 눈에 띌 필요가 있다는 것을 의미한다. 당신이 위원회 방으로 들어올 때 사람들이 일어나서 당신을 인식하는 것을 의미한다. 사람들은 당신이 개성이 있는 사람이고, 자신감에 차 있고, 쉽게 밀쳐버리고 갈 수 없는 사람이라는 것을 느낀다. 존재감이 있다는 것은 보이지 않는 것과 반대되는 것이다. 정신질환으로 분류된 사람들은 종종 보이지 않는 고통스러운 느낌을 경험해 왔다. 랠프 엘리슨Ralph Ellison은 자신의 소설 『보이지 않는 인간Invisible Man』에서 흑인들에게 있는 비슷한 '보이지 않음'을 웅변적으로 포착했다. 엘리슨은 보이지 않는다는 감정에 대항하기 위해 수백 개의 전구가 있는 방에 있을 필요가 있었다고 묘사했다.

● 자부심: 존재감의 본질적인 요소인 자부심은 성취와 안정의 내적 느낌으로, 다양한 방법으로 나타날 수 있다. 사람의 자세는 겉으로 드러나는 자부심의 표출이다. 꼿꼿하고 쭉 뻗은 등을 가질수록 좋다. 비록 우리가 존재감에 관련된 많은 특성들을 열거할 수 있지만, 찾기 힘들고 훨씬 신생의 것이 있다. 그것이 가장 중요한 특징일 수 있다. 그것은 이 장에서 설명한 많은 원칙의 P를 집성한 것과 관련이 있을 것이다. 확실히 열정적인 사람들은 존재감을 더 많이 가지고 있다. 그런데 존재감은 열정을 증폭시키기

도 한다. 권력을 가진 사람들은 존재감이 있다. 게다가 존재감은 권력을 증가시킨다. 끈기는 존재감을 향상시키고, 그 반대도 마찬가지이다. 긍정적인 사람들은 종종 더 많은 존재감이 있다. 목적도 큰 역할을 한다. 깊이 느낀 목적을 가진 사람과 마주쳤을 때 우리는 그들의 존재감을 더욱 깊이 느낀다. 이들은 원칙과 신념을 강하게 가진 사람들이다. 존재감은 표정, 번뜩이는 눈빛, 발걸음에서의 활력, 곧은 자세, 목소리의 힘 등 많은 비언어적인 측면을 통해 나타난다. 다른 사람과 연결하는 능력도 존재감에 필수적이다. 과정의 세부사항에 주의를 기울이는 것, 모든 말에 주의를 기울이고 있다는 것을 보여주는 것을 통해 다른 사람들이 더 정직하게 된다.

- 균형과 공손함: 예의범절을 넘어, 이러한 요소들은 내면의 자기중심과 평온의 외부적 표출이다. 당신이 이 상태에 도달할 수 있을 때 당신은 더 큰 결의를 갖고 어떤 관점을 지속시킬 수 있고 그것을 다른 사람과 명료하게 소통할 수 있게 된다. 균형은 이미 많은 생각을 했기 때문에 당신과 주변의 다른 사람들이 당신이 자신의 입장에서 쉽게 흔들리지 않을 것임을 깨닫게 하는 그런 방법이 된다. 균형을 갖추게 되면, 더 많은 존경을 받고 더 중요하게 받아들여진다. 공손함은 누구도 분명하게 드러나지 않을 때 다른 사람에게 접근하는 방법이다. 정중한 접근을 통해 당신의 매력으로 그들을 무장 해제할 수 있다. 공손한 접근은 갈등과 분노보다는 공통의 근거와 평화를 찾는다.

✚ 원칙 9: 설득

설득 기술의 배후에 있는 본질적인 요소들은, 그것이 웅변술의 사용에서 높이 평가되었던 고전적 세계 이후 거의 변하지 않고 유지되고 있다. 웅변술과 설득은 서구 전통의 형식적인 교양교육의 핵심 부분이자 시민 담론의 기반이었다. 그러나 효과적인 설득의 원칙은 2000년 동안 크게 변하지 않았지만, 세계를 고무시키고 변화시키기 위해 설득술을 실천하도록 허용된 사람들은 이제 사회적 지위에 따라 제한을 받지 않게 되었다. 고대 로마에서는 웅변술과 설득술을 숙달하는 것은 자유시민으로 제한되었다. 로마에 있던 일부 영리한 노예들은 수학이나 공학과 같은 실용적인 예술을 배웠지만, 힘없는 사람들에게 설득의 본질적인 도구를 주는 것은 다른 사람들을 고무시킬 수 있고, 궁극적으로 사회적 불안과 무질서를 초래할 수 있다고 믿었기 때문에 노예들은 역사, 문학, 철학, 수사학을 배우는 것이 금지되었다. 권력을 유지한 사람인 로마의 자유시민만이 다른 사람들을 설득하는 방법을 배울 수 있었다.

나는 고대 로마의 교양교육liberal arts(라틴어로 '자유인의 예술'이라는 뜻)의 제한과 정신건강 소비자/생존자에게 공유되는 정보의 제한에서 유사함이 있음을 본다. 자유시민이든 지정된 전문가이든 권력을 가진 사람들은 대개 언어와 다른 사람들을 설득하기 위한 훈련을 받은 사람이 되기를 원한다.

다행히도 오늘날, 훈련과 연습을 통해 설득 기술은 그것을 숙달할 수 있는 사람이라면 누구나 이용할 수 있다. 고 버몬트 정신건강 옹호자인 린다 코리 Linda Corey는 자기 마음대로 쓸 수 있는 개인적인 이야기를 효과적으로 만들어내는 것이 가장 효과적이고 설득력 있는 도구임을 관찰했다. 그녀는 개인적인 이야기는 무시하거나 잊어버리기 어렵고, 특히 그것을 경험한 사람이 직접 이야기를 할 때는 더욱 그러하다고 지적한다. 다른 사람의 얼굴을 관찰하거나, 목소리의 고통을 들을 수 있거나, 그들의 행복이나 성취의 자부심을 느낄 수 있을 때, 그 감정적인 영향은 기념비적일 수 있다. 같은 이야기를 간접으로 읽거나 듣는 것은 설득력이 훨씬 떨어지며, 그 영향이 그렇게 오래 지속되는 경우는 드물다. 패트릭 코리건Patrick Corrigan의 연구는 이 관찰을 검증한다.

✚ 원칙 10: 대중 앞에서의 발표

자신과 자신의 아이디어를 다른 사람에게 효과적으로 제시하는 기술을 배우는 것은 개인 및 집단의 역량강화의 중요한 측면이다. 정신적 고통을 겪고 있는 동안 여러 목소리(환청 — 옮긴이 주)를 들었다고 믿는 많은 사람들은 자기 내면의 삶의 목소리를 얻었을 때 회복에 큰 자극을 받았다고 회상했다. 앞서 정의했듯이, 이것은 자신의 견해와 입장을 친구, 가족, 직장에서 일하는 사람들에게 효과적으로 표현할 수 있는 능력을 의미한다. 그렇다고 대중 앞에서 말해야 한다고 느껴야 한다는 것을 의미하지는 않는다. 자신의 목소리를 표출하고 기여를 할 수 있는 여러 방법이 있다.

일반적으로 정신질환이라는 딱지는 다른 사람들이 우리의 말을 믿기 어렵게 한다. 그래서 우리는 가능한 한 믿을 만해야 하고, 또 그렇게 보일 필요가 있다. 나는 개인적으로 어렸을 때 대중 연설이 무서웠다. 군중 앞에서 말을 걸자 말 그대로 무릎이 후들거렸다. 나는 내가 강하게 느꼈던 대의를 받아들임으로써 이러한 두려움을 극복했다. 이제 나는 내가 나 자신을 위해서뿐만 아니라 정신건강 시스템에 있는 수백만 명의 목소리가 없는 사람들을 위해 말을 한다고 믿는다. 린다 코리가 관찰했듯이, "공개적으로 말하지 않게 되면 당신의 생각은 좁아진다. 대중 연설은 동맹과 지지를 구축한다".

대중에게 연설할 때, 당신의 심장에서 청중의 심장으로 말하라. 당신 심장에 있는 메시지를 찾아서 그것을 소통하고 당신의 열정을 사용하라. 다음은 대중 앞에서 연설할 때 내가 명심하고 있는 열두 가지 귀중한 항목이다.

① 청중을 확인한다. 그들에게 도달하는 가장 좋은 방법을 생각해 보라. 무엇을 입어야 하는가? 얼마나 많은 슬라이드와 차트와 그래프가 필요할까? 청중과 그들이 이미 어느 정도 친숙한 것들에 대해 명확하고 직접적으로 말하는 것이 가장 좋다. 전문가들은 종종 차트와 그래프가 있는 슬라이드를 원한다. 나는 종종 그것들 중 몇 가지로부터 시작해서 질문을 던진다. 소비자/생존자라면 대화로 시작해서 검증에 필요한 슬라이드를 추가할 수 있다.

② 미리 위치를 살펴본다. 만약 병원이나 임상 환경이라면 친구를 데려가고, 충격적 기억을 불러일으킬 수도 있으니 신중히 한다.

③ 가장 중요한 점을 고려하여 적어서 준비한다. 처음에 당신은 당신의 모든 이야기를 쓰고 연습하고 싶을 것이다. 시간이 지나면, 당신은 심장에서 우러나오는 것에 더 익숙해질 것이다. 심장 기반heart-based 발표는 청중의 더 깊은 곳에 더 직접적으로 도달할 수 있다. 편하게 느끼는 대로 하라.

④ 당신과 청중 사이에 있는 물체가 적을수록 좋다. 강의 장소, 단상, 책상은 사람의 연결을 방해하는 경향이 있다. 나는 자유롭게 움직일 수 있는 것을 좋아해서 모바일 마이크가 더 좋다. 인간적인 연결은 신뢰를 촉진하기 위해 중요하다.

⑤ 프로젝터 및 파워포인트를 현명하게 사용하라. 두 가지 모두 구두 설명의 보조도구로서 유용할 수 있지만, 지나친 사용과 중복 사용은 발표의 개인적인 측면을 손상시킬 수 있다. 혼란스럽게 파워포인트를 사용하는 것을 피하라. 파워포인트에는 5/10/20 규칙이 있다. 규칙은 20포인트 글꼴 크기로 10분 동안 다섯 개의 슬라이드를 사용하는 것이다. 큰 종이패드나 화이트보드를 사용하는 것도 좋다. 사람들이 자기 앞에서 바로 단어들을 볼 수 있기 때문이다. 소그룹(25명 이상)에게 제시할 때는 슬라이드와 프

로젝터보다 쉬운 화이트보드가 바람직하다.

⑥ 프레젠테이션에 대한 피드백을 찾아보라. 건설적인 비판을 들으라. 우리는 피드백을 통해 향상시키는 법을 배운다. 참가자들에게 평가 양식을 작성하도록 요청하라.

⑦ 가능한 한 당신의 개인적인 회복에 대해 많은 것을 감정 표현과 함께 공유하라. 되도록, 너무 많은 정신적 충격을 주는 요소를 지나치게 강조하지 않는다. 이러한 요소들이 청중 사이에 반응을 일으키거나 다른 방법으로 그들의 동정을 잃게 할 수 있기 때문이다. 열정과 감정으로 개인의 회복 이야기를 들려주는 것은 청중에게 더 깊은 수준으로 다가온다. 마야 안젤루Maya Angelou는 "나는 사람들이 당신이 말한 것을 잊을 것이고, 사람들은 당신이 한 일을 잊을 것이지만, 사람들은 당신이 그들을 어떻게 느끼게 했는지 결코 잊지 않을 것이라는 것을 배웠다"라고 말했다.

⑧ 지역 문화와 관심사에 대해 배우라. 청중의 열정(예: 축구 팀)이나 중요한 지역 사이트에 대해 알아본다.

⑨ 청중을 대화에 참여시키라. 그렇게 하면 당신과 청중 사이의 가교 역할을 하게 될 형식적인 상황 설정을 줄이게 된다. 질문을 던지는 것은 대화를 시작하는 좋은 방법이다. 예를 들어, "회복이 당신에게 의미하는 것은 무엇입니까?"라고 물음으로써 대화를 시작하는 것이다.

⑩ 식초보다 꿀로 파리를 더 많이 잡을 수 있다. 당신이 청중을 도울 수 있는 분야를 생각해 보라. 그들의 일을 더 의미 있게 하고 그들의 삶을 더 긍정적으로 만드는 것을 돕도록 노력하라. 희망과 회복은 종종 대부분의 사람들이 좋게 느끼는 긍정적인 메시지의 유형이다.

⑪ 한 가지 주제나 한 가지 관점에 대해 호언장담하는 것을 피하라. 강한 부정적인 반응을 유발하는 주제에 집중함으로써 청중을 소외시키지 않도록

한다. 당신이나 청중을 자극할 수 있는 주제에 대해 알아두라. "개인적으로, 나는 불편한 느낌이다…"와 "…에 대한 대안도 고려할 수 있다"라고 말함으로써 그런 주제로부터 벗어나라. 예를 들어, 몇 년 전에 나는 캐나다에 있는 간호사들에게 너무 강하게 반응했다. 그들은 내가 강제치료법에 관해 논의하기를 원했다. 나는 화가 났고, 화가 난 것을 보여주었고, 그들과의 연결고리를 잃어버렸다. 나는 다른 사람의 말을 경청하기 위해 나 자신의 신념을 유예시키는 데 초점을 둔 대화의 원칙을 사용하려고 노력한다.

⑫ 가능하면 유머로 표현하라. 이것들은 어려운 문제여서 많은 스트레스를 유발할 수 있다. 누군가의 희생이나 지나치게 장난스러운 짓이 아닌 모든 사람이 웃을 수 있는 것을 찾으라. 어떤 사람은 웃을 때 화를 내기 어렵고, 웃긴 사람과 그 시간에 연결되기 때문에 웃는 것을 좋아한다고 말했다.

✚ 원칙 11: 동반자 관계 맺기

이 원칙의 두 가지 주요 요소는 정신질환의 실제 경험이 있는 사람들과 협력할 필요성과 아직 그 딱지가 붙지 않은 사람들과 협력할 필요성이다.

정신질환의 경험을 가진 사람들과의 협력은 당신이 당신의 목소리를 얻거나 찾은 후의 기본적인 단계이다. 사실, 당신의 목소리는 단체의 일원이 됨으로써 크게 증폭된다. 소비자와 생존자가 단체를 만들려고 했을 때 역사적으로 어려움이 있었다. 원래 자신을 소비자라고 밝힌 사람들과 생존자라고 부르는 사람들 사이에는 괴리가 있었다.

많은 요인이 그 두 그룹 사이의 분열을 메우는 데 도움이 되었다. 특히 두 집단이 공통의 기반으로서 회복에 주력하는 것은 건설적이었다. 또한 '실제 경험이 있는 사람들'(정신질환을 실제로 경험한 사람이라는 뜻이지만, 정신질환 경험이라는 용어 대신 '실제 경험'이라는 용어를 사용했다 — 옮긴이 주)이라는 용어를 채택하는 것은 두 집단 모두를 통합시켰다(정신질환의 실제 경험의 구체적인 유형은 별도로 정의할 수 있다). 이러한 요소들은 2006년에 처음으로 정신건강회복을 위한 전국연합National Coalition for Mental Health Recovery: NCMHR이라는 이름으로 우리의 전국적인 그룹을 형성하는 운동에 도움을 주었다.

정신질환의 경험이 있는 사람과 아직 그 딱지가 붙지 않은 사람 간의 동반자 관계를 유지하려면 옹호단체 대표가 공동 작업 및 타협 방법을 배워야 한다. 정신적으로 병에 걸린 사람들은 그러한 딱지 없는 사람이 자신을 존중하고 존엄하게 여기지 않는 것으로 보이는 지점에 특히 민감하다. 따라서 이러한 동반자 관계를 구축할 때 모든 참가자가 기본 가치를 공유하는 것이 매우 중요하다. 이러한 동반자 관계의 좋은 예는 전미장애인지도자연맹National Disability Leadership Alliance: NDLA의 창설이었다. 정신건강회복을 위한 전국연합NCMHR은 전미장애인지도자연맹의 창립 멤버였다. 전미장애인지도자연맹은 15개의 전국 장애인 단체로 구성되어 있으며, 모두 "우리 없이는 아무것도 없다"라는 공통된 가치로 통합되어 있다. 전미장애인지도자연맹은 전문가나 부모가 운영할 수 있는 다른 장애 집단과는 달리, 장애인이 운영하는 집단으로만 구성된다.

✚ 원칙 12: 정치

어떤 의미에서는, 역량강화의 열두 가지 원칙 모두가 정말로 정치에 관한 것이다. 왜냐하면 정치는 권력의 행사이기 때문이다. 열정의 힘, 원칙의 힘, 끈기의 힘, 긍정적인 태도의 힘, 존재감의 힘, 개인적 연결 관계의 힘, 계획의 힘, 목적의 힘, 그리고 연설의 힘이 있다. 이 모든 것들이 결정과 정책에 영향을 미칠 수 있다. 이것은 권력에 대한 하나의 정의와 맞아떨어진다. 권력은 당신 주변의 세상을 변화시킬 수 있는 능력으로 측정될 수 있다고 정의된다.

회복이 우리에게 달려 있다는 것을 알기 때문에 역량강화라는 용어는 소비자/생존자 운동에 중요했다. 개인의 회복은 각 개인이 자신이 완전하고 의미 있는 삶을 영위할 수 있도록 옹호하고 또 스스로 결정을 내리는 것에 달려 있다. 단체로서의 회복은 우리가 사회에 완전히 참여할 수 있도록 하는 정책을 옹호할 수 있는 능력에 달려 있다. 소비자/생존자 운동에서 많은 사람들이 각자의 개별 목소리를 얻었다. 그러나 집단적 목소리를 내는 것은 방해를 받았다. 옹호자들이 서로 함께 그리고 동맹세력과 같이 일하지 못했기 때문이다. 우리의 동맹세력과 협력하여 일을 공동으로 수행하는 방법을 배우는 것이 중요하다.

내가 신자유위원회에서 일할 때, 나는 다른 위원들이 내가 수백만은 아니더라도 수천 명의 다른 사람들을 대표하고 있다는 것을 알아주길 원했다. 나는 다양한 배경과 관심사를 대표하는 정신질환 경험이 있는 사람들로부터 되도록 많은 공공 증언을 포함시키기 위해 일했다. 또 신자유위원회가 활동하던 중 대안회의와 전국권익보호와 옹호National Rights Protection and Advocacy: NARPA 회의에서 청문회를 열었다. 이것들이 각각 기록되고 표기되었다. 대체로 100개의 증언 그 이상의 것이 모두 위원들에게 보내졌다. 나는 위원회의 업무에 대해 자주 소비자/생존자, 그리고 옹호자들의 의견을 조사했다. 그리고 그들의 의견을 요약해서 다른 위원들에게 전달하곤 했다. 위원회의 홈페이지에 댓글 코너가 있었고, 소비자/생존자로부터의 1000여 개 이상의 댓글이 읽을 수 있게 게시되었다.

동맹세력을 통한 권력의 정치는 극장 형태의 정치로 보완될 수 있다. 신자유위원회는 증거에 기반한 실천에 관한 하부위원회를 만들었다. 나는 미주리정신건강연구소Missouri Institute of Mental Health의 진 캠벨Jean Campbell이 거기서 연설할 기회를 가지기를 원했다. 그러나 하부위원회의 의장은 의제가 확정되었고, 진 캠벨은 벽 쪽에 앉을 수 있다고 선언했다. 연사의 탁자는 정신건강 영역의 알 만한 사람who's who으로 구성되었다. 거기에는 미국정신과의사협회와 관리 요양회사의 지도자들이 포함되어 있었다. 그러나 탁자의 앞에 빈 의자가 있었다. 의장이 쳐다보지 않을 때 나는 진을 불러 그 의자에 앉혔다. 의장이 의자에 앉아 있는 다음 사람을 불렀을 때 그것은 진이었다. 그녀를 그 자리에서 나가라고 말하는 것은 의장에게는 당혹스러운 일이었을 것이다. 그래서 그녀는 연설할 기회를 갖게 되었다. 필요하다면, 극장에서 당신이 앉을 탁자를 찾으라!

정치적으로, 정신건강 시스템 내부의 권력을 이용하는 것과 그 시스템의 외부에서 작동하는 권력을 활용하는 것 사이에는 차이가 있음을 아는 것이 중요하다. 내부 옹호자는 외부 옹호자에게는 폐쇄되어 있는 회의와 문서에서 차이를 만들어낼 수 있다.

역으로 외부 옹호자는 내부에 있는 사람이 할 수 없는 말을 자유롭게 할 수 있다. 신자유위원회의 위원일 때, 나는 위원회의 당연직 위원들 중 한 사람이 격리와 강박 없는 자유로운 환경을 가질 권리를 위해 활동하는 사람들에게 동조적이었음을 알았다. 그 개인은 위원회의 상근위원이 아니었음도 알았다. 그래서 이 권고를 보고서에 포함시킬 수 없었다. 내부 옹호자로서 나는 보고서의 모든 버전에 그 단어를 포함시키도록 했다. 마침내 그 단어가 보고서에 포함되었다.

참고문헌

Andersen, T. 2007. "Human Participating: Human 'Being' is the Next Step for Human 'Becoming' in the Next Step." In *Collaborative Therapy*. (Eds.). H. Anderson and D. Gehart(New York: Routledge), pp.81-93.

Bakhtin, M. 1984. *Problems of Dostoevsky's Poetics*. (Ed. and Translator). C. Emerson (Minneapolis: U. of Minnesota).

Barker, P. 1995. *Ghost in the Road*(New York: William Abrahams).

Bateson, G. and M. C. Bateson. 2004. *Angels Fear: Towards an Epistemology of the Sacred*(New Jersey: Hampton Press).

Bentall, R. P. 1990. *Reconstructing Schizophrenia*(London: Routledge).

Bohm, D. 2004. *On Dialogue*(London: Routledge Classic).

Buber, M. 1965. *Between Man and Man*(New York: Collier Books).

Chamberlin, J. 2002. *On Our Own*(Lawrence, MA: National Empowerment Center).

Corrigan, P. W. 2005. "Changing Stigma through Contact." *Advances in Schizophrenia and Clinical Psychiatry*, 1, pp.614-625.

Deci, E. L. and R. M. Ryan. 1991. "A Motivational Approach to Self: Integration in

Personality." In *Nebraska Symposium on Motivation.* (Ed.). R. Dienstbier. Vol.38. *Perspectives on Motivation*(Lincoln, NE: Univ. of Nebraska Press), pp.237–288.

Dorman, D. 2003. *Dante's Cure*(New York: Other Press).

Epston, D. and M. White. 1992. *Experience, Contradiction, Narrative, and Imagination* (Adelaide, Australia: Dulwich Center Publications).

Évely, L. 1963. *That Man Is You*(New York: Paulist Press).

Fisher, D. B. 2008. "Promoting Recovery." In *Learning About Mental Health Practice.* (Eds.). T. Stickley and T. Basset(Chichester, UK: John Wiley & Sons).

Fisher, D. B. and L. Spiro. 2010. "Finding and Using Our Voice." In *Handbook of Mental Health Self-help.* (Ed.). L. Brown(New York: Springer Publishing).

Fisher, D. B., D. Romprey, B. Filson and L. Miller. 2006. *From Relief to Recovery.* (Gains Center, New York).

Freire, P. 1970. *Pedagogy of the Oppressed*(New York: Herder and Herder).

Garety, P. and D. Freeman. 1999. "Cognitive Approaches to Delusions: A Critical Review of Theories and Evidence." *British Journal of Critical Psychology*, 38: 113–154.

Goffman, I. 1961. *Asylums: Essays on the Social Situation of Mental Patients and Other Inmates*(New York: Anchor).

Harding, C. M., G. W. Brooks, Asolaga, J. S. Strauss and A. Breier. 1987. "The Vermont Longitudinal Study of Persons with Severe Mental Illness, I. Methodology, Study Sample, and Overall Status 32 Years Later." *American Journal of Psychiatry*, 144: 718–728.

Harrop, C. and P. Trower. 2003. *Why Does Schizophrenia Develop at Late Adolescence?*(London: Wiley Press).

Isaacs, W. 1999. *Dialogue and the Art of Thinking Together*(New York: Currency).

Jablensky, A., N. Sartorius, G. Ernberg, M. Anker, A. Korten, J. E. Cooper, R. Day and A. Bertelsen. 1992. *Schizophrenia: Manifestations, Incidence and*

Course in Different Cultures. A World Health Organization Ten-Country Study. Psychological Medicine Monograph Supplement 20(Cambridge, UK: Cambridge University Press).

Jablensky, A. and S. W. Cole. 1997. "Is the Earlier Age of Onset of Schizophrenia in Males a Confounding Variable?" *British Journal of Psychiatry*, 170: 234–240.

Jablensky, A. and N. Sartorius. 2008. "What Did the WHO Studies Really Find?" *Schizophrenia Bulletin*, 151: 253–255.

Karon, B. and G. VanDenBos. 1981. *Psychotherapy of Schizophrenia*(New York: J. Aronson).

Laing, R. D. 1965. *The Divided Self: An Existential Study in Sanity and Madness* (New York: Penguin).

Louw, D. J. Nov. 1997. "Ubuntu: An African Assessment of the Religious Other." Presented at Annual Meeting of the American Academy of Religion(San Francisco). https://www.bu.edu/wcp/Papers/Afri/AfriLouw.htm.

_____. 2002. *Ubuntu and the Challenges of Multiculturalism in Post-apartheid South Africa*(Utrecht, Netherlands: Expertisecentrum Zuidelijk).

Nasar, S. 1999. *A Beautiful Mind*(New York: Simon and Shuster).

National Empowerment Center. 2006. http://www.power2u.org/downloads/SAMHSA%20Recovery%20Statement.pdf.

Perry, J. W. 1974. *Far Side of Madness*(Putnam, Connecticut: Spring Publications).

Pfeiffer, F. 1924. *Meister Eckhart*. Translated by C. de B. Evans(London: Watkins).

Read, J. 2013. "Childhood Adversity and Psychosis." https://www.youtube.com/watch?v=Y6do5bkUEys.

Seikkula, J., J. Aaltonen, B. Alakare, K. Haarakangas, J. K. Nen and K. Lehtinen. 2006. "Five-year Experience of First-episode Nonaffective Psychosis in Open-dialogue Approach: Treatment Principles, Follow-up Outcomes, and Two Case Studies." *Psychotherapy Research*, 16: 214–228.

Seikkula, J. and M. E. Olson. 2003. "The Open Dialogue Approach to Acute Psychosis:

its Poetics and Micropolitics." *Family Process*, 42: 403–418.

Seikkula, J. and D. Trimble. 2005. "Healing Elements of Therapeutic Conversation: Dialogue as an Embodiment of Love." *Family Process*, 44: 461–475.

Stern, D. N. 2004. *The Present Moment in Psychotherapy and Everyday Life* (New York: W. W. Norton).

Teilhard de Chardin, P. 1959. *Phenomenon of Man* (New York: Harper Collins).

Tiedens, L. Z. 2001. "Anger and Advancement Versus Sadness and Subjugation: The Effect of Negative Emotion Expressions on Social Status Conferral." *Journal of Personality and Social Psychology*, 80: 86–94.

Trevarthen, C. 2005. "Action and Emotion in Development of the Human Self, Its Sociability and Cultural Intelligence: Why Infants Have Feelings Like Ours." In *Emotional Development*. (Eds.). J. Nadel and D. Muir (Oxford: Oxford University Press), pp. 61–91.

Wunderink, L., R. M. Nieboer, D. Wiersma, S. Sytema and F. J. Nienhuis. 2013. "Recovery in Remitted First-episode Psychosis at 7 Years of Follow-up of an Early Dose Reduction/discontinuation or Maintenance Treatment Strategy: Long-term Follow-up of a 2-year Randomized Clinical Trial." *JAMA Psychiatry*, 70: 913–920.

옮긴이의 글

I.

내가 발달장애, 정신장애, 치매, 고령 등으로 판단능력이 떨어진 성인의 사회활동, 특히 법적인 권리 취득, 의무 부담과 관련된 사회활동을 사실상 금지하는 행위무능력자 제도의 개선방안을 제시하는 연구를 2007년 시작한 이래, 지금은 의사결정에 장애를 겪는 성인의 사회통합을 위한 연구를 수행해 오고 있다. 연구 과정에서 가급적 많은 국내외의 발달장애인, 정신장애인, 치매환자를 직접 만나 그들의 희망과 바람을 듣고자 노력했다. 특히 정신질환자로 분류되거나 정신장애인으로 등록된 우리 주변의 이웃들이 겪는 어려움과 고통을 알게 되었다. 누구라도 주변의 반응에 대해 분노, 슬픔, 기쁨, 즐거움을 느끼기 마련인데, 정신질환자로 분류된 사람, 정신질환 치료의 경험이 있는 사람이 분노와 슬픔을 표시하거나 좀 더 큰 기쁨을 표시할 경우 그런 감정은 정신질환 때문이라고 손쉽게 진단하고, 약물을 복용해야 한다거나 병원에 입원해서 치료를 받아야 한다고 말하는 것을 종종 접했다. 그들이 방황하거나 고뇌할 경우 자해나 타해의 위험이 높아졌다면서 강제로라도 치료를 해야 한다는 말을 듣기도 했다.

이런 차별적 사회현상의 원인과 해결 방법을 찾기 위해 뜻을 같이하는 몇몇 연구자들이 2013년부터 '의사결정능력 장애인의 사회적 통합'이라는 어젠다하에 함께 연구를 수행해 오고 있다. 2019년부터는 '의사결정능력 장애인의 사회적 통합: 지원의사결정제도의 한국적 모델의 제안'이라는 어젠다로 연구를 진행 중이다. 정신건강보건법의 전면개정인 2016년 「정신건강증진 및 정신질환자 복지서비스 지원에 관한 법률」의 입법에도 우리의 연구성과가 기여했고, 2017년 5월 31일 「정신건강복지법」의 시행에도 우리 연구진의 연구 활동이 기여하기도 했다. 2017년 「정신건강복지법」의 시행 이후 그전까지만 하더라도 60%를 상회하던 비자의적 입원 비율이 30% 초반대로 떨어짐으로써, 정신질환자로 분류된 사람을 강제 치료하지 않아도 된다는 사회적 인식이 형성될 계기가 마련된 것이 「정신건강복지법」 시행의 성과라면 성과라 할 수 있다. 「정신건강복지법」의 시행으로, 누구라도 인간에 대한 애정을 갖고 조금만 관심을 가지면 '정신질환으로 분류한 사람을 왜 강제 입원시키거나 강제 치료하는 것이 필요할까?', '이들을 강제 치료하는 사회제도는 누구의 이익을 위한 것일까?'라는 의문을 갖게 하는 계기가 마련되었다. 그럼에도 여전히 우리나라에는 「정신건강복지법」 시행 전과 거의 다를 바 없이 2018년 기준 연간 14만여 명이 정신질환으로 입원했고, 그중 정신병원과 정신요양시설에 입원, 입소한 사람만 7만여 명에 가깝다. 입원, 입소환자 중 4만여 명이 비자의적 입원이며, 정신병원 및 정신요양시설에 입원, 입소한 사람의 재원기간 중간값은 200여 일을 초과한다(「정신건강현황 4차 예비조사 보고서」 참조). 이성적인 사람이라면, 인간성에 대한 애정이 있는 사람이라면, 보행이 가능하고 다른 사람에게 위험한 병균을 전염시키는 것도 아닌 이들을 이토록 오랜 기간 정신병원에 입원시켜 두는 이유가 무엇일지 의문을 갖는 것이 당연할 것이다.

II.

치료와 복지는 그 서비스를 제공하는 사람과 이용하는 사람이 대등한 관계에서 상호 합의하에 제공해야 한다는 것은 합리적인 사고를 하는 사람이라면 누구라도 알 만한 상식이다. 서비스 제공자인 의료진과 사회복지사에게 경어를 쓰는 것은 우리 국민이 갖는 상대방에 대한 존중의 마음에서 비롯된 것이지, 그들이 우월적 지위에 있기 때문이 아니다.

　우리나라가 2008년 비준한 「UN 장애인권리협약」에서도 정신질환자·정신장애인 역시 다른 비장애인과 마찬가지로 평등한 대우를 받아야 하며, 이들에 대한 일체의 차별이 금지되어야 하고, 이들이 지역사회에서 독립생활을 할 수 있도록 해야 한다고 강조한다. 치료와 복지 서비스를 받을 때 정신

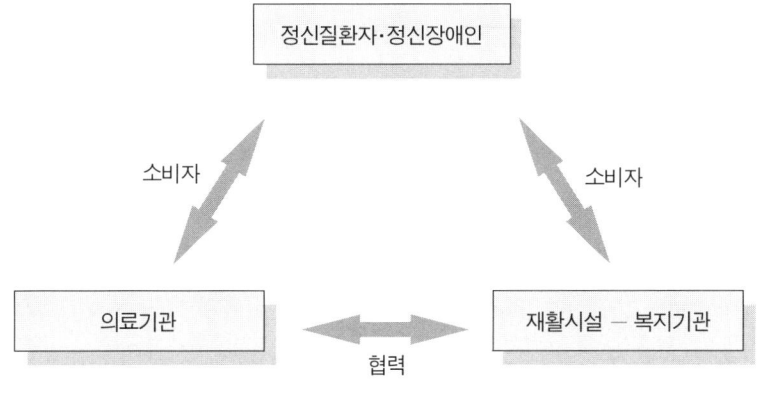

그림 1. 정신건강 증진 서비스 제공 관계도

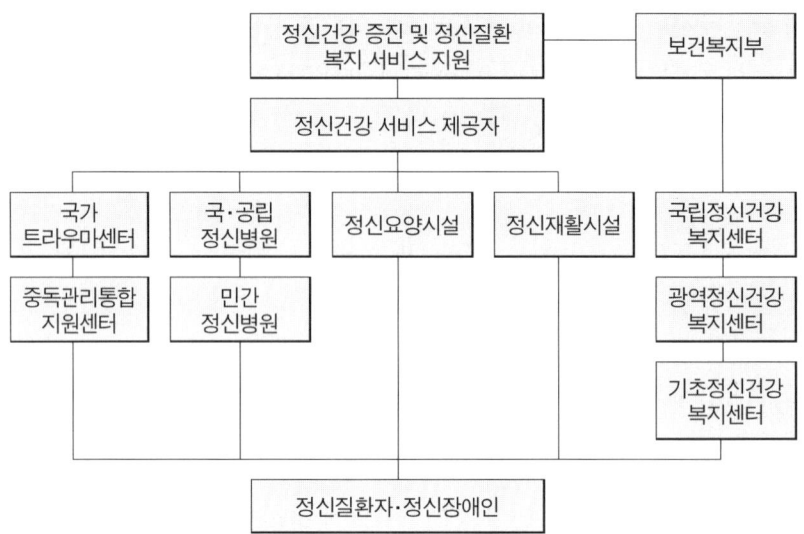

그림 2. 정신질환자, 정신장애인이 소외되는 정신질환 치료, 재활, 요양 환경

질환자·정신장애인도 다른 비장애인과 마찬가지로 서비스 이용자=소비자
로서 공급자와 대등한 관계에서 서비스를 받아야 하는 것은 초보적 수준의
평등과 차별금지 요구사항이다. 이런 요구는 「정신건강복지법」의 기본 이
념에도 명시되어 있다.

그러나 「정신건강복지법」에서 구체화하고 있는 정신건강 관련 서비스 제
공 과정은 정반대이다. 즉, 현재의 「정신건강복지법」의 구조는 정신건강 서
비스 제공자 중심의 구조이고, 정신질환자와 정신장애인의 목소리가 서비스
제공자에게 전달될 수 없는 구조라는 것이다. 이런 구조하에서는 정신질환
자·정신장애인은 더욱 소외될 수밖에 없고, 차별과 불평등은 더욱 고착될
수밖에 없다. 그림 2는 우리나라의 제도가 정신질환자 또는 정신장애인이
자기 목소리를 낼 수 있도록 지원하지 않고, 의료와 재활, 복지 서비스 제공
자가 일방적으로 서비스를 제공하고 있을 뿐이라는 점을 잘 보여준다. 국가

는 정신질환자 및 정신장애인의 보호를 위해 이들 서비스 제공자를 관리, 감독하려 하고 있지만, 당사자의 목소리가 반영될 수 있는 사회제도가 없는 상태에서는 의료든 요양이든 복지든 모두 서비스 제공자 중심으로 될 수밖에 없다.

정신건강 서비스 공급자 중심의 사회에서는 정신건강 서비스 이용자의 목소리는 사라지기 마련이다. 모든 것이 공급자적 시각에서만 판단된다는 것이다. 정신질환 딱지가 붙지 않은 어떤 사람이 "이번 생은 망했다, 죽고 싶다"라고 말하면 주변에서 '힘든 일이 있나 보다' 하고 생각하는 것으로 그치지만, 같은 말을 정신질환 딱지가 붙었거나 그랬던 사람이 하면 그가 정신질환 때문에 그런다고 보아 입원해서 치료를 받아야 한다고 생각하며, 이런 시각이 사회에 만연하게 된다. 정신질환 딱지가 붙지 않은 젊은이들이 화난 일이 있을 때 "너! 죽여버릴 거야"라고 하면 주변에서 '화가 났나 보다'라고 하고 넘어가지만, 같은 말을 정신질환 딱지가 붙은 사람이 하면 타해의 위험성이 높으니 강제입원을 시켜야 한다는 생각이 사회에 만연해진다는 것이다. 이렇게 해서 정신질환 딱지가 붙은 사람의 욕구, 희망, 감정이 무엇인지를 귀담아 들으려고 하지 않는 풍토가 만들어진다. 그 결과는 정신질환에 대한 강한 사회적 편견을 강화시켜 주고, 누구나 겪는 정신적 스트레스에 대한 조기 개입을 매우 어렵게 만드는 사회 환경이 조성될 수밖에 없다.

이에 반해 대부분의 선진국의 경우에는 정신질환자 또는 정신장애인에 대한 병원 치료나 요양 서비스를 제공할 때에는 그들의 욕구, 희망, 감정에 대해 귀 기울이는 것이 제도화되어 있다. 심지어 판단능력이 없거나 현저히 떨어졌다고 여겨지는 사람들에 대해서도 그들의 욕구, 감정, 희망을 듣고자 노력하고 있다. 병원 및 시설 입소에서 자기결정권 행사를 할 수 없는 당사자에게 치료와 요양 서비스를 제공하고자 할 때 영국(잉글랜드)의 제도를 예

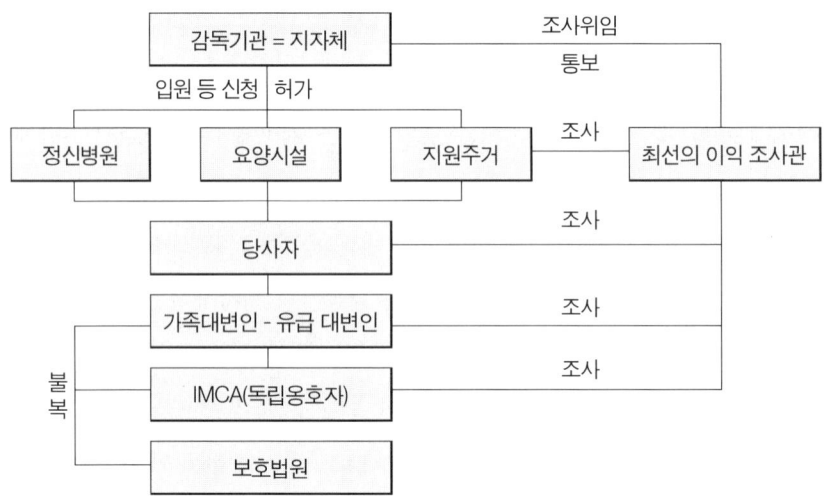

그림 3. 자기결정권 행사가 어려운 정신질환자의 치료 및 요양을 위한 입원 및 입소 절차: 잉글랜드의 예

로 들어보자. 정신질환이 있는 발달장애인, 정신장애인, 치매환자에게 병원 입원 및 요양시설 또는 주거시설 입소 등의 서비스를 제공하려고 하는데, 이들이 자기결정권 행사가 어렵다고 판단되면 그림 3과 같은 절차를 통해 당사자의 희망, 욕구, 감정에 귀 기울이게 한다.

당사자의 입원 치료, 입소 돌봄이 필요할 경우 지방자치단체에 이들의 입원 및 입소를 신청하면, 중립적인 위치에서 무엇이 그 당사자의 최선의 이익인지를 판단하는 전문가Best Interest Assessor가 본인과 가족, 서비스 제공자를 면담하여 조사한다. 당사자의 편에는 적절한 가족이 있으면 그들이 본인의 욕구, 희망, 감정 전달의 대변인으로서 활동하고, 적절한 가족이 없는 경우에는 지방자치단체의 비용 부담으로 제3자를 선임하여 그 사람에게 그 역할을 맡긴다. 그 결정이 중요한 결정이거나 당사자의 욕구 파악을 위해 필요하다고 판단되면 독립옹호자를 선임시켜 본인의 입장을 대변하도록 한다. 지

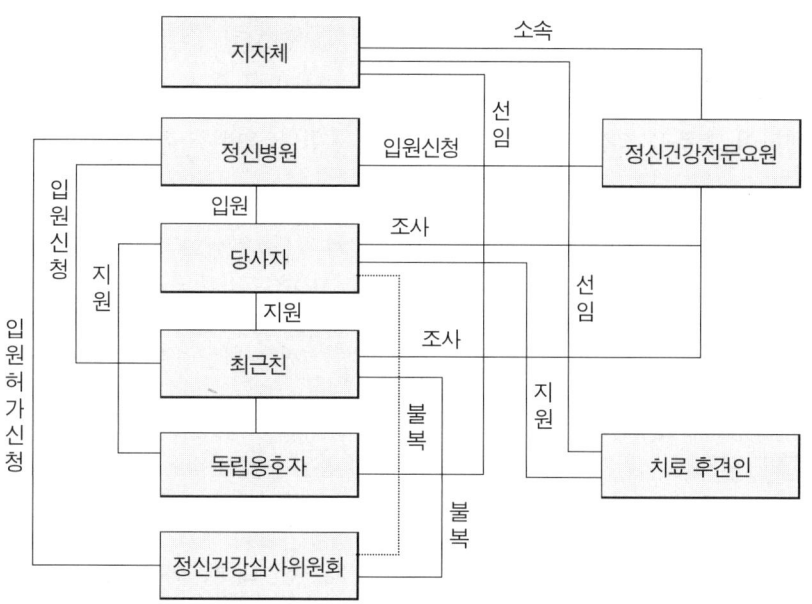

그림 4. 비자의 입원, 비자의 치료의 절차: 잉글랜드의 예

방자치단체의 입원 및 입소 결정에 불복하면 법원에 이의신청을 할 수 있도록 하고 있다. 앞의 그림 3에서도 알 수 있듯이 당사자의 의사결정을 지원하거나 당사자의 이익을 옹호하기 위한 제도를 치밀하게 구성하고 있다.

자해 또는 타해의 위험성이 높아 불가피한 사정으로 정신병원에 비자의 입원을 시키거나 지역사회에서 비자의 치료를 하고자 할 때에도 본인의 욕구, 희망, 감정에 충분히 귀 기울일 수 있는 시스템을 두고 있다(그림 4).

이 시스템에 따르면, 지방자치단체 소속 정신건강전문요원이나 가족이 본인을 위하여 강제입원을 신청하고 정신병원의 장이 입원을 결정하지만, 본인의 최근친, 독립정신건강옹호자가 본인의 편에 서서 자해, 타해의 위험이 없다고 생각할 때 언제든지 퇴원을 신청할 수 있도록 하고 본인을 만나 본인의 욕구, 희망, 감정을 경청한다. 비자의 입원 환자의 90% 이상이 독립

정신건강옹호자 서비스를 이용하도록 신청한다고 한다. 지역사회에서의 치료명령을 받을 때에도 독립정신건강옹호자가 본인의 욕구, 감정, 희망을 경청하여 그 뜻을 정신과 의사에게 전달되도록 한다. 입원결정에 이의가 있는 경우 언제라도 정신건강심사위원회Mental Health Tribunal에 불복을 신청할 수 있도록 한다. 이 위원회는 변호사, 정신과 의사, 사회복지 분야 전문가 3인으로 구성된 심사기구로 비자의 입원 및 치료에 대한 이의제기를 심사하는 기구이다. 이들은 비자의 입원을 한 경우에는 병원을 방문하여 심사를 하고, 지역사회에서 비자의 치료를 하는 경우 치료하는 공간을 방문하여 심사를 한다. 당사자가 변호사의 지원을 받고자 할 경우 변호사 비용은 국가가 부담한다. 정신건강심사위원회의 운영은 보건부가 담당한다. 비자의 입원에서도 당사자의 목소리를 끊임없이 경청하기 때문에, 대부분의 선진국의 평균 입원기간은 30일을 넘지 않는다.

우리나라의 경우 정신질환자, 정신장애인에 대해 치료, 요양 서비스를 제공할 때 서비스 제공자 중심의 제도를 갖고 있는 것, 서비스 이용자의 목소리를 경청하여 그들의 욕구, 희망, 감정이 충분히 반영되도록 하는 장치를 두지 않는 것은 다른 선진국과 비교해 볼 때 문화의 차이라고 할 수 있을까? 그렇지 않다. 당사자의 목소리를 경청하고 그것을 치료나 요양 과정에 반영하는 제도를 갖추고 있는 선진국의 경우 당사자의 권익을 옹호하는 시스템이 잘 발달되어 있고, 당사자 중심의 자조 모임, 권익옹호단체가 활발하게 활동하기 때문이지 문화나 역사의 차이가 아니다.

우리나라에서도 정신질환의 딱지가 붙은 사람이 자기 목소리를 내고, 치료, 요양, 복지 서비스 제공 과정에 반영될 수 있도록 하는 제도의 마련이 중요하다. 다양한 가능성이 있겠지만, 그 핵심은 다음과 같은 제도가 마련되는 것이어야 할 것이다.

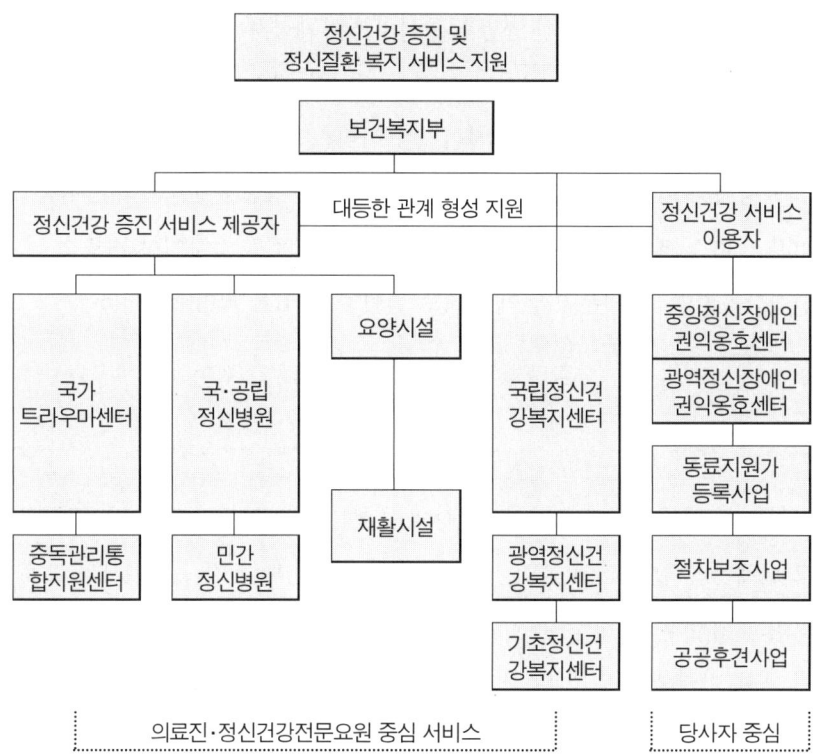

정신건강 증진 및
정신질환 복지 서비스 지원

보건복지부

정신건강 증진 서비스 제공자 — 대등한 관계 형성 지원 — 정신건강 서비스
이용자

국가
트라우마센터

국·공립
정신병원

요양시설

국립정신건
강복지센터

중앙정신장애인
권익옹호센터

광역정신장애인
권익옹호센터

동료지원가
등록사업

중독관리통
합지원센터

민간
정신병원

재활시설

광역정신건
강복지센터

절차보조사업

기초정신건
강복지센터

공공후견사업

의료진·정신건강전문요원 중심 서비스

당사자 중심

그림 5. 정신건강 증진 서비스 전달체계 재편 방향

　그림 5는 정신건강 서비스 이용자, 즉 정신건강상의 문제를 경험하는 사
람이 서비스 제공자와 대등한 위치에서 서비스를 받을 수 있는 제도적 환경
이 무엇인지를 보여주는 것이다. 정신건강 문제의 경험 있는 당사자가 중심
이 된 권익옹호 서비스를 제공하고, 정신건강 문제의 경험 있는 당사자가 동
료지원가로서 병원, 재활시설, 요양시설, 정신건강복지센터에 직원으로 채
용되어 활동하며, 비자의적으로 입원한 모든 정신질환자에게 그들의 목소리
를 경청하여 치료 과정에 반영될 수 있도록 지원하는 절차보조사업을 수행
하는 것, 정신과 약물복용이나 사회로부터의 격리가 오래되면서 지적 능력이

현저히 감퇴한 사람을 위한 공공후견 서비스를 제공하는 것이 필수적이다.

정신질환 경험을 가진 당사자 중심의 다양한 권익옹호 서비스가 제공될 경우 국가는 중립적 위치에서 정신건강 서비스 제공자와 서비스 이용자 간의 균형자의 위치에 서게 될 것이다. 정신질환자·정신장애인의 의견과 목소리가 서비스 제공자와 정책에 반영될 수 있는 구조를 갖추어야 비로소「정신건강복지법」의 기본 이념이 제대로 실현될 수 있을 것이다.

III.

우리는 이런 구조개혁이 정신건강상의 문제를 겪고 있거나 겪은 당사자들과 그 단체가 중심이 되어 우리 사회를 향해 요구할 때 가장 올바른 모습으로, 그리고 가장 빠른 시일 내에 이루어질 것이라고 믿는다. 그런 믿음 때문에 이 책을 번역하기로 결심했다. 또한 그런 믿음을 강화시켜 준 것이 바로 이 책이기도 하다. 우리 사회의 많은 전문가와 시민들이 약자 또는 어려운 처지에 있는 사람을 '보호'해야 한다는 따뜻한 마음을 가지고 있지만, 그런 '따뜻한 마음'을 인내심 있게 올바른 방향으로 실천하지는 못하는 것 같다. 이런 사회적 약자들을 제대로 지원하기 위한 핵심은 이들이 자신의 목소리를 대외적으로 적극적으로 표출하도록 지원하고, 그것을 경청하는 것에 있다. 그러나 우리 사회는 제도적으로 이들이 자기 목소리를 조직적으로 내는 것을 배제하고 있다. 특히 정신질환의 딱지가 붙은 사람의 경우 그 정도가 심하다. 정신질환 딱지가 붙은 사람을 '보호'한다 하더라도 그것은 자해, 타해의 위험이 매우 높은 2~3일을 초과해서는 안 될 것이다. 아니, 그 순간에조차 그들의 목소리를 들으려고 노력하는 것이 더욱 중요할 것이다. 보호보다 백배, 천 배 더 중요한 것은 정신건강상의 문제를 경험하는 사람이 자신들의 정신적 경험을 이야기하도록 하고, 자신들만의 회복 경험이 전달되도록 하며, 미리 경험한 사람들이 그 경험을 토대로 비슷한 처지에 있는 다른 사람들을 지원하도록 하는 것이다. 그래야만 이들의 독특한 정신적 경험이 우리 인류의 경험의 일부로 대등하게 존중받을 수 있을 것이다.

인간애에 기초하여 정신건강상의 문제를 경험하는 당사자들을 지원하기를 희망하는 전문가에게 이 책을 읽기를 권한다. 정신건강상의 문제를 경험한 당사자들이 중심이 된 권익옹호기관이 특히 우리나라에 왜 필요하고, 그 기관이 어떤 역할을 할 수 있으며, 동료지원가의 역할이 얼마나 중요한지에 대한 정책적 상상력을 풍부하게 키워줄 것이라고 확신한다.

정신건강상의 문제로 어려움을 겪는 자녀를 둔 부모님들에게 이 책을 읽기를 권한다. 자녀를 하루라도 빨리 고쳐보려고 사방팔방으로 동분서주하는 그 마음을 잠시 내려놓고 성찰하면서 이 책을 읽으면, 무엇이 자녀를 위한 최선의 길이며 자녀가 정신건강상의 문제로부터 회복하여 자기만의 삶을 살아갈 수 있는 여정에 가족이 해야 할 역할이 무엇인지에 대한 통찰력을 얻을 수 있을 것이다.

정신건강상의 문제를 경험하고 있거나 경험한 당사자들에게 이 책을 읽기를 권한다. 극심한 정신적 스트레스가 당신의 삶에 새로운 장을 펼쳐줄 또 다른 기회임을 깨닫고 당신이 자신과 사회를 위해 더 보람되고 의미 있는 일을 할 수 있는 비전을 얻을 수 있을 것이다. 이 책에는 당사자들이 중심이 된 정신장애인의 사회개혁 운동을 우리가 지지해야 할 수많은 이유가 제시되어 있다. 정신건강상의 문제를 경험하는 사람들에게 정신질환의 딱지를 붙이지 않고 그들의 경험을 우리 모두의 경험의 일부로 받아들여 이 사회를 개혁해야 할 필요성을 느낄 수 있을 것이다. 그만큼 이 책은 우리 모두의 상상력을 자극해 주는 책이다. 우리나라의 정신건강 시스템을 어떻게 개혁해 나가야 할지를 고민하는 연구진 여럿이 이 책을 같이 번역한 이유가 바로 이 때문이다.

이 책의 번역은 우리 연구진이 대한민국 교육부와 한국연구재단의 지원을 받아 수행하는 연구사업의 일환으로 진행되었다(NRF-2019S1A3A2099593). 우리의 연구가 순수이론의 연구가 아니라 정신건강 시스템의 개혁을 위한 실천적인 연구로 발전하여 우리 모두의 정신건강 증진에 기여하기를 기대한다.

옮긴이를 대표하여

제 철 웅

지은이 _ 대니얼 피셔 Daniel Fisher

전국역량강화센터의 CEO이다. 화학 박사이자 정신과의사협회의 공인 정신과 의사이며, 신경화학자이고, 매사추세츠 의과대학 교수이다. 피셔 박사 자신이 조현병으로 수차례 비자의 입원되면서 정신건강 시스템을 개혁하기 위해 정신과 의사가 된 당사자이기도 하다. 그는 정신건강 소비자가 운영하는 비영리기관인 전국역량강화센터(the National Empowerment Center: NEC)를 1992년 설립하여, 정신건강 문제를 갖고 있는 당사자와 그 가족을 위한 연구, 훈련, 정보 제공을 하고 있다. 이 기관의 연구를 기반으로 회복의 역량강화 모델을 개발했다. 이 모델의 핵심이 지역사회생활을 위한 개인별 회복 지원 프로그램, 위기상황에 처한 당사자와 소통하는 프로그램으로 마음의 심폐소생술이다. 이 프로그램은 희망, 자기결정권, 사람에 대한 신뢰를 통해 정신질환에서 회복할 수 있다는 메시지를 전한다. 피셔 박사는 2002년 부시 대통령이 설립한 '대통령 정신건강 신자유위원회(the President's New Freedom Commission for Mental Health)' 위원으로 미국 정신건강 시스템의 개혁에 기여하기도 했다. 매사추세츠에 살고 있는 그는 결혼해서 두 딸을 두고 있다.

옮긴이 _

제철웅 ㅣ 한국후견·신탁연구센터 센터장/한양대 법학전문대학원 교수
김낭희 ㅣ 한국후견·신탁연구센터 전임연구원
김성용 ㅣ 전 한국후견·신탁연구센터 전임연구원
김효정 ㅣ 한국후견·신탁연구센터 전임연구원
박지혜 ㅣ 한국후견·신탁연구센터 전임연구원
송승연 ㅣ 한국후견·신탁연구센터 전임연구원
공세현 ㅣ 전 한국후견·신탁연구센터 연구보조원
김경희 ㅣ 한국후견·신탁연구센터 연구보조원
김주희 ㅣ 한국후견·신탁연구센터 연구보조원
배진영 ㅣ 한국후견·신탁연구센터 연구보조원
정은혜 ㅣ 한국후견·신탁연구센터 연구보조원

한울아카데미 2244

희망의 심장박동
정신과 의사가 전하는 삶을 회복하는 마음 심폐소생술

지은이 **대니얼 피셔** ǀ 옮긴이 **제철웅 외** ǀ 펴낸이 **김종수** ǀ 펴낸곳 **한울엠플러스(주)** ǀ 편집책임 **이진경**

초판 1쇄 인쇄 **2020년 8월 17일** ǀ 초판 1쇄 발행 **2020년 8월 24일**

주소 **10881 경기도 파주시 광인사길 153 한울시소빌딩 3층**
전화 **031-955-0655** ǀ 팩스 **031-955-0656**
홈페이지 **www.hanulmplus.kr** ǀ 등록번호 **제406-2015-000143호**

Printed in Korea.

ISBN 978-89-460-7244-2 93510(양장)
      978-89-460-6922-0 93510(무선)

* 책값은 겉표지에 표시되어 있습니다.
* 이 도서는 강의를 위한 학생판 교재를 따로 준비했습니다.
  강의 교재로 사용하실 때는 본사로 연락해주십시오.

이 책의 번역은 대한민국 교육부와 한국연구재단의 지원을 받아 수행하는 연구사업의 일환으로 진행되었습니다
(NRF-2019S1A3A2099593).